今日から
モノ知り
シリーズ

トコトンやさしい VRの本 第2版

技術応用の拡大を続けるVR（バーチャルリアリティ）の中で、大きなトピックになっているメタバース。メタバースがつくり出す世界は無限の広がりを見せています。メタバースという追い風により、VRを取り巻く社会環境も変化しています。

廣瀬通孝 監修
東京大学バーチャルリアリティ
教育研究センター　編

B&Tブックス
日刊工業新聞社

はじめに

本書は、2019年に出版された『トコトンやさしいVRの本』の改訂版です。2018年2月、東京大学にバーチャルリアリティ教育研究センター（VRセンター）が設立され、そこに集まる研究仲間に声をかけ、「バーチャルリアリティ（VR）」についての基本的知識を書いてもらったのが前作でした。

さて、それから4年近くの月日が流れました。4年は短いと思う人が多いかも知れませんが、直近の4年はどうでしょうか。最大の事件は、新型コロナウイルスによるパンデミックだと思います。出版からわずか1年目に発生した世界的な感染症の広まりは、私達のライフスタイルや社会そのものを大きく変えようとしています。

VRととりわけ関連の深い変化として、リモート会議の急速な普及が挙げられます。感染者数の急速な増加に対応して、様々な活動をリモートで行うことが推奨されました。東京大学でも、関係者の大変な努力の結果、学事日程を変えることなしに、ほとんどの授業をリモートに切り替えることができたと聞いています。もし、このコロナ禍が10年早くわが国を襲ったらどうだったか想像するだけで背筋が寒くなります。恐らく、ほとんどの活動が停止してしまったのではないでしょうか。

私達はこの大騒動を経て、デジタルの世界にもうひとつの活動の場を求めることの重要性を思い知ったのではないかと思います。VRの技術も、「あれば便利な技術」から「ないと生き残れない技術」と社会の認識が変化したのではないでしょうか。

前作の「はじめに」でも、VRの技術は大きく変わっていくだろうという予想について述べました。しかし、「事実は小説よりも奇なり」の例え通り、実際の社会の変容と、それに伴う技術の進化は、監修者の甘い予想をはるかに超えるものでした。中でも2021年の末頃から本格化したメタバースのブームは、VRの概念を大きく拡張させ始めています。

幸いにして、前作はVRの入門解説書として好評だったようで、改訂版の話が持ち上がりました。これを単なる改訂ではなく、メタバースやWeb3などVRにとって新しい分野に関する部分を補強し、3分の1くらいを書き直してみたのが本書というわけです。

とはいうものの、本書の基本的スタンスは前作と変わっていませんし、VRセンターの運営委員中心の執筆陣というところも同じです。

平易さをモットーとして書き下ろされていますが、決してレベルを下げたつもりはありません。内容や難易度について、あまり細かいコントロールは行わず、執筆者の自由度に任せるようにしました。その結果、入門書とはいうものの、かなり深い内容まで書き込んでくれた執筆者もいます。その部分はちょっと難しいかもしれませんが、学術的な歯ごたえを感じてもらうにはいいかと思っています。

読者は、VRやメタバースの分野について興味を持ち、もっと知りたいと思っている人たちを想定しています。最近、「メタバース」「NFT」「Web3」など新しい言葉が次々と登場して困っている人達の参考になるでしょうし、この分野に飛び込んでみようという学生さんにも読んで欲しいと思います。

この本を手にとる動機は様々でしょうが、VR・メタバースが知的好奇心を満足させるに足る、それなりの深さを持つ分野であること、長期的に私達の考え方や生活を変えていく重要な問題解決能力を持つことを感じとっていただければ幸いです。

４年のうちに監修者の廣瀬は定年を迎え、現在では相澤清晴センター長が活躍中です。前作と変わらず奮闘してくれた青山一真助教も、今や東大先端科学技術研究センターの特任講師になりました。編集部の岡野晋弥さん、土坂裕子さんにはお世話になりました。

廣瀬　通孝

2022年11月

目次 CONTENTS

第1章 VRって何だろう

第2章 VRと五感の科学

第3章 VRが可能にする新しいインタラクション

第4章 時間と空間を超える

第5章 VRの周辺技術

第6章 ＶＲの可能性

第7章 メタバースという世界

第1章

VRって何だろう

1 VRの誕生

歴史は30年も前に始まっていた

バーチャルリアリティ（VR、Virtual Reality）という言葉が最初に使われたのは、1989年に遡ります。その年の6月7日、米国サンフランシスコで開催された展示会で、RB2（Reality Built for Two）という奇妙なシステムが展示されました（**図1**）。作ったのは、米VPL（Visual Programing Language）Research社でした。この会社の創業者、Jaron Lanier氏こそが「VRの父」と呼ばれる人物です（**図2**）。

この会社は、MITメディアラボ出身者が作った会社で、もともとは図形言語のソフトウェアなどを作っていたといいます。1987年、VPL Research社は、光ファイバーを装着した手袋状のデバイスであるDataGloveという商品を売り出し、注目を浴びました（**図3**）。光ファイバーの透過率が曲げによって変化することを利用し、手指の動きをトレースします。このデバイスは、種々のリンク構造を持つCADモデルとしてリリースされた「Swivel 3D」と呼ばれるソフトウェアの入力装置として利用されたのです。そして先述の1989年、彼らはさらに本格的な製品として、（恐らく最初の商品としての）HMD（ヘッド・マウンテッド・ディスプレイ）「EyePhone」を世に出したというわけです。

EyePhoneとDataGloveを組み合わせて作られたのが先述のRB2で、「未来の電話」というふれ込みでした。EyePhoneやDataGloveを身につけると、目の前に当時のポリゴン丸見えのCGで描かれた部屋が見えてきます。ドアが開いて、簡単な形のアバタ（バーチャル世界での身体）として表示された通話相手が入ってきます。そこでバーチャル世界でのコミュニケーションが始まる、という具合でした。

当時の価格（日本）で、DataGloveは200万円、EyePhoneは300万～400万円という数字を記憶しています。こういう状態から「バーチャルリアリティ」という領域がスタートしたのです。

要点BOX

- ●初めての商用HMDは1989年に完成
- ●HMDと手袋状のデバイスは併せて売り出され、当時は高額な製品だった

図2　Jaron Lanier氏

「VRの父」と呼ばれています。

図1　EyePhoneとDataGlove

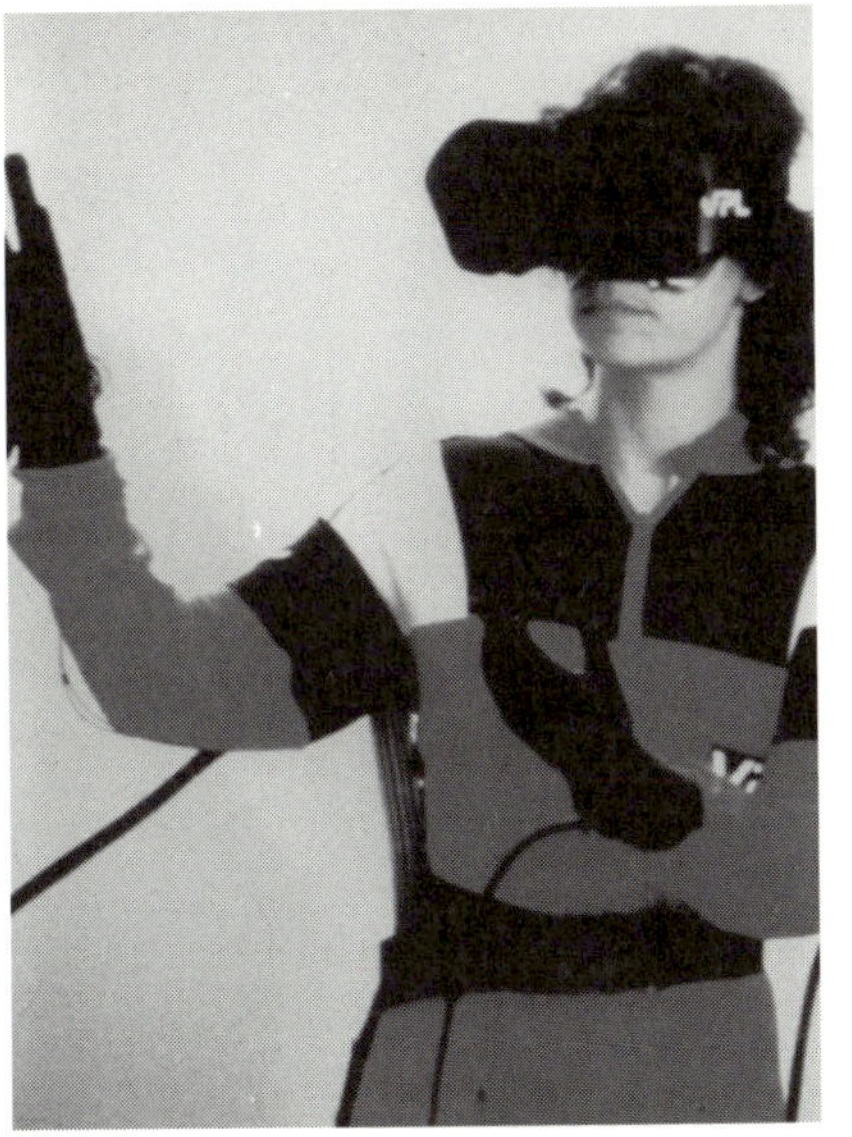

図3　DataGloveの原理

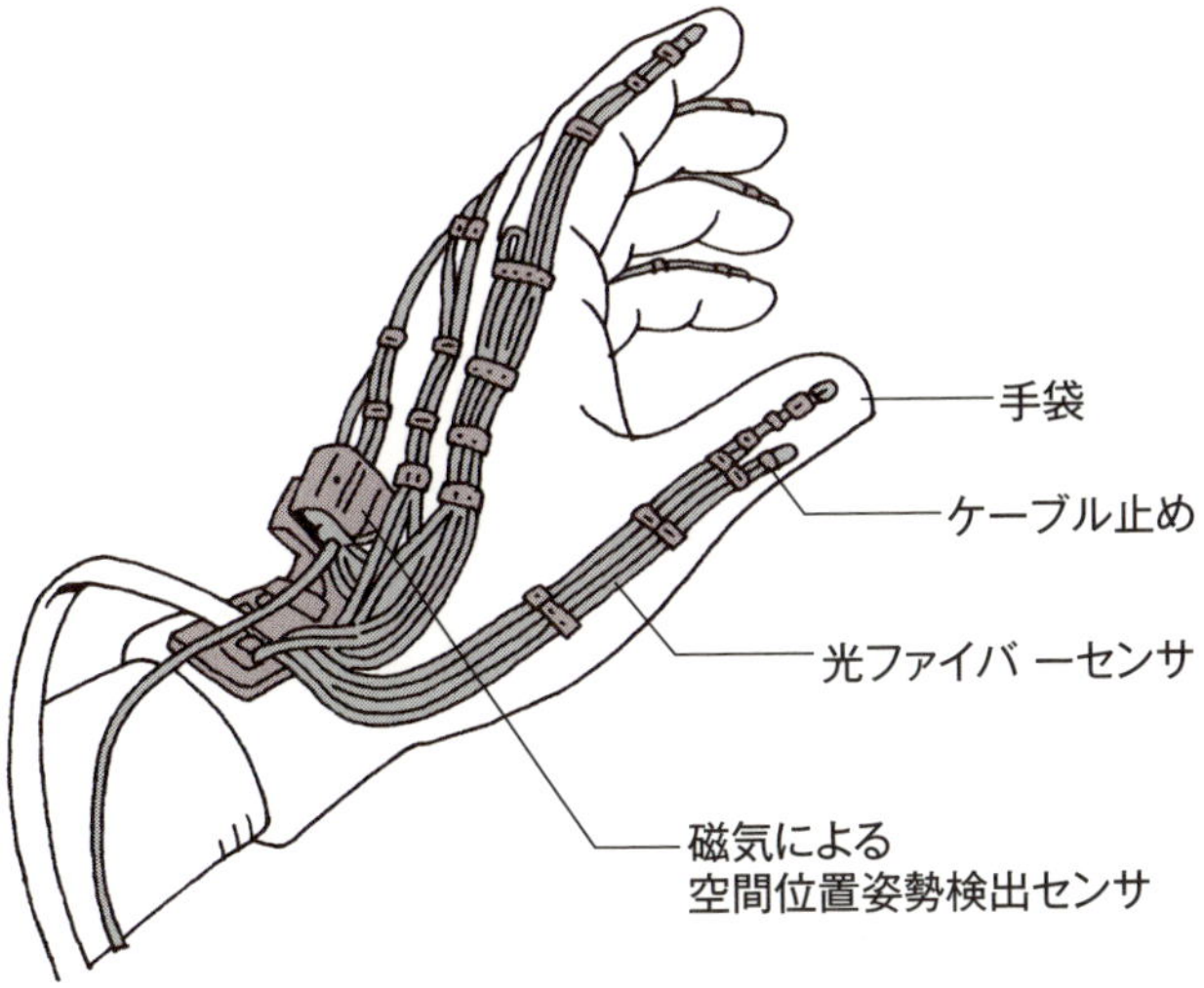

用語解説

MITメディアラボ：米国マサチューセッツ工科大学（MIT）内の研究所。

2 VRとは

重要なのは情報のループ

VRのシステムを作るためには、どのような技術が必要かについて考えてみましょう。**図1**に示すような①〜③の3つのサブシステムに分解できます。

①ディスプレイは、ユーザーの眼前に現実と見まがうばかりの人工的世界を提示するための技術です。HMDなどはその代表格です。現実世界を感じるのは視覚だけではありません。聴覚、触覚など様々な感覚を表示するディスプレイが必要です。VRが「感覚の技術」と呼ばれるのは、こういう理由からなのです。

②入力システムは、①で提示された世界を自由に操作するために必要な技術です。1項のDataGloveは、バーチャルな物体を現実世界と同様に「いじる」ことを可能とします。VRで使われる入力インタフェースは、私達の意思をコンピュータ側に入力するインタフェースですから、基本的にはコンピュータのキーボードやマウスと同じものです。ちょっと違うのは、身体的動きの役割が非常に大きい点です。ヘッドトラッキングやモーションキャプチャなどの技術が非常に大きくクローズアップされてきます。

③シミュレーションは、①と②をつなぐシステム。②で持ち上げたコップから手を離しても、コップがその位置に静止していたとしたらどうでしょう。奇妙に感じるはずです。バーチャルなコップをニュートンの法則に従って、落下させるプログラム、すなわち、シミュレーションのサブシステムが必要となるはずです（**図2**）。①と②は、インタフェースの技術に分類されますが、③はシミュレーション技術です。VRのルーツの1つがシミュレーション技術だといわれるのは、こういう理由です。

最も重要なのは①→②→③をつなぐ情報のループを円滑にまわすこと。個別のサブシステムがいかに精緻に作られていても、このループのどこかにボトルネックがあってはぶちこわしです。VR技術のエッセンスは、このループを最も適切に設計するところにあるといえるのです。

要点BOX

●VRシステムはディスプレイ、入力システム、シミュレーションに分解できる

●3つのシステムを回せてVR技術は成立する

図1　VRシステムを構成するサブシステム

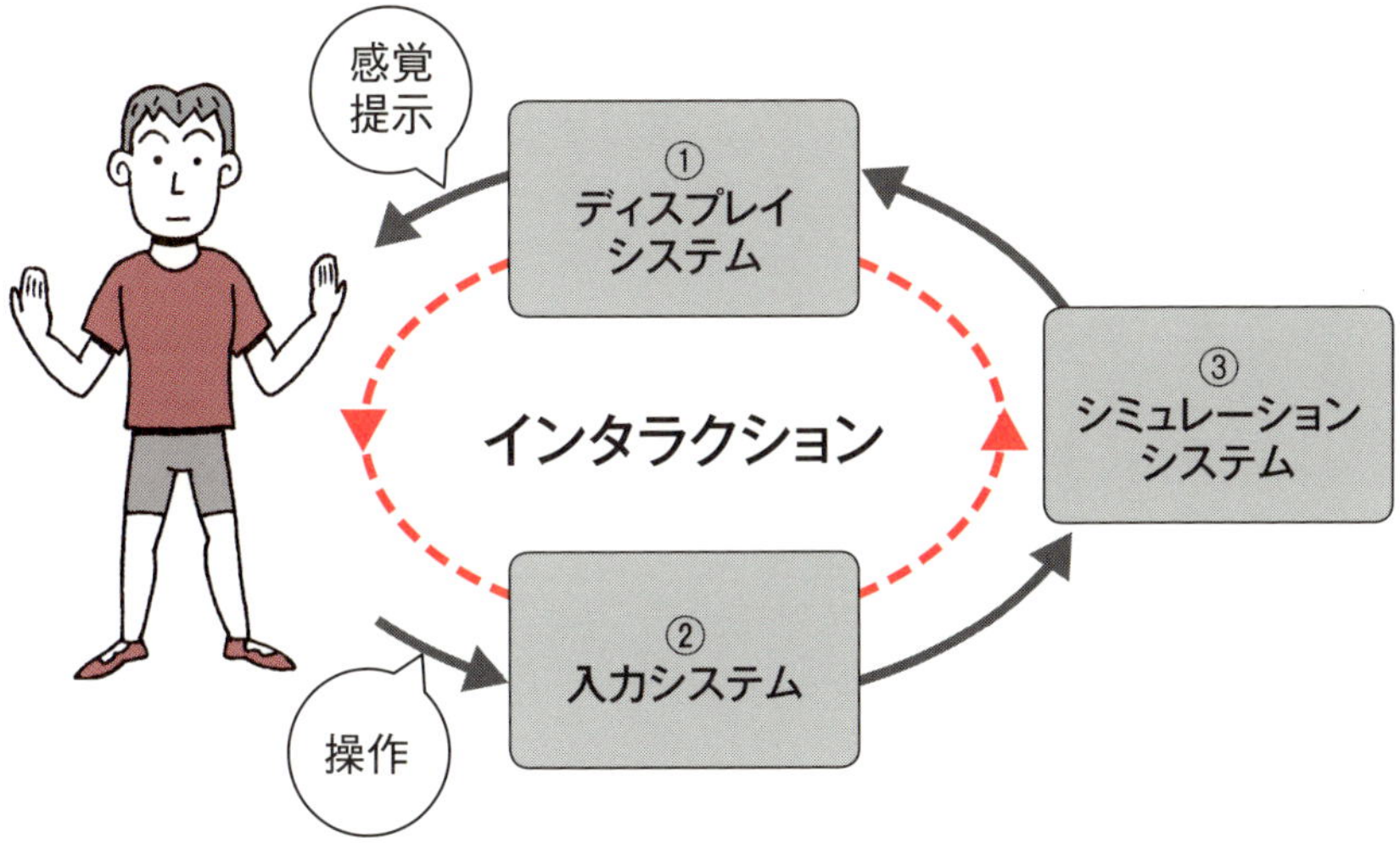

図2　現実とVR

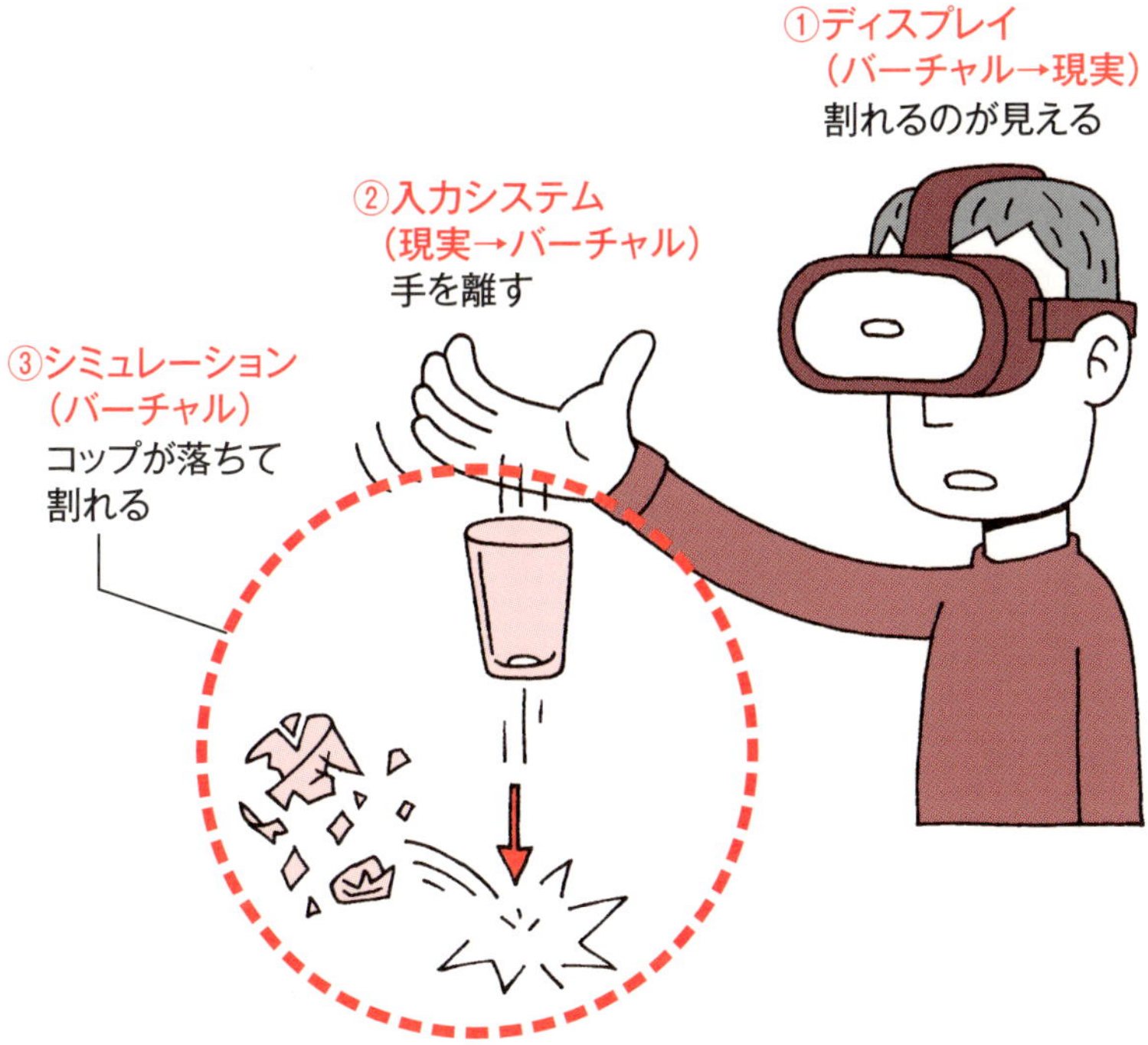

3 VRの最重要キーワード

AIPキューブと3要素

　AIPキューブの概念は1990年代のはじめ頃、MITメディアラボのDavid Zeltzer教授によって提案された概念です。以来、完全なVRシステムを構築するまでの指標として、多くのVR研究者に共有されてきました。VRについての資格試験があるとすれば、まず第一に聞かれるものの1つではないかと思います。

　AIPは、Autonomy、Interaction、Presenceの頭文字をとったものです。Autonomy（自律性）とは、先に述べたリアルタイムシミュレーションのプログラムがどのくらい作り込まれているか、という尺度です。プログラムの中に作り込まれた世界がどれだけ自律的に動けるか、どれだけ自分なりの法則性を有しているか、ということです。Interaction（対話性）とは、世界をどのくらい自由かつ直感的に操作できるかの尺度です。そして、Presence（臨場性）とは、あたかも自分が提示された世界の中に入り込み、その場にいるように感じているか、眼前の世界が現実であるかを示す尺度です。

　AIPキューブとは、これらを座標軸として作られる単位立方体のことを指します（図1）。これから作ろうとするシステムが、それぞれの要素をどれだけ持つかによって、立方体の中での位置が決まります。その位置によって、システムがどれだけVR的かを概念的に示すことができるのです（図2）。

　例えば、プラネタリウムのような全天周映像システムは非常に高い臨場感を持ちます。8Kのような高精細かつ3Dであれば臨場感はより高くなり、P軸で評価すれば1に近い位置、例えば0・9になるでしょう。しかし、それだけだとインタラクションの要素はないし、その裏側にシミュレーション要素があるわけでもない。だからAIPキューブ内の位置としては、「0、0、0・9」ということになります。

　いうまでもなく、完全なVRシステムが構築された時、その位置は「1、1、1」になるわけです。

要点BOX

- ●AIPキューブは自律性、対話性、臨場性を座標軸とする単位立方体
- ●VR性を概念的に示す方法

図1　AIPキューブ

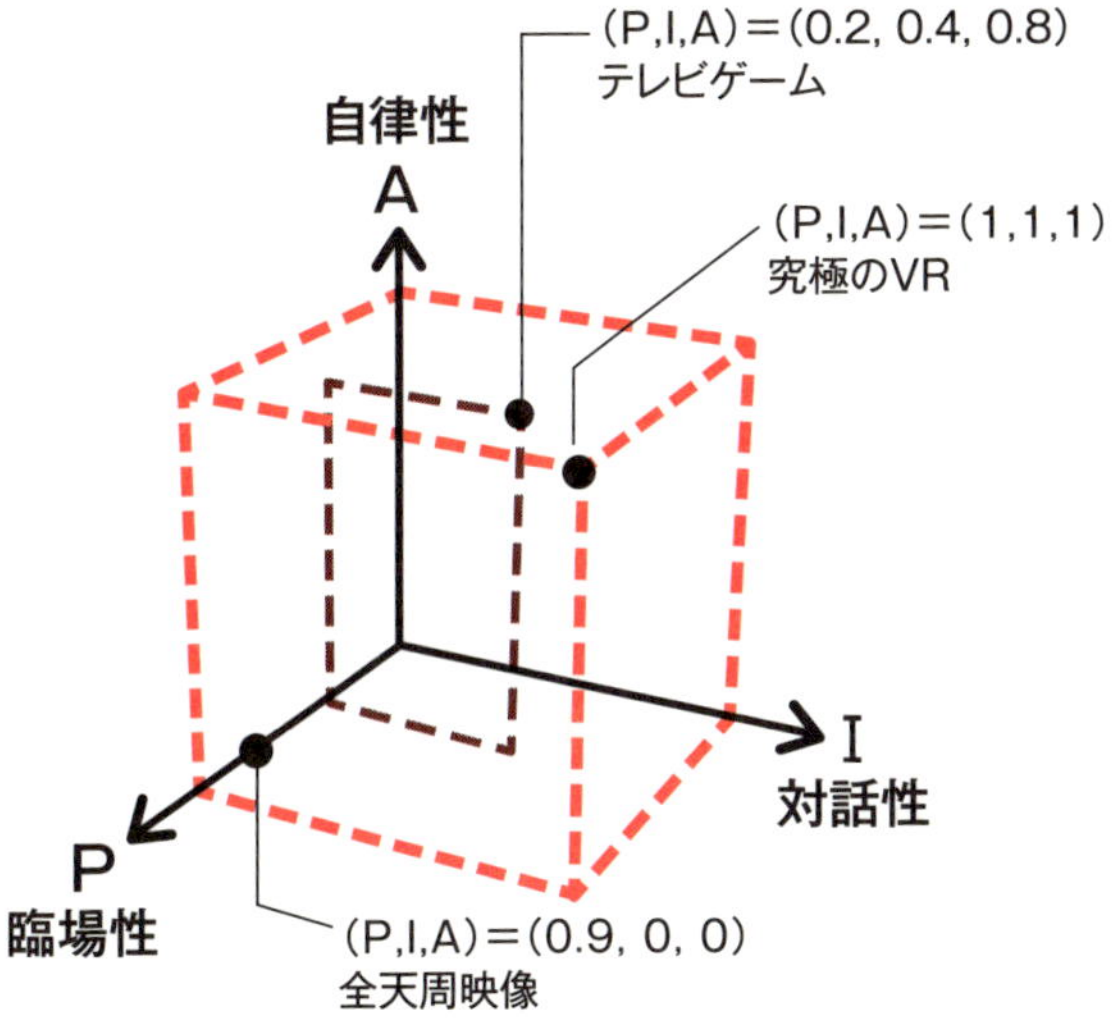
(P,I,A)＝(0.2, 0.4, 0.8)
テレビゲーム
自律性
A
(P,I,A)＝(1,1,1)
究極のVR
I
対話性
P
臨場性
(P,I,A)＝(0.9, 0, 0)
全天周映像

図2　テレビゲームとAIPキューブ

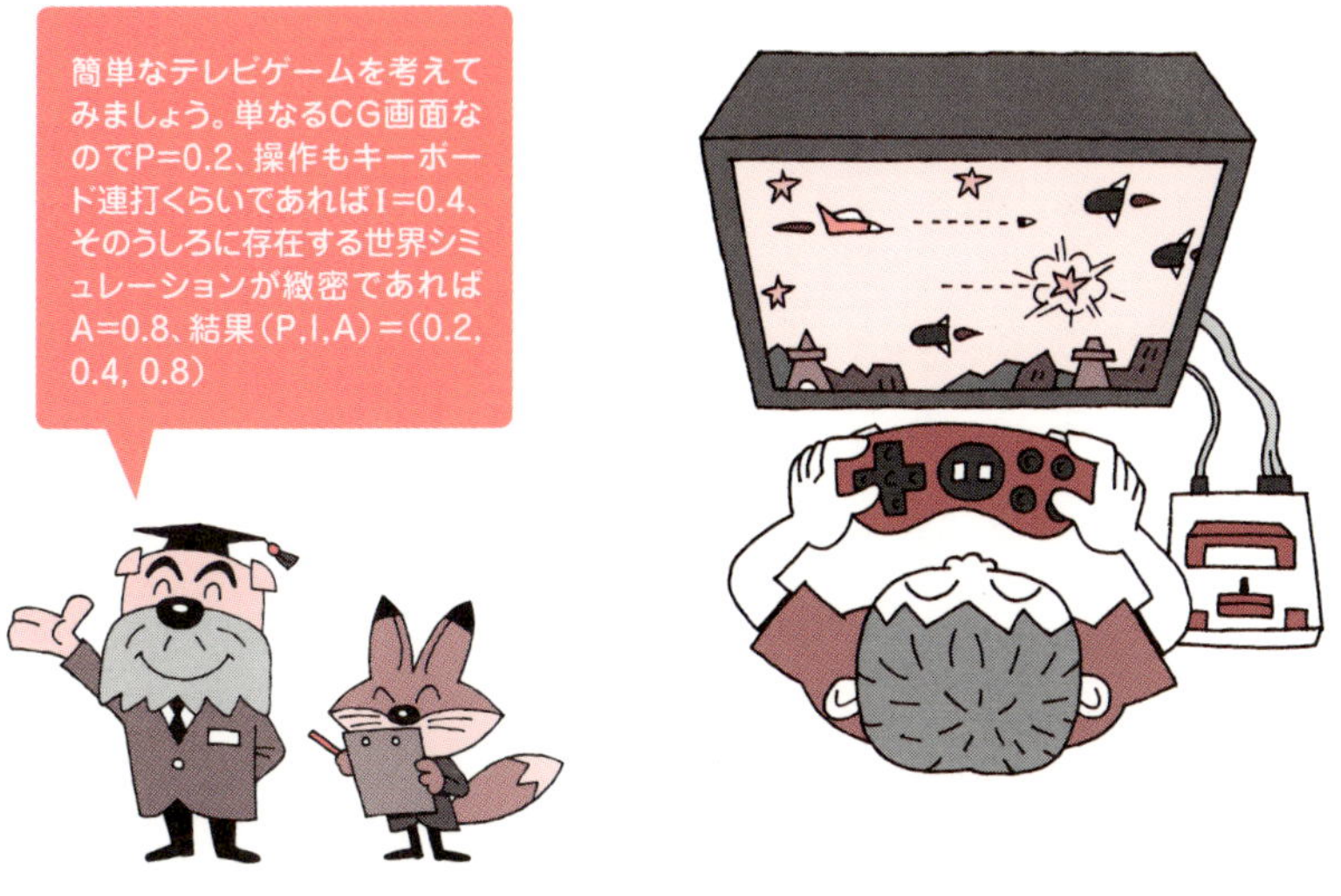
簡単なテレビゲームを考えてみましょう。単なるCG画面なのでP=0.2、操作もキーボード連打くらいであればI=0.4、そのうしろに存在する世界シミュレーションが緻密であればA=0.8、結果（P,I,A）=（0.2, 0.4, 0.8）

4 VR以前の技術とは

VRを支えている始祖技術

ＶＲはすでに30年ほどの歴史を持つ技術であることはすでに書いた通りですが、ここではその先史ともいうべき研究の歴史を紹介します。

ＶＲ的な技術の始祖とでも呼ぶべきシステムは、１968年に発表された「究極のディスプレイ」です。当時、米国ユタ大学のIvan Sutherland教授がコンピュータグラフィックス（CG）の将来の姿として、提案したシステムです（**図1**）。Sutherland教授は、Sketch Padという画面を介してコンピュータと対話できる、今のグラフィカルユーザインタフェース（GUI）の先駆けを作った人として知られていますが、コンピュータは単なる絵を描くだけでなく、３次元の世界を作り上げることができるポテンシャルを有している、というのが彼の主張でした。

体験を作り出すという意味では、Morton Heilig氏の作った「センソラマ」というシステムも知られています（**図2**）。これは映画の未来に対する提案で、例えばバイクの振動や向かい風、匂いなどを感じました。

ＭＩＴメディアラボもこの分野の形成に大きな役割を果たしています。前身は、Nicholas Negroponte教授らのＡＭＧ（Architechture Machine Group）です。彼らの仕事で有名なのが、Media Roomです。

この部屋に入り大きなスクリーンの前に座ると、様々な情報が目に飛び込んできます。画面を指さすと、その情報が選ばれたことになり、そこで何かを話すとその命令に従って必要な情報処理がなされます。これを「空間情報処理システム」と呼び、身体の動作や自然言語など、私達が日常的な世界の中で行っているような仕方で、コンピュータを操作できるようにしたのです。

ＧＵＩの進歩した現在では、このシステムは当たり前のように見えるかもしれません。しかし、ここで行われた研究こそが、ＶＲにとって重要な「身体的インタラクション」のルーツということができるのです。

要点BOX
●GUIの基礎がVR技術の発展に影響
●Media Roomが身体的インタラクションのルーツ

図１　I.Sutherlandの「究極のディスプレイ」

図2　センソラマ

sensorama
ピザ屋の前を通る
映像を見ると、
チーズの焼ける
匂いがしたとか

用語解説

GUI：コンピュータ画面上でのマウスなどのポインティングデバイスによる操作。

5 まだある、VR以前の技術

様々な分野で進んだ研究

メディアアートの分野でも、VRの基礎となる技術は発展していきます。コンピュータに取り込まれた自分のキャラクタとCGで描画されたキャラクタが画面の中で相互作用する、という一連の作品を考案したのが、ウィスコンシン大学のMyron Krueger教授です。単なるブラウン管の中の世界ですが、そこにある種のリアリティを感じる、ということで「Artificial Reality」（人工現実感）という言葉を使った書籍を1983年に出版しています。

1980年代に入ると、インタラクティブなCGが夢物語ではなくなります。米国ノースカロライナ大学のFrederick.P.Brooks教授は「IA is Better than AI」（第1章コラム）という言葉を作った人ですが、CGによる分子ドッキングシステムを作りました。現実には触ったりできない分子の世界をCGで再現し、マジックハンドを用いて、感じることのできない分子間力までも感じることができるようにしたのです。VRが可視化のツールであることを実感させた貢献者です。

時間を少し逆回しして、1980年代の初頭、当時米空軍の研究者であった、Thomas Furnessワシントン大学教授がスーパーコックピットという概念を発表しました。将来の軍用機のコックピットをイメージし、計器パネルを映像空間の中に実現したもので、現在の物理的計器パネルとは比較にならないほどの自由度がありました。液晶ディスプレイ（LCD）などは存在せず、ブラウン管を内蔵した巨大なヘルメットが使われざるを得なかったのは、時代を感じさせます（図1）。

そして、その研究の延長上に、宇宙飛行士の船外活動のためのインタフェースとして、当時米航空宇宙局（NASA）のScott Fisher南カリフォルニア大学教授が開発したのがVIEW（Virtual Environment Work Station）で、この実装の一部を担ったのが、1項のVPL Research社だったというわけです（図2）。

要点BOX

- 1983年に「人工現実感」という言葉が誕生
- VRは様々な場所で発展した技術の結集
- 米空軍やNASAでも研究されていた

図1　スーパーコックピット

図2　NASAのVIEWを用いたバーチャルな風洞実験

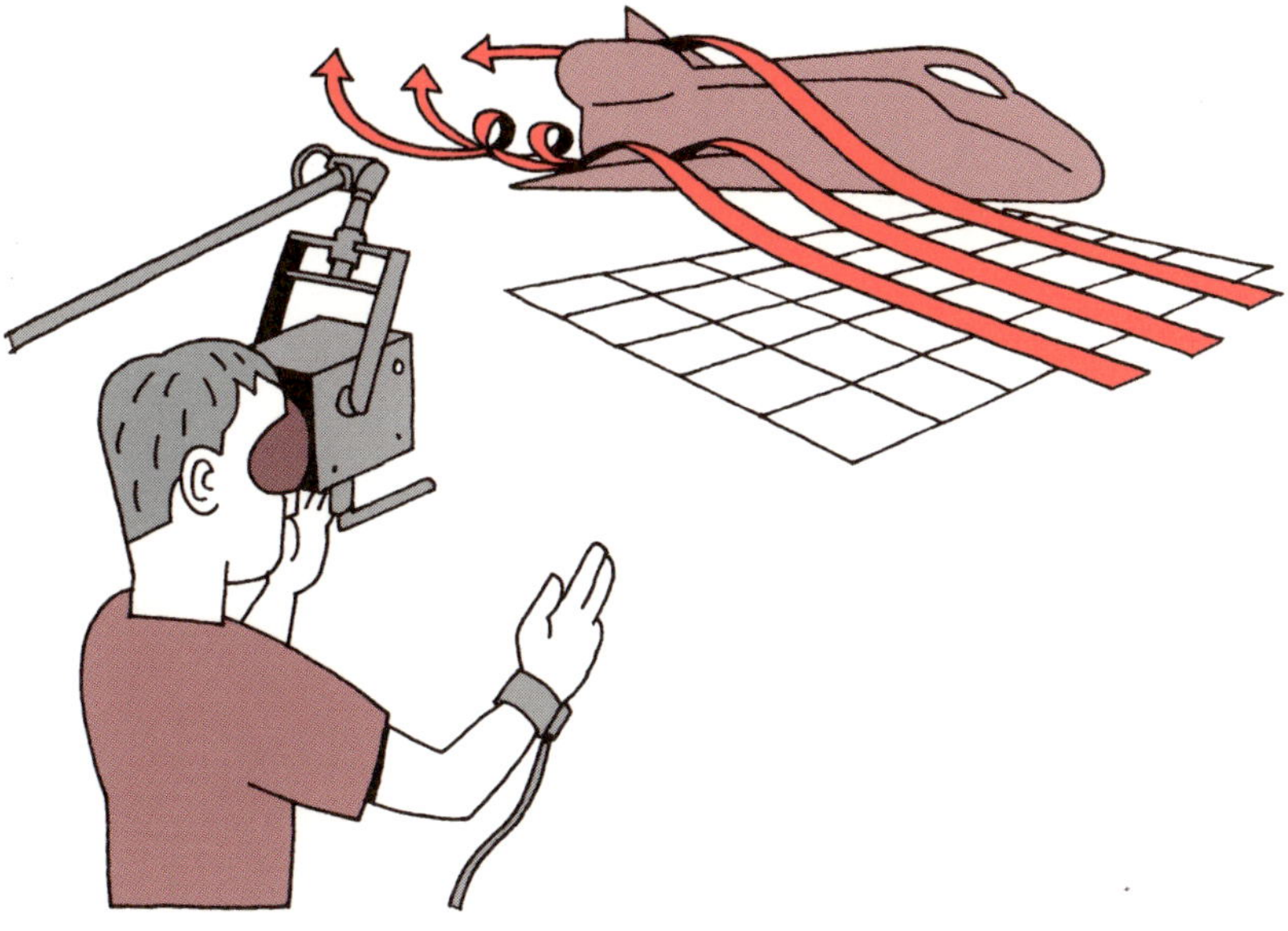

NASAではVIEWのもう1つのアプリケーションとして風洞実験への応用も考えていました。

6 VRとAR

異なる現実世界との距離感

ARとは「Augmented Reality」の頭文字をとったもので、「拡張現実」と訳されます。VRのHMDは視界を完全に覆ってしまいますが、外部の物理世界を同時に見せるようにしたのがARです。リアルな世界とバーチャルな世界との中間的存在で、従来、対立概念として考えられていたバーチャルとリアルの関係に新しい視点を与える考え方だったといえるでしょう。

カナダ・トロント大学のPaul Milgram教授がMixed Reality（MR、複合現実）の連続体と呼ばれる概念を提案しました（**図1**）。完全なリアルと完全なバーチャルの間にあるARと、Augmented Virtuality（**AV**）の連続体に対してMRという言葉が使われたのです。

VRはその場に居ながらにしてまったく異なった世界を体験することを特徴とし、ARは目の前に広がる現実の世界に強く拘束されます（**図2**）。いきなり違った世界に飛ぶわけにいかないのです。そのため、VRであれば小さい空間で広大なバーチャル世界を体験できるのに対し、ARは小さい実空間の中でコンテンツを展開するのが難しいのです。逆の言い方をすれば、ARは大きな実空間の中で機能する能力が要求されます。

VRは基本的には映像産業と深い関係がありますが、ARは現実世界を相手にするほとんどすべての産業と関連を持ちます。「VRよりARの方が産業規模は大きい」などと言わる理由もこうした点にあると思われます。

歴史的には、第1世代のVR技術が発展を遂げるのが1990年代の終わり頃ですが、それを引き継ぐ形で登場したのがARです。そして、ARにとって幸福だったのは、ちょうどその頃スマートフォンなどのモバイル系の情報技術、IoTなどの大空間に展開するセンサ技術が発展期を迎えたことです（**図3**）。VR、ARへと続く一連の技術は連続的に発展し、第2世代に至るわけです。

要点BOX

- ●ARは現実世界とVRの中間
- ●VRは小さい空間で広大なバーチャル世界を再現、ARは大きな現実世界で能力を発揮する

図1　P.Milgramの「MRの連続体」

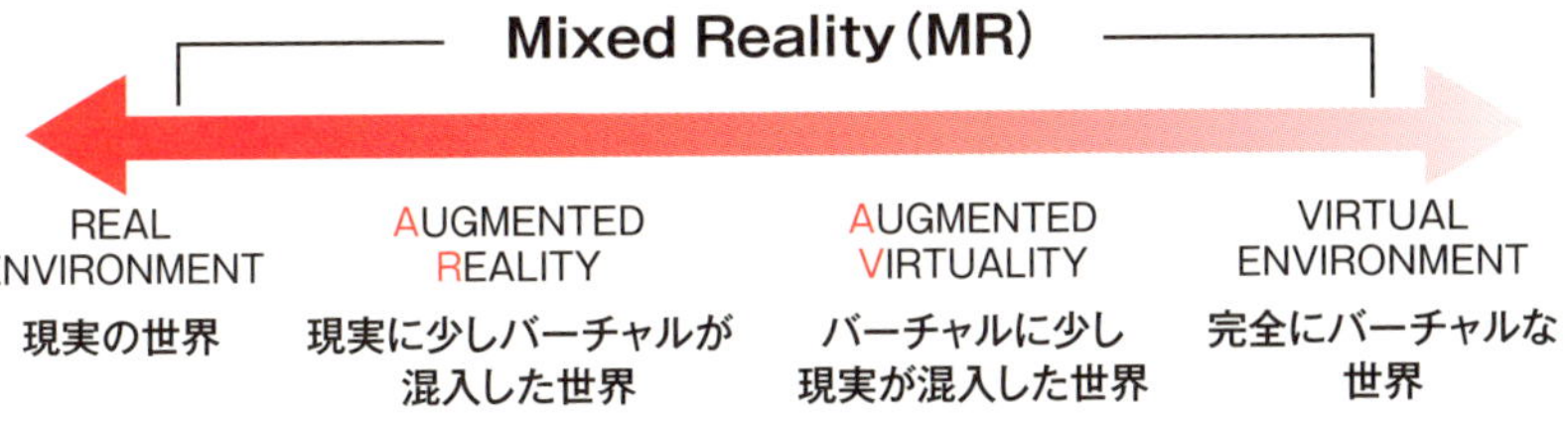

図2　光学シースルー型HMD

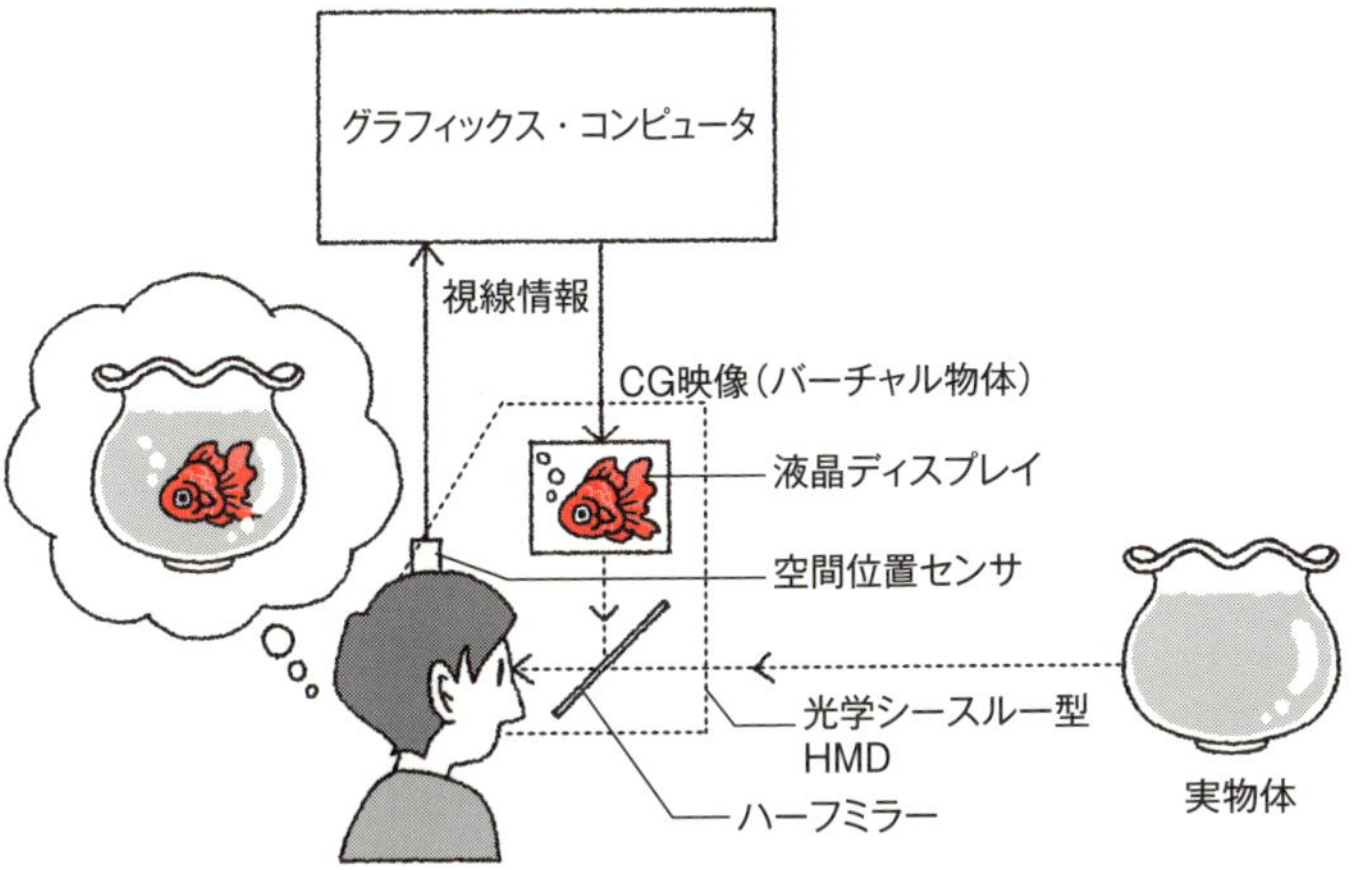

図3　携帯電話の契約数の統計

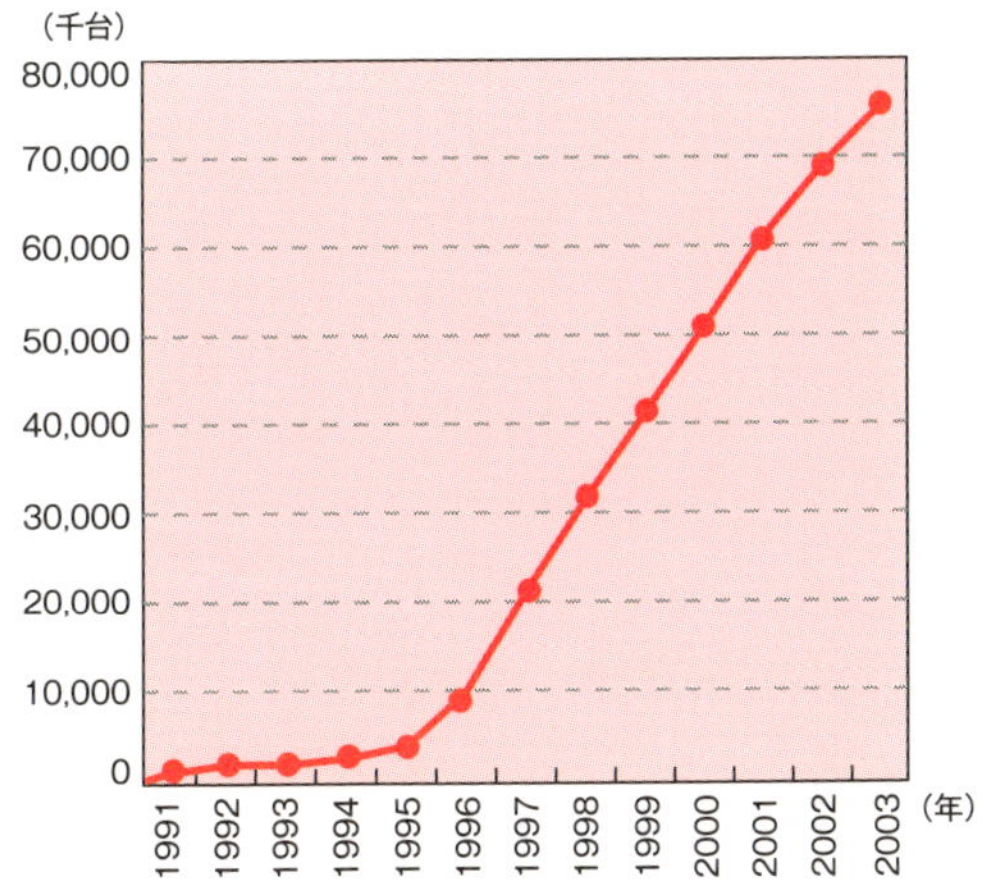

（郵政省「通信白書」などを基に作成）

7 VRからメタバースへ

VRは「図」の技術、メタバースは「地」の技術

　最近、「メタバース」という言葉が注目を集めています。メタバースとは「電子的に実現された私達の活動空間」とでもいえばよいでしょう。VRの観点からは、ネットワーク上に展開したVRです。多くのユーザーが同時に体験可能であり、相互にコミュニケーションできるという点が、従来のVRとの違いです（**図1**）。ネットワーク上のゲームから発展してきた多人数参加型のVRを「ソーシャルVR」と呼びますが、それが一般生活空間へと進化したものがメタバースです。

　もう1つ重要な違いがあります。一般生活空間に進出するということは、それが環境化するということです。技術の影響が格段に大きくなるのです。

　心理学で重要な概念に「図」と「地」があります。**図2**の白い部分に注目すると果物を載せる台のようなものが、黒い部分に注目すると向かい合う顔に見えます。視界に2つの領域がある時、物の形として認識されるのが「図」で、「地」は背景です。ほとんどの場合、図と地の関係は自明で、迷うことはありません。

　技術において図と地を考えてみましょう。それがまだ萌芽的であり、生活に溶け込んでいない場合は図にとどまっています。この場合、その技術が嫌なら捨ててしまえばいいのです。私達の生存に甚大な影響を及ぼすことはありません。

　しかし、その技術が成長し生活全体を覆うようになると、それは図から地になり、違った風景が見えてくるでしょう。VRは図の技術、メタバースは地の技術ということができるのです。

　実はメタバースのブームは今回で2度目です。このブームは新型コロナ禍による社会のあり方や価値観の大転換と関係があります。このニューノーマルへの社会変化を背景として、VRも大きく変化しなければなりません。その進化の先がメタバースというように捉えています。

要点BOX

- ●メタバースは多人数での同時体験とコミュニケーションが可能
- ●一般空間生活へと広がりを見せる

図1　メタバースの画面

ito
Hirose
Amemiya
kurita

図-2 「図」と「地」

技術は、最初は個別的。
私達の生活全体を
支配するわけではない。
しかし本格化してくると技術は
環境化し、私達の全生活と
関係するようになるんだ
視野に2つの領域が存在する時、
一方の領域に形「図」が、
もう1つの領域は
背景「地」に見えます。
どちらを「図」と認識するかで
見えるものが違いますね

Column

IAとAI

VRを「AIの一部のカテゴリ」ぐらいに思っている人がいるとすれば、それは大きな間違いです。AI（Artificial Intelligence）とは人間の外部に知的な存在を作ろう、という技術的な試みということができます。AIは自律的に動作し、人間とインタラクションするかもしれませんが、それは必須ではないのです。もちろん、人間の役に立つために作られたものなので、どこかで人間との接点はあるかもしれませんが、人間要素がないと成立しないということではないのです。

それ自体が知的な存在は「一を聞いて十を知る」の諺のように、あまり細かに情報交換をする必要はありません。自分自身でいろいろな機能を果たすことができるからです。こうした機械は人間にとって代わって作業することが可能なので、いわば「代替型」の機械です。

それに対して、VRのようなヒューマンインタフェースの技術は、図に示すように、人間を積極的に情報処理の中に取り込もうというHuman-in-the-Loopの哲学に基づいた技術です。こういうコンピュータの使い方をIA（Intelligence Amplification）といいます。人間の能力をコンピュータによって増幅する「拡張型」の機械です。

両者は目指すものが明白に違います。代替型の究極は、完全自動化でしょう。それがすべてであるとするならば、IAは過渡状態のためだけの技術です。しかし拡張型の究極はそこにはなく、人間と機械の融合です。

コンピュータ・インタフェースが貧弱だった時代の考え方は代替型だったかもしれません。コンピュータと人間との間に十分な情報チャネルが用意された現在、自動化のみが究極の目的でないことを私達は意識すべきでしょう。そうすればシンギュラリティなどの極端な議論に、必要以上に振り回されることもなくなるはずです。

IAパラダイムにおける情報処理

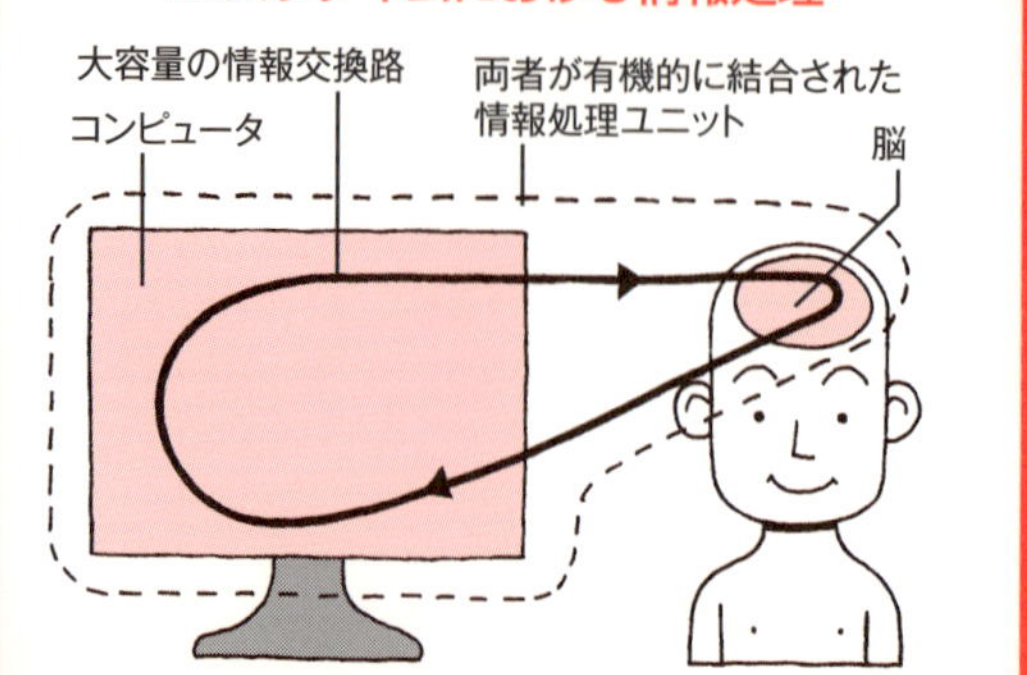

第2章

VRと五感の科学

8 知覚と認知の多様性への対応

大脳と小脳の役割と協調

ある物体をカテゴリー分類する時、図1のように様々なカテゴリー（例えばピアノ、グランドピアノ、楽器）が考えられるので、一意に定まらず多様になります。物体のカテゴリーは、上位概念、基本語、下位概念の3レベルに分けることができます。

上位概念レベル（例えば楽器、乗り物、道具など）は、一般的に物体の機能によって分類できます。楽器という上位概念の中の基本語レベルにはピアノ、ギター、フルートが存在します。下位概念レベルはさらに分割したカテゴリーで、ピアノという基本語レベルの中には、グランドピアノ、アップライト・ピアノなどの下位概念が存在します。基本語レベルでの私達の認知は速く、同時に幼児が覚える単語レベルに相当します。

認知の多様性は、大脳と小脳の役割分担にも反映されています（図2）。大脳は、物体をカテゴリー分類するような知覚、認知処理において、情報伝達効率を上げた巨大な神経システムによって認知する、いわば「頭でわかる仕組み」を担っています。

一方、小脳は、自転車の運転、水泳、楽器の演奏などにおいて、初めのうちは大脳で制御して手足を動かしていた一連の運動イメージを、運動モデルとしてコピーし、無意識でスムーズにその運動ができるようになる、いわば「体でわかる仕組み」を担っています。脳の下部に位置し、脳内では大脳に次いで2番目に大きい小脳は、このような運動制御に重要な役割を果たすことが古くから知られ、運動を巧みに行うための調節器官だとみなされてきました。

しかし、今では知覚情報の統合や情動の制御などにおいて小脳が受け持つ役割は大きいと考えられています。さらに、大脳と小脳が協調的に機能し、短期記憶や注意力、情動の制御、感情、高度な認識力、計画を立案する能力を実現するため、感覚信号を統合する役目を果たしています。

要点BOX

- ●頭でわかる仕組みと体でわかる仕組み
- ●知覚において小脳の役割は大きい
- ●大脳と小脳が協調的に機能する

図1　物体認知のレベル

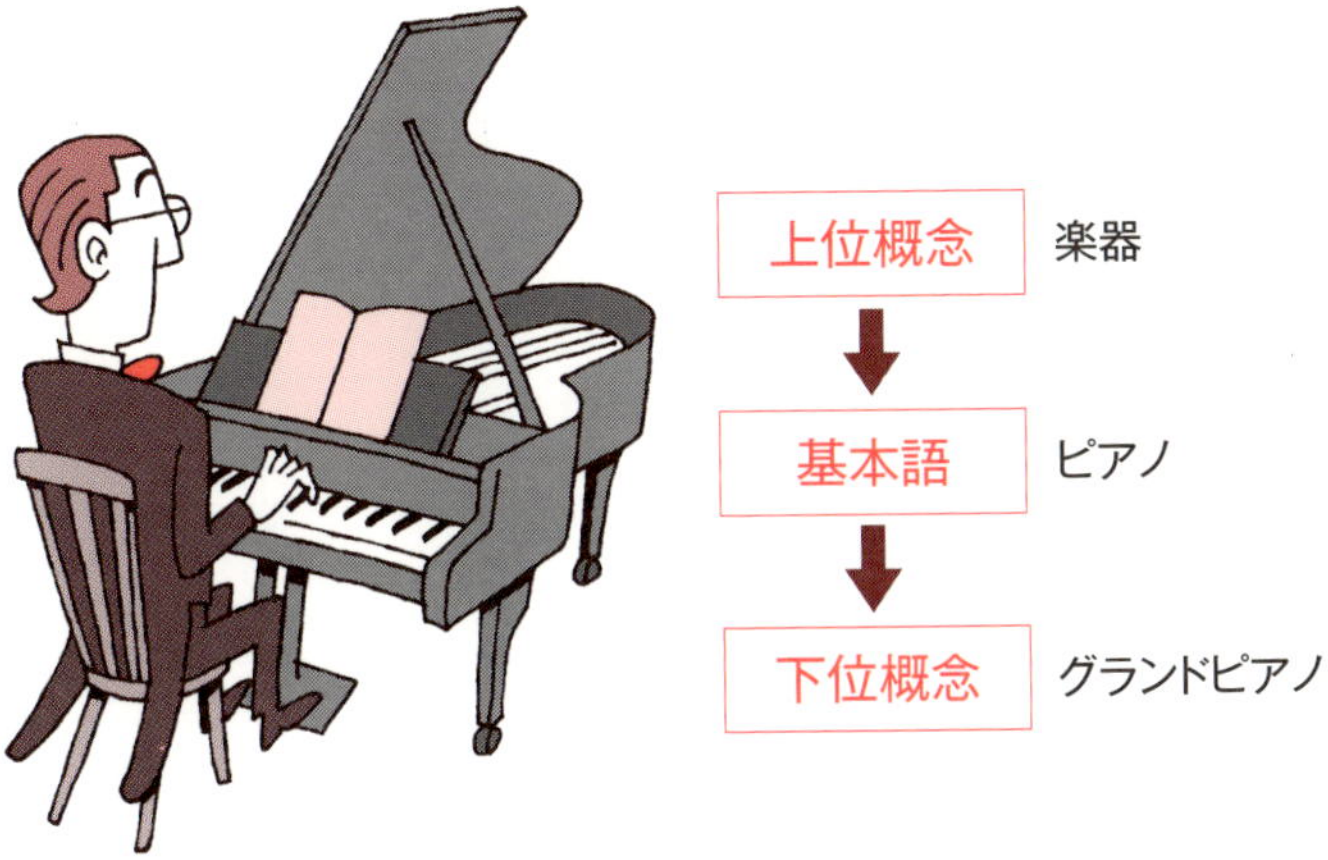
上位概念
楽器
基本語
ピアノ
下位概念
グランドピアノ

図2　大脳と小脳

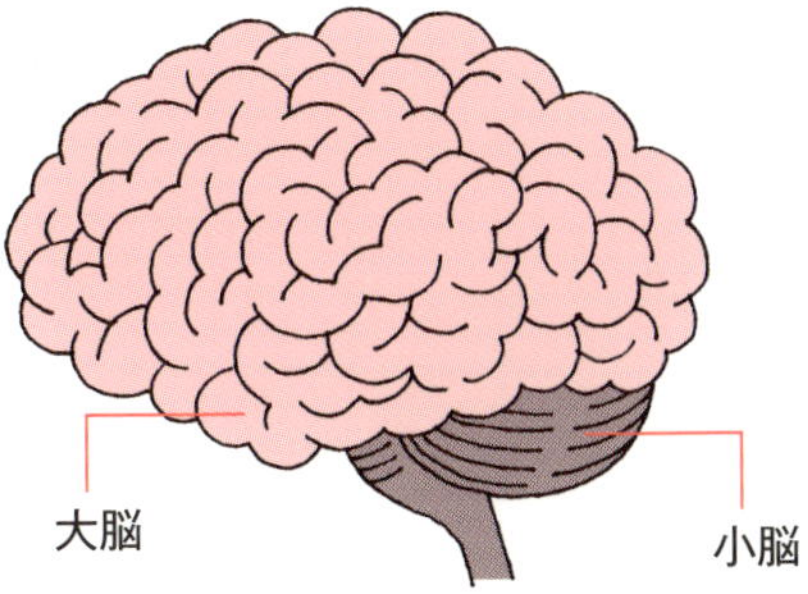
大脳
小脳

大脳と小脳の役割が
分かれていても、
お互いが作用しなければ
働かない能力も
あるんだ

9 感覚は脳内で組み合わさる

感覚の分類

ヒトを含む生物の受容器が特定の物理的エネルギーに応答し、脳内における信号として受容する能力を「感覚」と呼びます。アリストテレスは、ヒトの感覚を分類し、視覚、聴覚、触覚、味覚、嗅覚の五感があると提唱し、広く知られるようになりました。この五感は、自然の物理的エネルギーを把握する能力を意味し、視覚は光を、聴覚は空気振動を、嗅覚と味覚は化学物質を、触覚は温度や圧力を感知することで、外界からの情報を得ています。

感覚の分類として現在は、刺激の種類によるのではなく、受容器の違いによって、もう少し細かく分類しています（**図1**）。大別すると、感覚器（眼、耳、舌、鼻）に属する感覚受容器によって生ずる特殊感覚、体性組織に属する感覚受容器によって生ずる体性感覚、内臓組織に属する感覚受容器によって生ずる内臓感覚の3つです。すなわち、いわゆる五感のうち、触覚を除く4つが特殊感覚です。

特殊感覚にはさらに、主に内耳の前庭器によって生ずる平衡感覚が含まれます。広義の触覚は体性感覚を構成する皮膚感覚を指しますが、皮膚感覚は受容器の違いにより、狭義の触覚、圧覚、温覚、冷覚、痛覚に分類することができます。狭義の触覚とは、皮膚表面に与えられた軽い機械的刺激による感覚を指します。また、皮膚感覚以外の体性感覚には、体の各部分の位置や、体に加わる抵抗、重量に関する深部感覚があります。

ただし、受容器の違いによって得られた感覚が、脳内で常に個別に扱われるわけではなく、現実には**図2**のように複数感覚にまたがる情報を組み合わせるマルチモーダル情報処理（多感覚情報統合処理）によって、より効率的に外界を知覚しています。その結果、それぞれ個別の感覚では、信号か雑音かの区別ができない場合でも、マルチモーダル情報処理によって補い合うことで、精度を高めることができます。

要点BOX

- 感覚は受容器の違いによって分類
- 特殊感覚、体性感覚、内臓感覚の3つ
- マルチモーダル情報処理が知覚の精度を高める

図1　感覚の分類

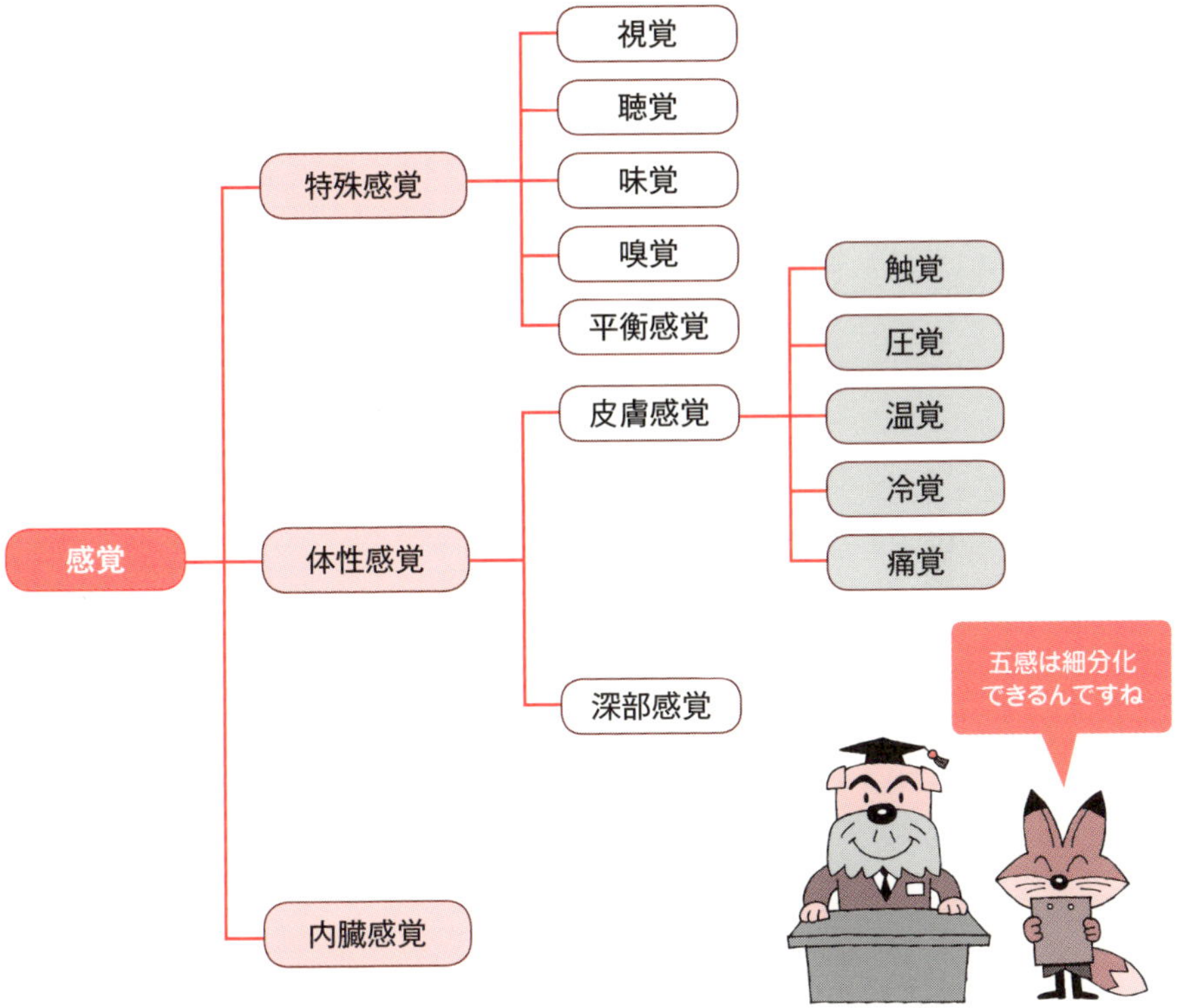

図2　マルチモーダル情報処理の例（マガーク効果）

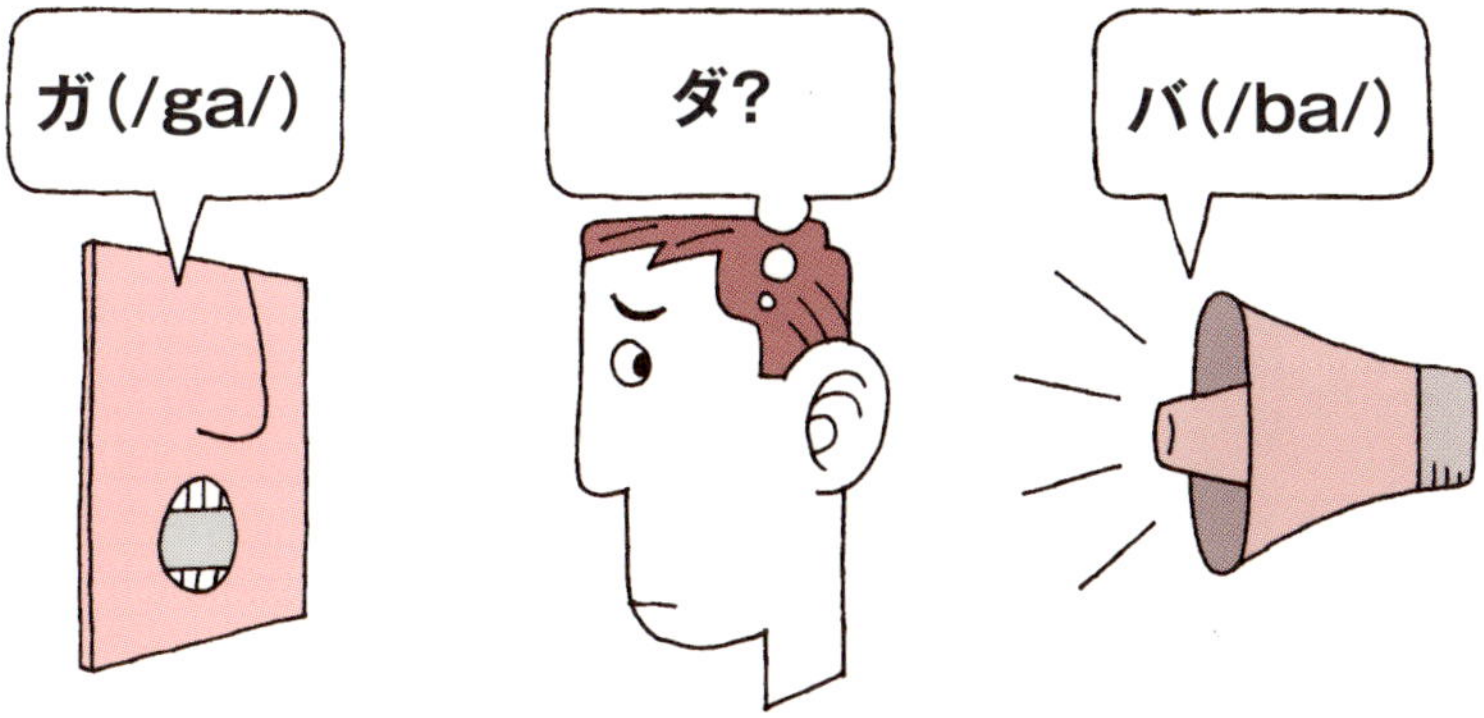

視覚（ガ）と聴覚（バ）の情報を組み合わせ、補い合って「ダ」を導き出します。

10 感覚の強さはどのように変化する？

物理量と感覚量

光量を物理的に2倍にしても、主観的に2倍の明るさに感じるわけではありません。音量を物理的に2倍にしても、主観的に2倍の大きさに聞こえるわけではありません。このように多くの場合、物理量と感覚量は、線形の関係になっているわけではありませんが、非線形ながらも一定の関係が知られています。

代表的なのは、ウェーバー比とウェーバー・フェヒナーの法則です。例えば、ある重さを標準として、少しだけ重くしたり、軽くしたりするとします。その差分が弁別できたとする時に、標準の重さが変化しても、標準の重さと弁別できる差分の比は一定という関係が成り立ち、それを「ウェーバー比」と呼びます。

ウェーバー・フェヒナーの法則は、このウェーバー比をもとに、**図1**のように、刺激強度が変化する時、対応する感覚量は刺激強度の対数に比例するという関係として導き出されました。この関係式は、物理量と感覚量をつないでおり、感覚量が刺激強度に比例するのではなく、その対数に比例して知覚されることを表しています。いずれも、いくつかの種類の感覚において成立することが知られています。

ただし、ウェーバー・フェヒナーの法則では、物理的刺激が強くなるほど、感覚量は変化しにくくなることになりますが、より広範囲の感覚量を調べてみると、電気ショックのように、物理的刺激が強くなるほど、感覚量が劇的に大きくなる場合もあります。物理的刺激による感覚量が、刺激の種類によって異なるべき乗に比例する様々な関係があり、「スティーブンスのべき乗法則」としてまとめられています。

図2のように、白色光の輝度はべき乗指数が0・33、電気ショックはべき乗指数が3・5という関係になります。白色光の輝度を物理的に2倍にしても、私達はその輝度を1・2倍程度にしか感じないですが、指先に流す電流を2倍にすると、11倍以上の電気ショックとして感じるということになります。

要点BOX

- ●物理量と感覚量は非線形ではあるが一定の関係
- ●物理的刺激の種類によって物理量と感覚量の関係は変わる

図1　ウェーバー・フェヒナーの法則

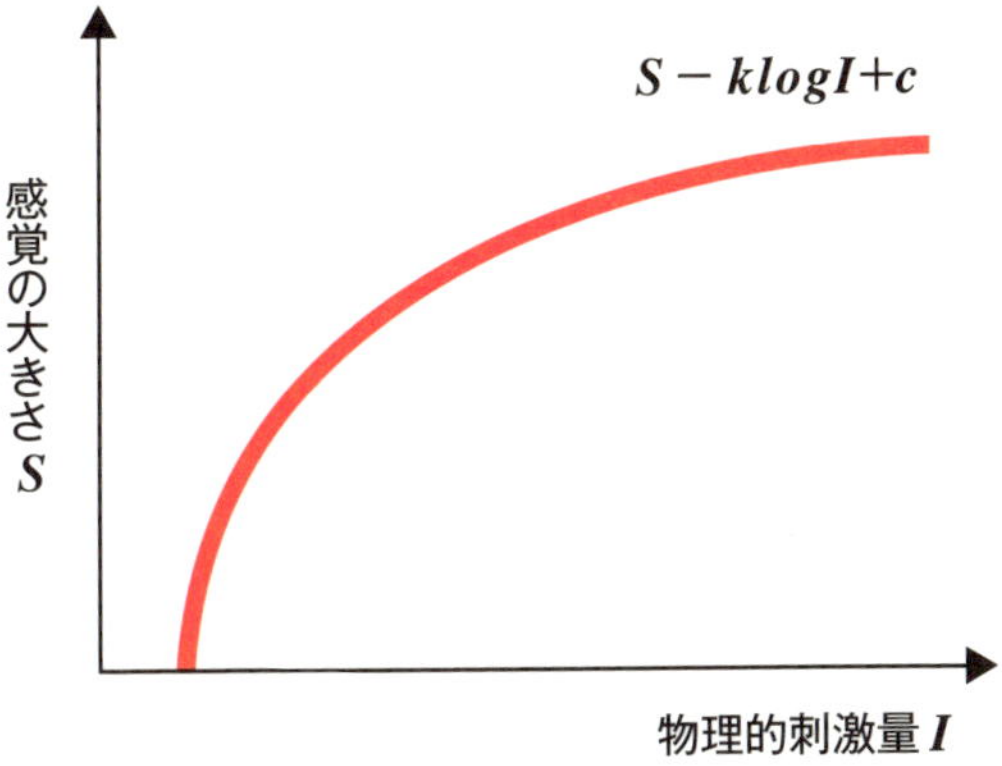

図2　スティーブンスのべき法則

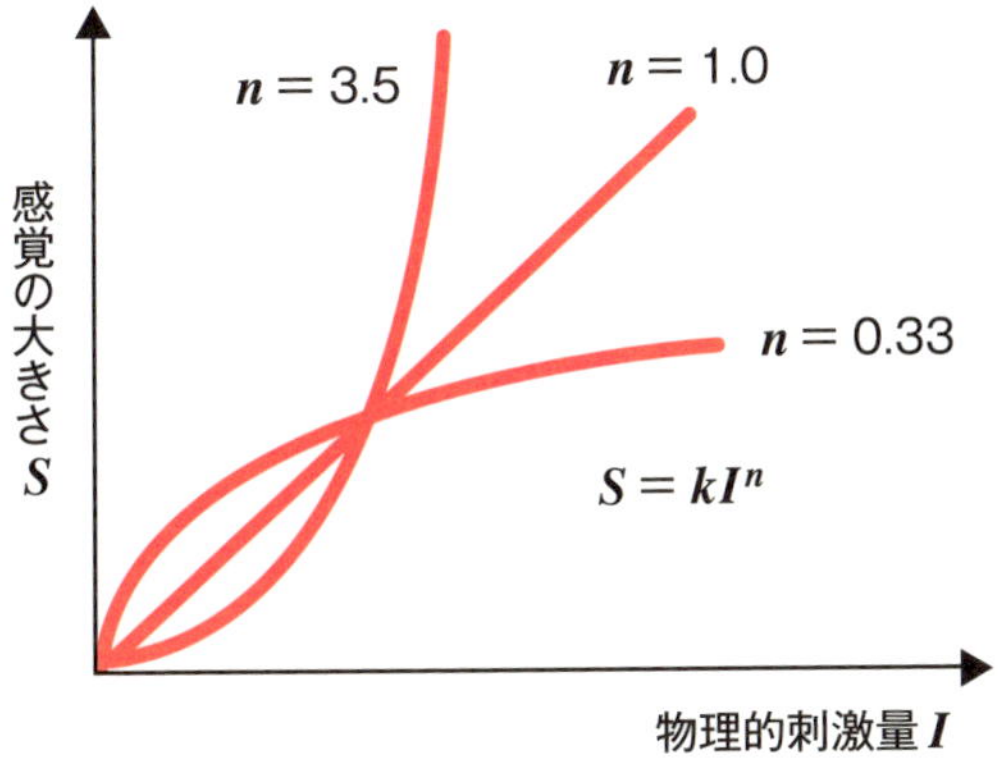

11 目から脳までの視覚の情報ルート

人間の発達した視覚器

私達はどのようにして世界を「見る」ことができるのでしょうか。「見る」とはいったいどのようなことでしょうか。生物が生存するためには地球環境に適応し、エネルギーとなる食物を摂取しなければなりません。そのためには、外界を知る必要があります。下等生物は視覚器（眼）よりも嗅覚器（鼻）や触覚器が発達しており、高等動物になるにつれ視覚器が発達し、嗅覚器が退化したとされています。

外界からの光刺激は網膜で神経インパルスに変換され視神経を通り、外側漆状体から上下の視放線を通り大脳後方の後頭葉にある視覚野に伝達されます（**図1**）。そこから神経インパルスは大きく2つの経路に分かれ、伝わっていきます。

1つは、生活を送る上で自分が今どこに居るかを認識するための経路です。自分が置かれている立場のことを「自己定位」といいますが、そのための神経インパルスは頭の上の方（頭頂葉）へ向かう背側視覚路を通り頭頂連合野というところに辿り着きます。この頭頂連合野で「どこに居るか」が認知されます。もう1つは、見えているものが「何か（What）」を知るための経路（腹側視覚路）です。視界にあるものが何かを知るためには、過去の記憶と照合する必要があります。このため、記憶の中枢である海馬の近くの側頭葉へ神経インパルスが走り「見ているもの」が「何か」ということが記憶と照合されながら認知されることになります。

視覚と記憶の関係で面白い現象として多義図形があります（**図2**）。1つの図に対して2通りの見え方ができる図形のことです。観察者は、図形か、あるいは何に似ているか過去の2通りの記憶のいずれかに認知されるため、図形が2通りに見えてしまう現象です。

私達が世界を認知する上で、視覚はその約80％の役割を占めるといわれています。そのため、VRの場合、視覚刺激だけでも現実世界と異なる世界を認知することができるわけです。

要点BOX

- 自分の居場所、見ているものを知るための経路
- VR体験には過去の記憶と情動が影響
- 人間が世界を認知するには視覚の役割が大きい

図1　外界からの光刺激の伝達経路

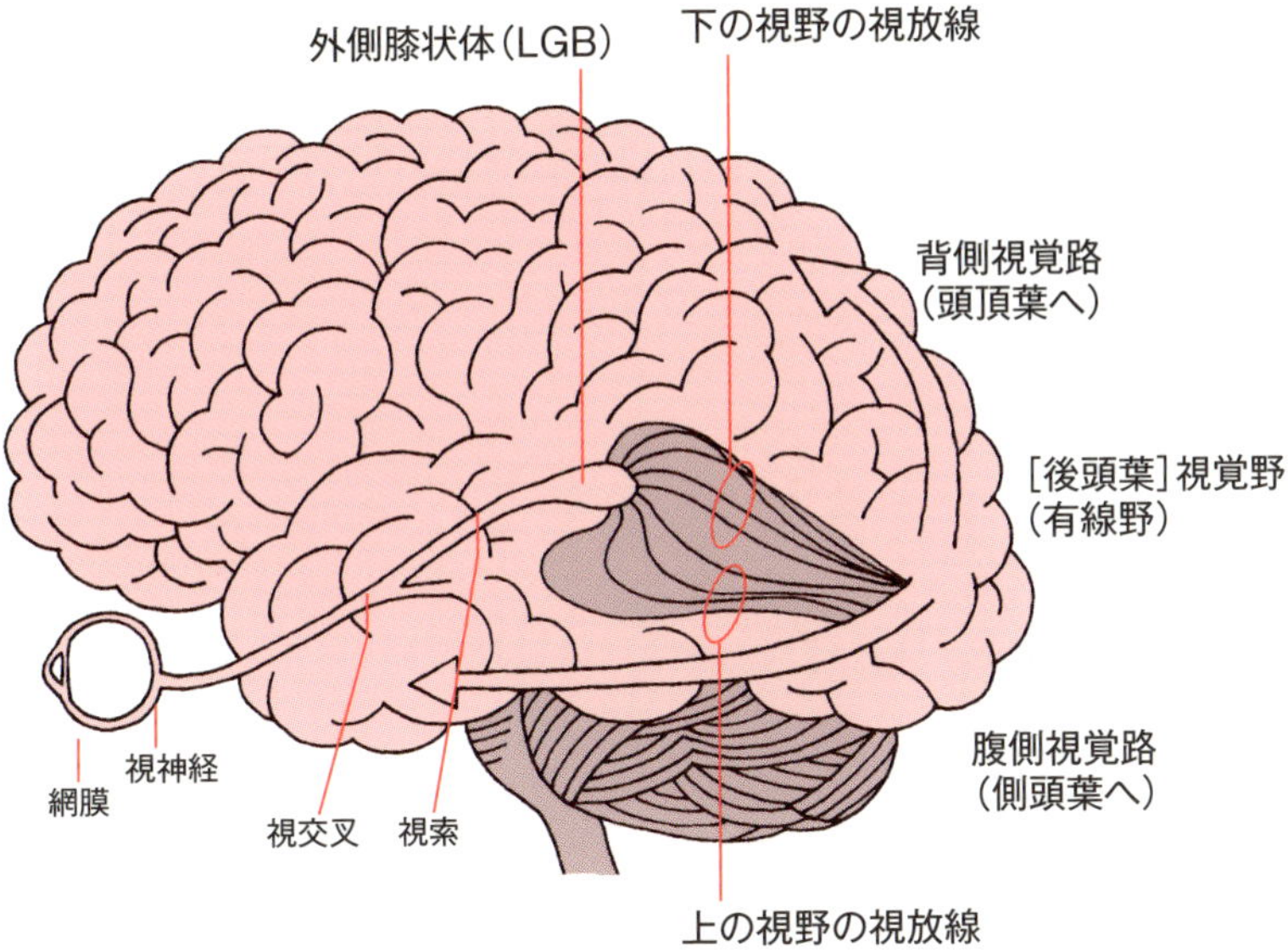

図2　多義図形の例

用語解説

神経インパルス：脳の神経回路網をつくる神経細胞（ニューロン）において、相互に伝達される感覚の信号や運動の命令となる神経線維の中を伝わっていく活動電位のこと。

12 なぜ、見るものの状況が変化しても同一だとわかるの？

知覚の恒常性

見る方向や距離、照明などが異なれば、網膜に映る像（網模像）もそれに合わせて変化しますが、対象そのものは一定のものとして知覚されます。このような安定した知覚が維持されるのは、私達に「知覚の恒常性」が備わっているためです。知覚の恒常性には、大きさ、形、明るさ、色の恒常性などがあります。

対象までの距離が2倍になればそれに応じて網膜像の大きさは半分になりますが、対象までの距離が正しく推定できる場合には大きさが変化したとは感じられません。逆に、大きさの恒常性によって、**図1**のように、物理的に同じ大きさでも異なって感じられます。また、対象を見る方向が変化すれば網膜像の形状も変化しますが、形の恒常性によって、対象を同一のものとして知覚できます。これらの恒常性は、知覚において網膜像の大きさや形状の他に、距離や面の傾きを計算に入れているからです。

照明の強さに関係なく、白いものは白く、黒いものは黒く知覚されます。照明によって、対象そのものが本来持っている明るさの印象が変化しない現象を「明るさの恒常性」と呼びます。明るさの恒常性は、背景の明るさと対象の明るさの比率が変化しないために生じます。すなわち、私達が明るさを判断する時、物理的な光の反射量では判断していません。**図2①**のAとBの領域は、異なる明るさに感じますが、**図2②**のように灰色の線分を付加してみると、物理的には同じ明るさであることを確認できます。これは、円柱の陰になったとしても、明るさの恒常性が働くためと考えられます。

明るさだけではなく、色に関しても、照明の状況が変わっても、主観的には同じ色に見える現象を「色の恒常性」と呼びます。太陽光や照明光は、光に含まれる波長が異なるため、同じ対象でも異なった色に見えるはずですが、実際は対象の色を正しく認識することができます。

要点BOX

- ●網膜像の大きさ、形状などを計算して対象を知覚している
- ●明るさ、色の恒常性が働く

図1　大きさの恒常性

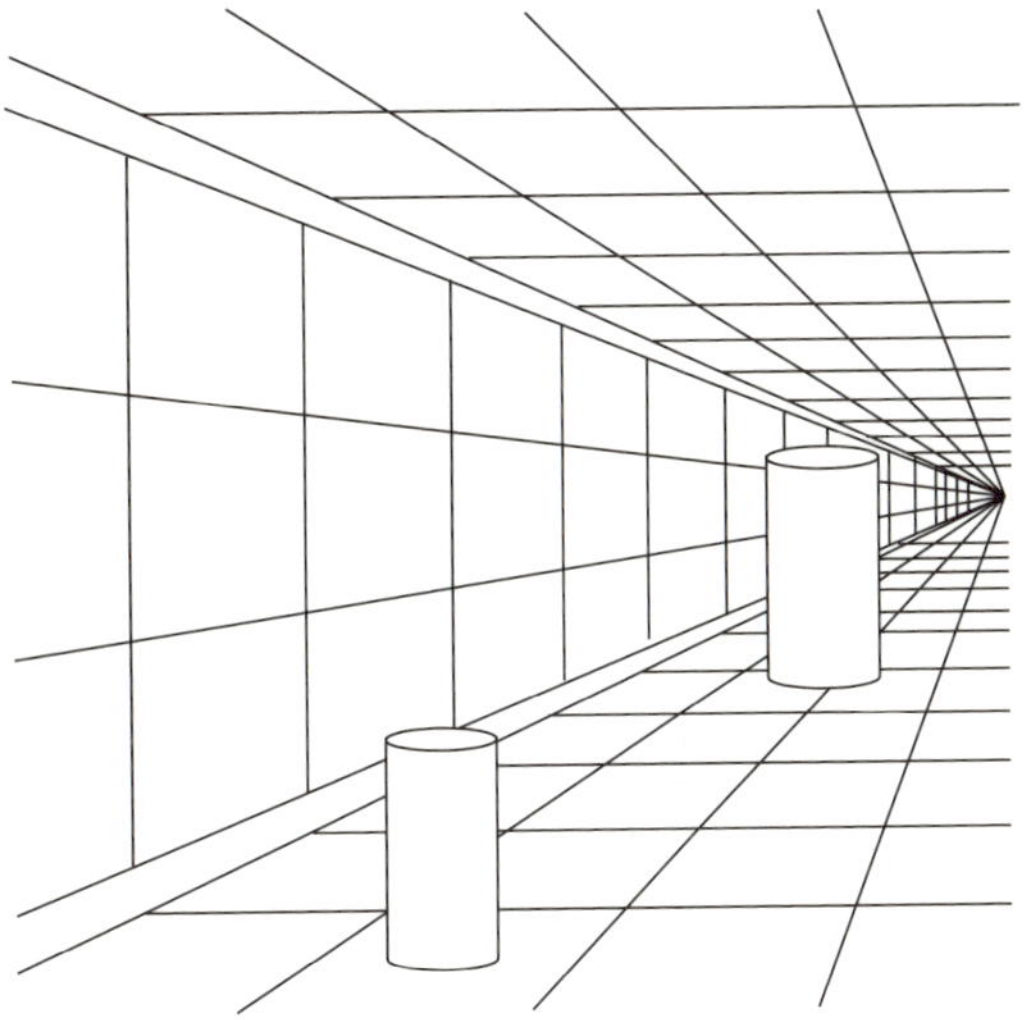

同じサイズのものでも、
こうしてみると
遠くにあるものの方が
大きく見えますね

図2　明るさの恒常性

①

A
B

②

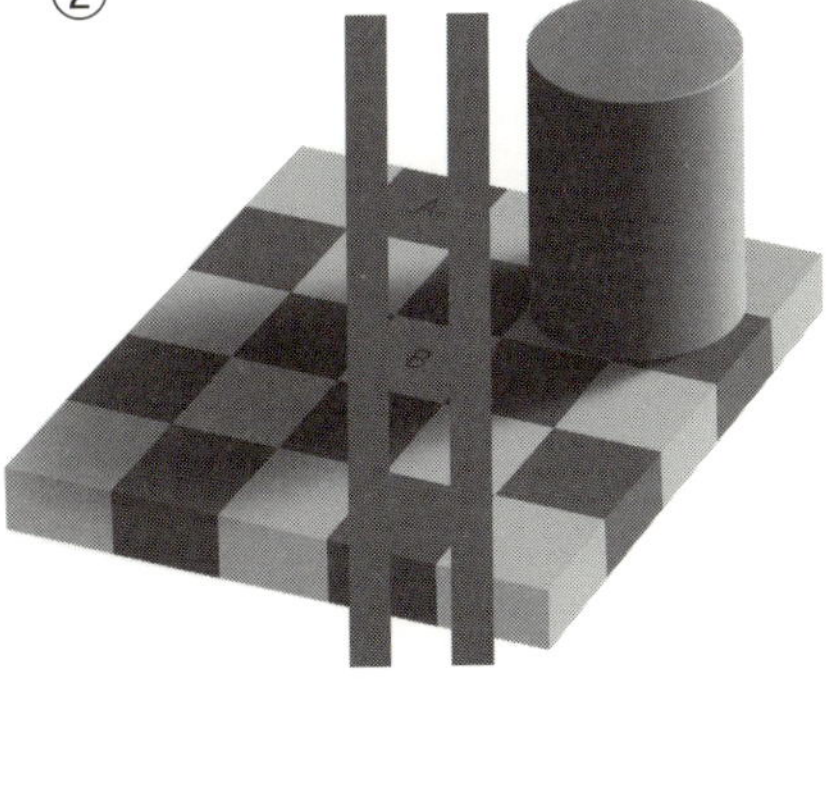
A
B

（出典：Adelson,E.H.,2005,'Checkers Shadow Illusion'）

13 見るものの奥行きはどのように感じるの？

立体視の原理

試しに、できるだけ遠くのどこかを指差してみてください。その上で、片眼ずつ開閉すると、指差した場所が左右眼でかなりずれているはずです。このようなずれを「両眼視差」と呼び、この両眼視差によって、私達は奥行きを知ることができます。

それは、**図1**のようなランダムドット・ステレオグラムで確認できます。このランダムドット・ステレオグラムは、ランダムな位置にドットを配置した同一パターンを2枚用意し、片方を部分的に左右どちらかに少しずらしてあります。こうして作成された2枚のランダムドットパターンをそれぞれ単独に見ても、特定の形状を知覚できませんが、この2枚を左右眼で別々に見て融像させると、3次元パターンが見えるはずです。ランダムドット1つずつの正しい対応関係を見つけられるのは、ドットのわずかな位置ずれから各ドットの奥行きを同時に決定する優れたメカニズムを私達が持っているからです。

両眼視差が存在しなくても、私達は「絵画的奥行き手がかり」を日常的に利用しています。絵画的奥行き手がかりとは、大小遠近、線遠近、大気遠近、重なり、陰影、テクスチャ勾配などによって奥行き感が生じさせることを指します（**図2**）。

大小遠近とは、同じ物体ならば近くの物体の方が遠くの物体より大きいことに基づく手がかりです。線遠近とは、遠方の1点へ収斂《しゅうれん》する線が3次元空間における平行線に知覚される手がかり、大気遠近とは、大気中の光の散乱、吸収などにより遠点で明暗の差が少なくなることに基づく手がかりです。重なりとは、例えば手前の山が遠くの山を隠してしまうような関係に基づく手がかりです。陰影とは、照明が上方から来ることを仮定することで、奥行きの手がかりとなります。テクスチャ勾配とは、構成要素の形状変化や密度変化が遠近の手がかりとなります。

要点BOX

- ●両眼視差によって奥行きを知る
- ●左右眼の融像は像の奥行きを知覚する
- ●絵画的奥行き手がかりは日常的に利用している

図1　ランダムドット・ステレオグラム

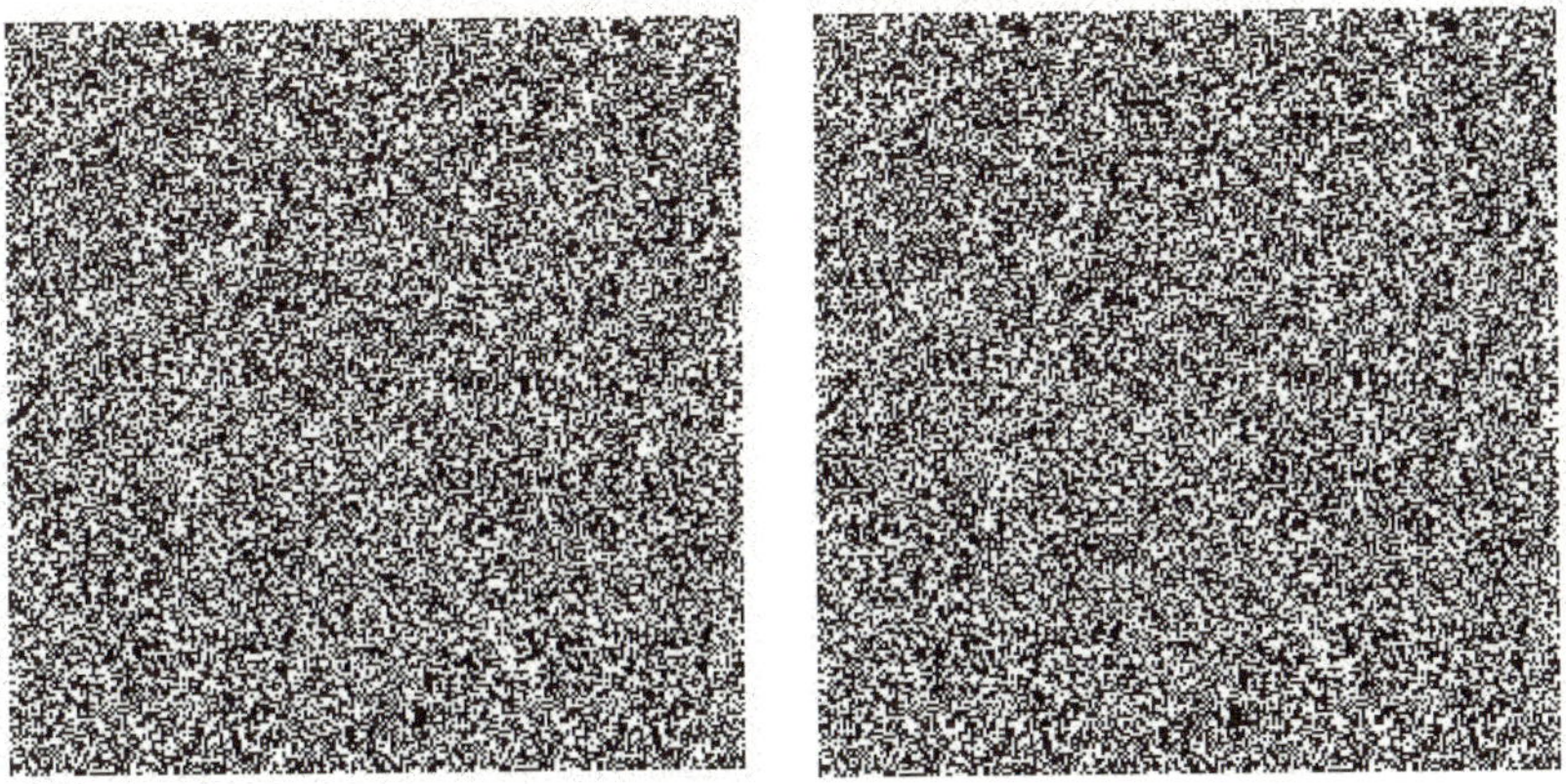

融像させると銀杏の葉（東京大学のシンボル）が浮き出ます。

（出典：『視覚科学』横澤一彦著、勁草書房、2010年、図3−2）

図2　絵画的奥行き手がかり

テクスチャ勾配

重なり

人がもつ
メカニズムを知ることが、
VR技術の発展に
つながるんですよ

14

いろいろある3Dディスプレイ

メガネは必須ではない

私達が3次元的な奥行きを知覚するための手がかりには、生理的なものと経験的なものがあります。一般的には、左右の網膜に映る像の違いにより奥行きを知覚する両眼視差を使います。3Dディスプレイにはメガネを使って両眼視差を実現するものと、メガネを使わずに両眼視差を実現するものがあります。

メガネを使う方法では、何らかのフィルタを貼ったメガネをかけて見ることで、2Dディスプレイ上に表示された右目用の映像を右目に、左目用の映像を左目に別々に入るようにします。例えば、右目には赤、左目には青のセロファンが貼られたメガネを通して赤と青の絵を見ると立体に見えます。セロファンの代わりに偏光フィルタを使うことで、カラーで両眼視差を実現でき、メガネも安く軽く作れるので3D映画などでよく使われます。

また、映像を1フレームごとに左右交互に表示し、メガネで同期して左右交互にシャッターを下ろし両眼視差を実現する方法もあります（図1）。これは全天周ディスプレイでよく使われます。

HMDはメガネに分類されます。左右に2Dディスプレイを用意し、レンズやプリズムを通して左右の目に別々の映像が入るようにしています。

メガネを使わない身近な3DディスプレイはNintendo 3DSで使われているものです。2Dディスプレイの各画素から発した光の進行方向を、かまぼこ状のレンズ（レンティキュラ板）や簾《すだれ》のようなバリヤ（パララクスバリヤ）で制御し、左右の目に異なる画像を見せる手法です（図2）。物体が発する光の強度と進行方向を再現し、左右の視点だけでなく多視点に対応した3Dディスプレイも提案されています。

他にも、フィルムで実現されているホログラフの原理をディスプレイ技術で可能にしようとする試みもあります。

要点BOX

●両眼視差の実現方法がカギ
●左右の目に見える映像を工夫
●ディスプレイが発する光の進行を制御

図1　メガネを使う３Dディスプレイ（液晶シャッター）

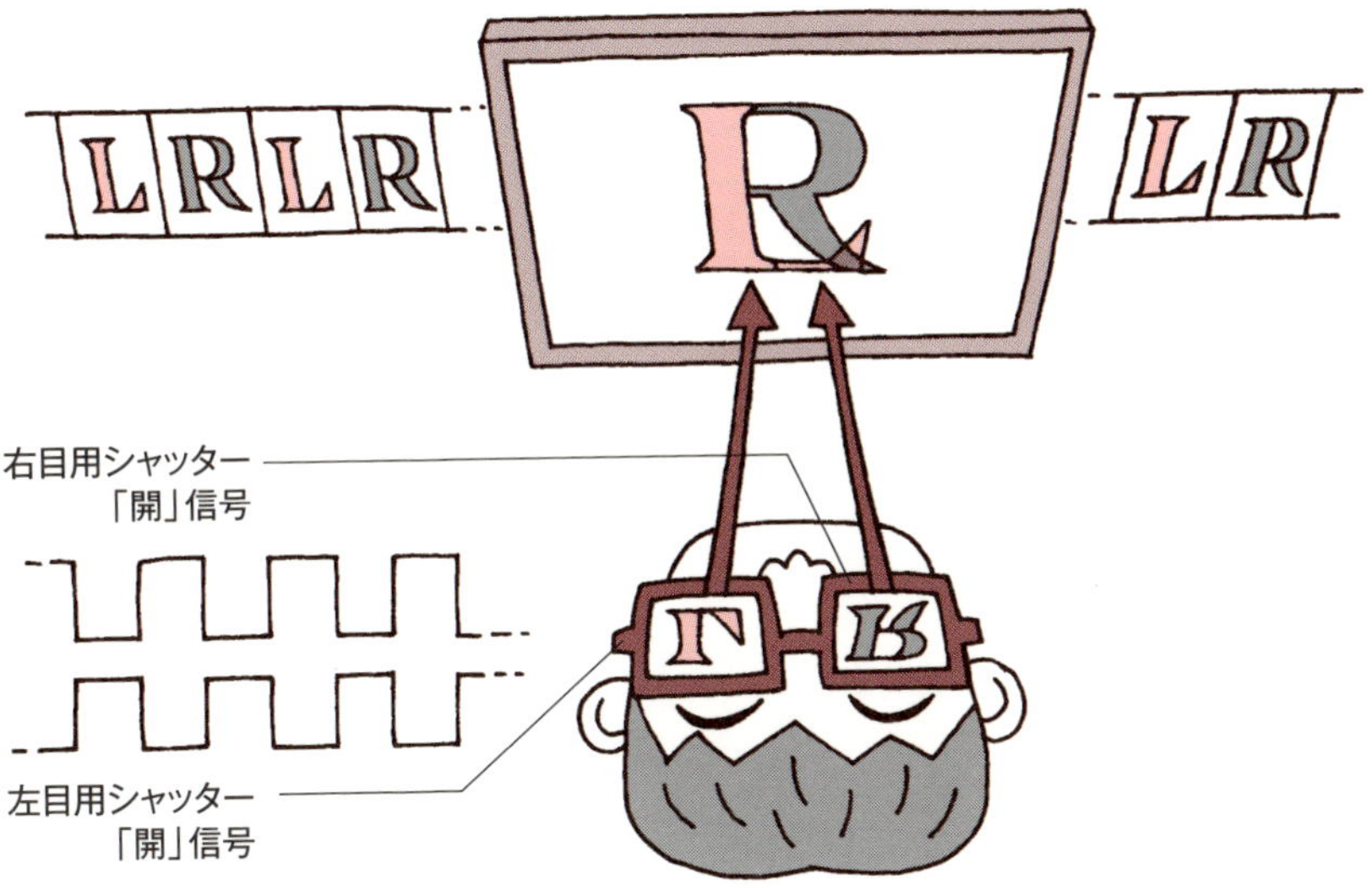

図2　メガネを使わない３Dディスプレイ

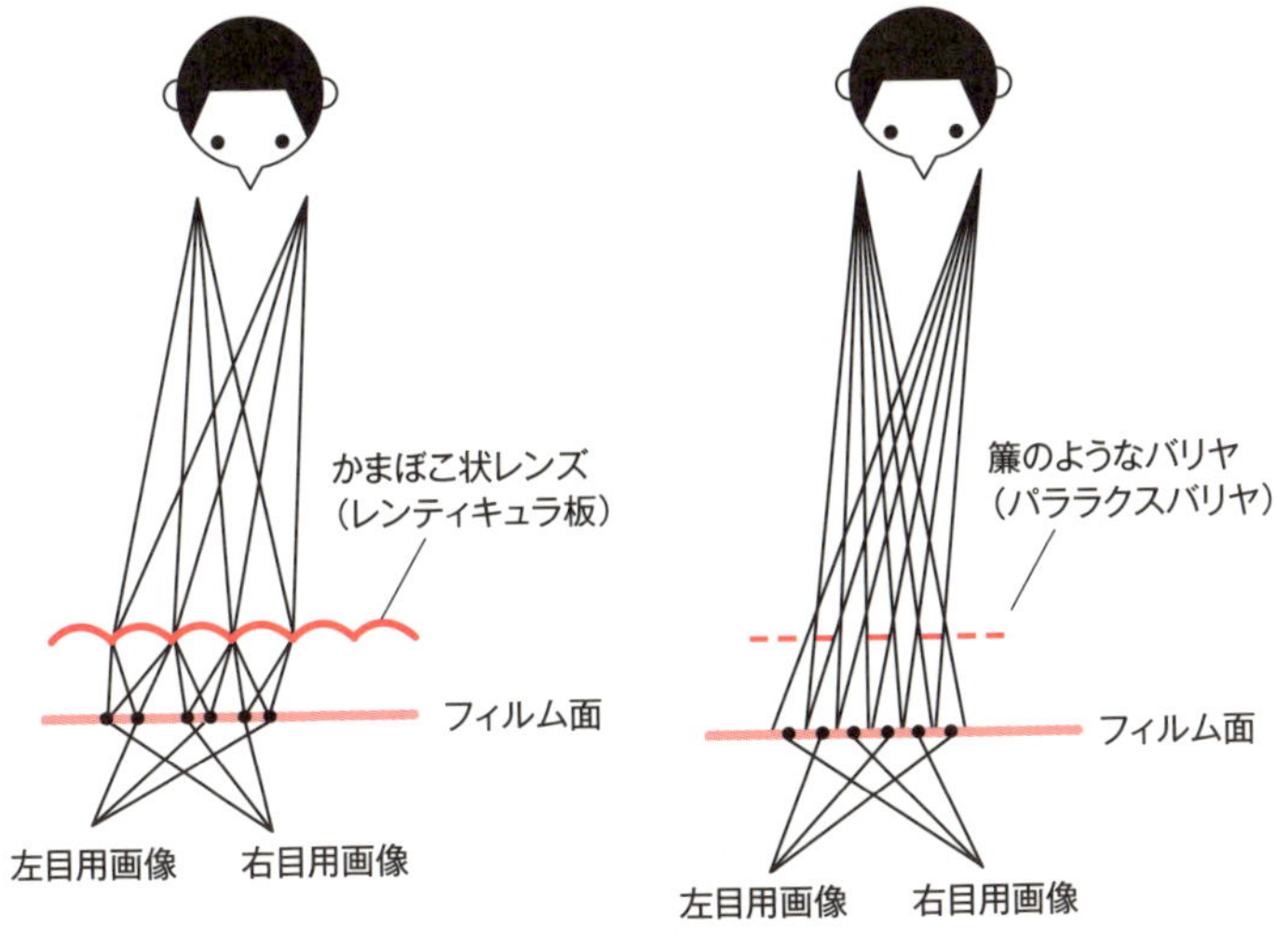

15 VR世界を体験する方法は?

HMDと全天周ディスプレイ

VR世界を視覚的に体験する方法には、大きく分けてHMDと全天周ディスプレイがあります。臨場感を高くするには、3次元的な奥行きを知覚させる両眼視差だけではなく、視野角を大きくすることも重要です。人間の水平方向の視野角は180~200度程度です。中心視の外側で物体の位置や運動の処理が行われる「周辺視」と呼ばれる領域は、自分が運動している感覚を得るのに非常に重要です。人間の視野角をすべて覆い両眼視差の映像を提示することで、現実世界から切り離して完全にVR世界に没入させることができます。

HMDは頭にディスプレイを装着する方式で、左右それぞれの目からの視点に応じた映像を表示することで両眼視差も実現できます。頭の動きに合わせて映像を変化させることで、没入感を得ることができます(**図1**)。第1世代では中心視を覆える程度でしたが、「VR元年」と呼ばれるきっかけになった安価な広視野角HMDは100~110度の視野角を実現しています。この方式は比較的手軽にVR世界を体験できる手法として広く使われおり、スマートフォンとレンズだけからなる簡易的なものも開発されています。

全天周ディスプレイでは、複数のプロジェクタを使った巨大なスクリーンや、複数のスクリーンやディスプレイを立方体や円筒などの形状にして組み合わせたりすることで、人間の視野角や人間が見回す可能性のある視野範囲をすべて映像で覆うことを可能にします。利用者の視点に応じて映像を提示し、液晶シャッターグラスや偏光グラスを使って両眼視差も実現します。全天周ディスプレイは規模が大きくなりますが、利用者が頭を動かした場合でもVR酔いが感じにくいといった特徴もあります。部屋型の全天周ディスプレイとしては、米イリノイ大学のCAVEが有名です。1997年、東京大学にも5面の立体スクリーンを有するCABINが設置されました(**図2**)。

要点BOX

- VRの臨場感は視覚が肝心
- 視野の広い方が臨場感は生まれる
- 視野角をすべて覆うとVR空間に没入できる

図1　HMDと全天周ディスプレイの比較

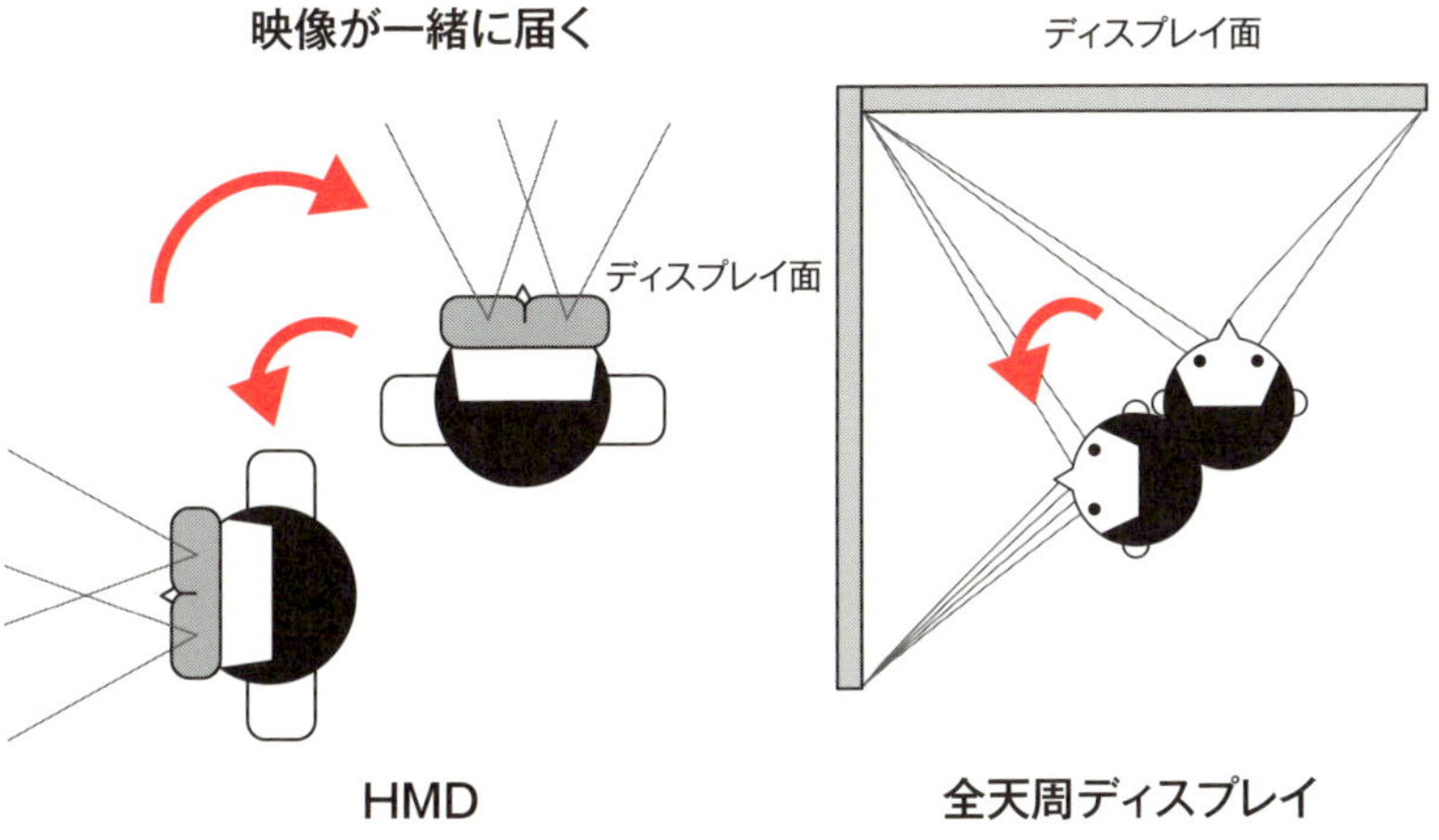

図2　CABIN

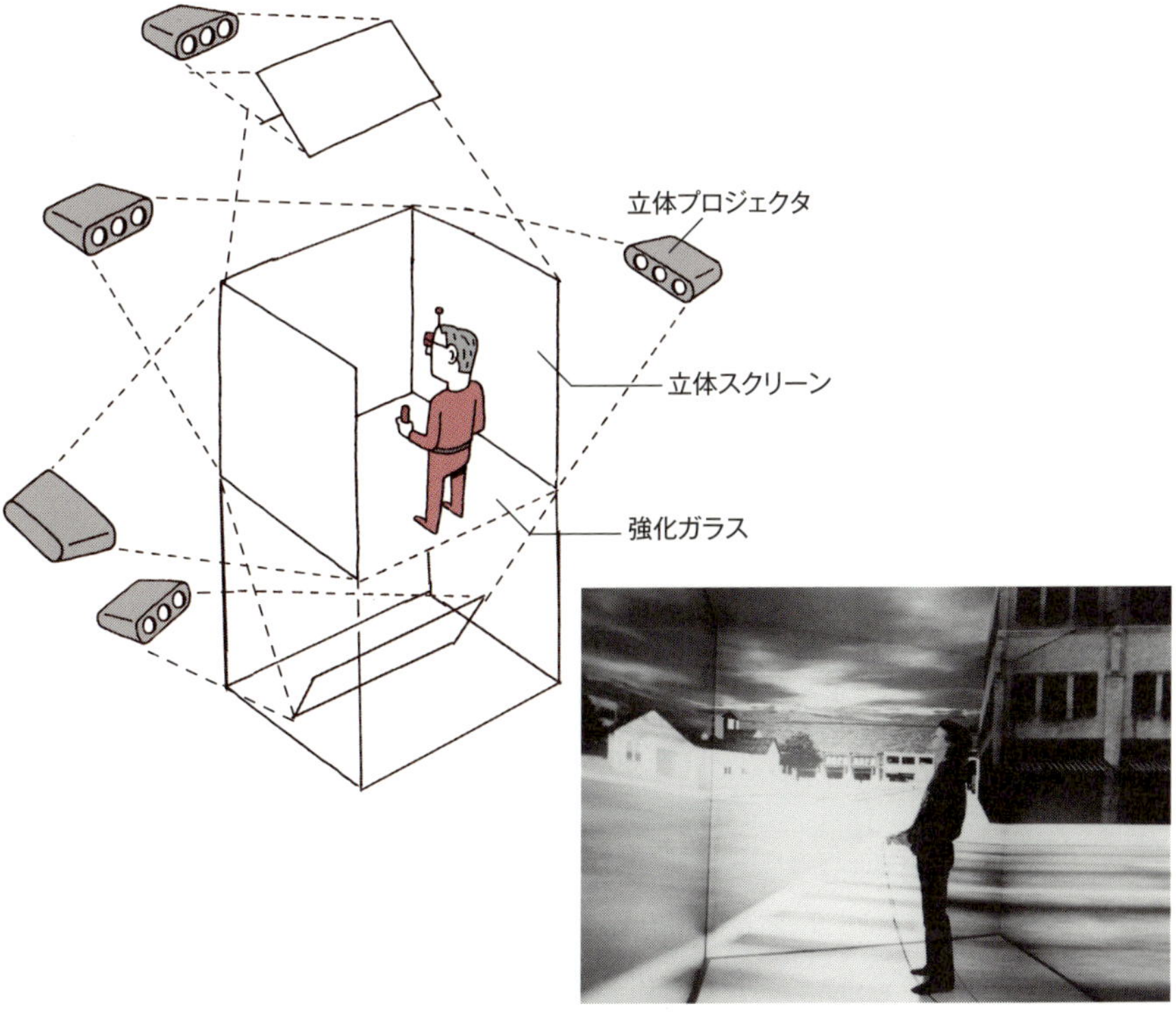

16 なぜ、音は立体的に聞こえるの？

聴覚とディスプレイ

人間は聴覚を通じて音の広がりを立体的に感じることができます。それでは、音がどこからやってきたのかをどうやって判別できるのでしょう。

第一の手がかりは左右の耳で得られます。音源が左にある時、右耳よりも左耳に入る音の音量が大きくなります。また、音源に近い分、わずかな時間だけ左耳には早く音が届きます。つまり、左右の耳で得た音の音量差、時間差を手がかりにすれば、音がどの方向からやってきたかを推定できます（**図1**）。ただし、この情報だけでは左右方向の音源位置はわかりますが、上下方向の音源位置の違いがわかりません。

そこで活用されるのが耳介（いわゆる耳）です。音を拾う鼓膜には、音源から直接やってくる音だけでなく、耳介や肩などの身体に反射した音も届きます。音は反射や遮蔽を受けると周波数特性などが変化します。耳介が複雑な形をしているのは、複雑な音の反射を作り出すことで、音の方向に応じて周波数特性などを変化させる役割を担っているからです。ずれて耳に届く直接音と反射音の周波数特性などの違いを検出することで、上下方向の定位もできるようになるのです（**図2**）。

聴覚の仕組みを踏まえ、立体音響を提示する技術が開発されています。代表的な方式は2つ以上のスピーカを使うステレオ方式ですが、この方式では正しく立体音響が聞こえる位置が限られます。ヘッドフォンを用いる方式では、左右の耳に時間差、音量差を与えることに加え、耳介や身体の反射の影響による音の変化をモデル化した頭部伝達関数（HRTF）をあらかじめ計測し、それに基づいて音を変化させて立体音響を再現します。また、複数のスピーカを並べて物理的な音場を正確に再現し、広い範囲で正しい立体音響を聞くことができる音場再現技術として波面合成法、高次アンビソニックス、多点音圧制御などが開発されています。

要点BOX

- ●直接音と反射音の情報から音源場所を特定する
- ●ステレオ方式は聞く側の位置が限定される
- ●ヘッドフォン方式は音の変化をモデル化して使用

図1　両耳によって得られる音源位置の手がかり

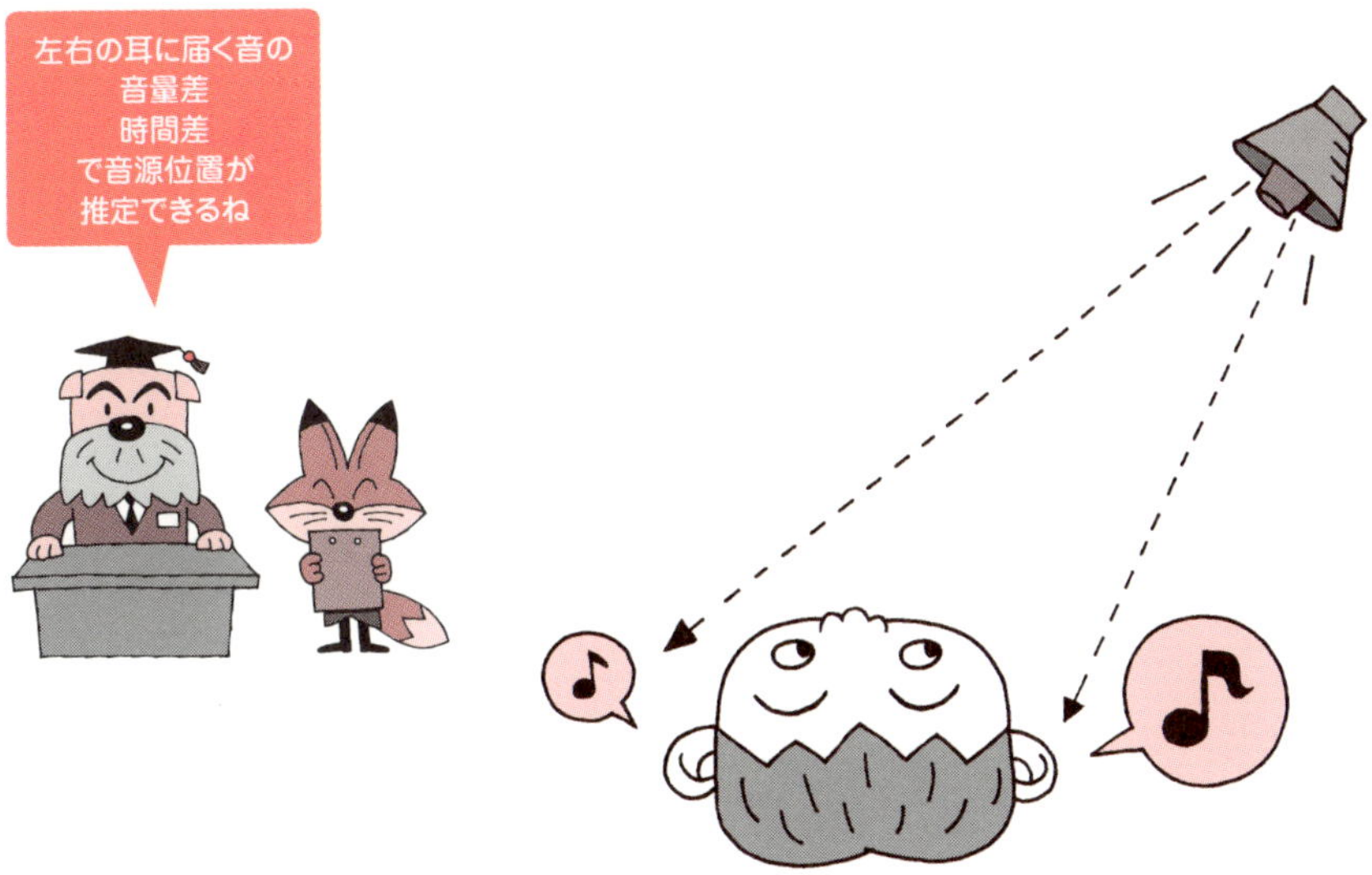

図2　身体での反射音によって得られる音源位置の手がかり

17 触覚はどうやって再現するの？

振動の波形を利用する

私達が物に触れた時の感覚は、再現できるでしょうか。日々感じている力の大きさは1g重ぐらいの非常に小さな力から、10kg重を超える大きな力まで様々です。幅広い力を正確に再現しようとする装置は「力覚提示装置」と呼ばれ、ロボットの腕やワイヤーを用いた機械式の装置が用いられます（図1）。

正確な再現を弱い力に限定すると、それほど大がかりな装置は必要ありません。携帯機器に組み込んだり、身につけたりできる様々な方式が盛んに研究されていますが、その中で最も簡単な方法は、振動の再現です。

人間が耳で聞く音の正体は空気の振動であり、聞こえる音の周波数は20Hzから2万Hzの範囲といわれています。音の組み合わさりにより音色は変わります。人間の触覚は、耳と比べると知覚できる範囲はもう少し狭く、最も高くて１０００Hz程度までですが、その振動の波形によって、様々な触感を感じることができます。

ペンでいろいろな物の表面を撫でてみると、ペンの振動を通して触っている表面の状態が細かくわかります。その時の振動を人工的に与えることで、ざらざらしている表面や小さな突起物の存在などの感覚を作り出すことができます。持つ物はペンに限りません。雑巾で窓を拭いている時、雑巾の全体的な振動で窓の表面の小さな付着物や突起を敏感に感じ取ることができます。手に持った物体に振動を与えると、その物体の先にあるものの実体を感じ取ることができるのです。

腕時計のような装着型の装置や、ゲームコントローラを通して再現することも可能です（図2）。全体的な振動だけでなく、皮膚の上に細かい振動の分布を作り出せば、皮膚が直接物体に触れた感覚を生み出すことができます。そのような触覚再現装置も、実用化に向けて研究が進められています。

要点BOX
- ●触覚のメカニズムは振動の波形
- ●持っている物に振動を与えると、触っている感覚を作り出せる

図1　力覚提示装置

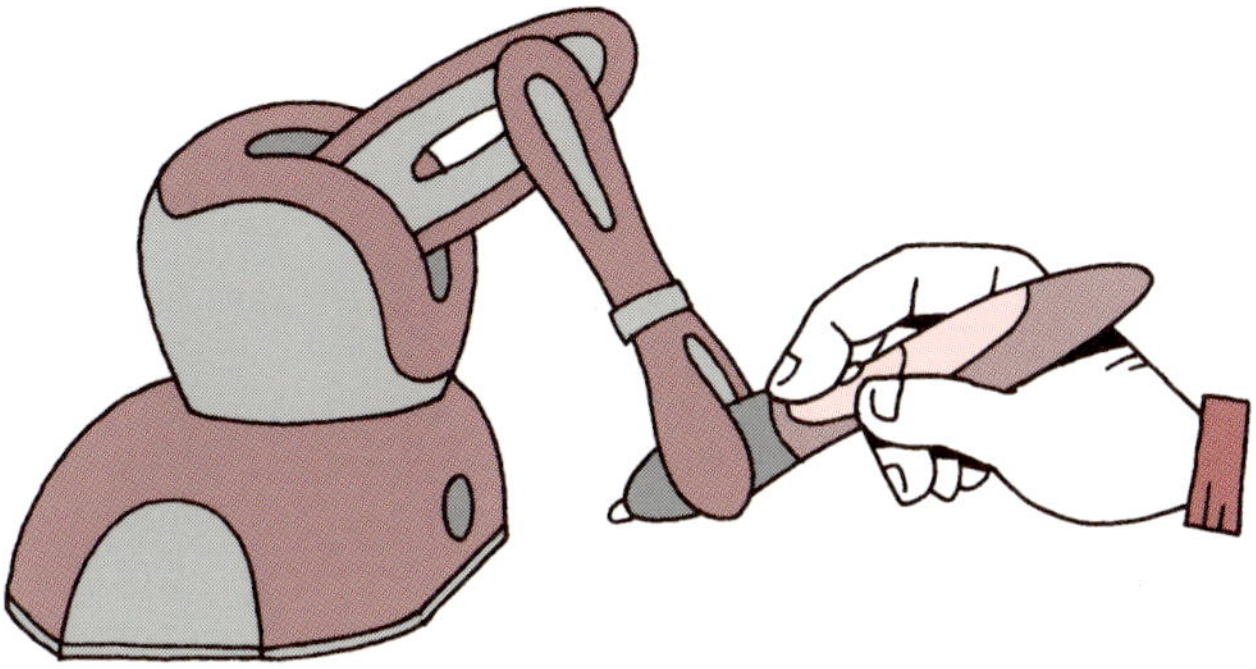

強い力までを正確に再現することを目指した力覚提示装置。
機械式アームやワイヤー機構の研究が現在も進展しています。

図2　振動による触感再現の例

テニスボールがラケットに当たった感覚が、スマホやゲーム機に振動で再現されます。

ブレーキやアクセルに振動を与えることで、路面の状態やスピードの出し過ぎなどを伝えることができます。

18 触覚は騙されやすい

人間の感覚は完全なセンサではない

人間の触覚の特性を理解して上手に利用すると、簡単な装置でも効果的な触覚を生み出すことができます。硬さの知覚を例にとって説明してみましょう。

スポンジと木の板の硬さの違いは触れた瞬間にわかりますが、人間はどのように硬さの知覚を行っているのでしょうか。1つの仮説は、指を物体に押し込んだ時の指の押し込み距離と、指にかかる力の比からばね定数を求めている、というものです。「深部感覚による知覚」（手段1）と呼ぶことにします。

もう1つの可能性は、指の表面の力の分布の変化から硬さを知覚することです。自分の指が、柔らかい食パンの表面に沈み込む状況を考えてみてください。指がパンの表面に沈み込むと、接触面が指の側面の方に広がります。これを皮膚が検知できれば、表面の硬さを知覚できるはずです。「力分布による知覚」（手段2）と呼ぶことにします。

これら2つの知覚が矛盾するような刺激を人工的に与えた時、どのように感じるでしょうか。例えば力センサを取り付けた硬い板に指を置き、板を押す力に応じて指の側面に表面が触れてくるようにします。指を板に押しつけても指は沈み込みませんが、力を増すほど接触面積を増加させます。こうすると、ほとんどの人が特に不自然さなく、指が柔らかい面に沈み込む感じがします。力分布による知覚が優先して、深部感覚による知覚が変質してしまうのです（図）。

一部の情報を優先して全体が騙されてしまう知覚の特性は、触覚再現の装置を大幅に簡略化してくれます。今回の場合では、深部感覚まで完全に再現しようとしたら力を発生する装置も必要になりますが、皮膚上の力分布だけであれば、薄く装着が容易な装置でも再現できます。そこで生み出される体験は、実際とまったく同じものにはならない場合もありますが、使う側がいくらか適応することで、リアリティのある触覚が体験できます。

要点BOX

- 「深部感覚による知覚」はばね定数の推定に基づく
- 「力分布による知覚」は指の接触面積の変化に基づく

硬さを知覚する手段

手段1　深部感覚による知覚

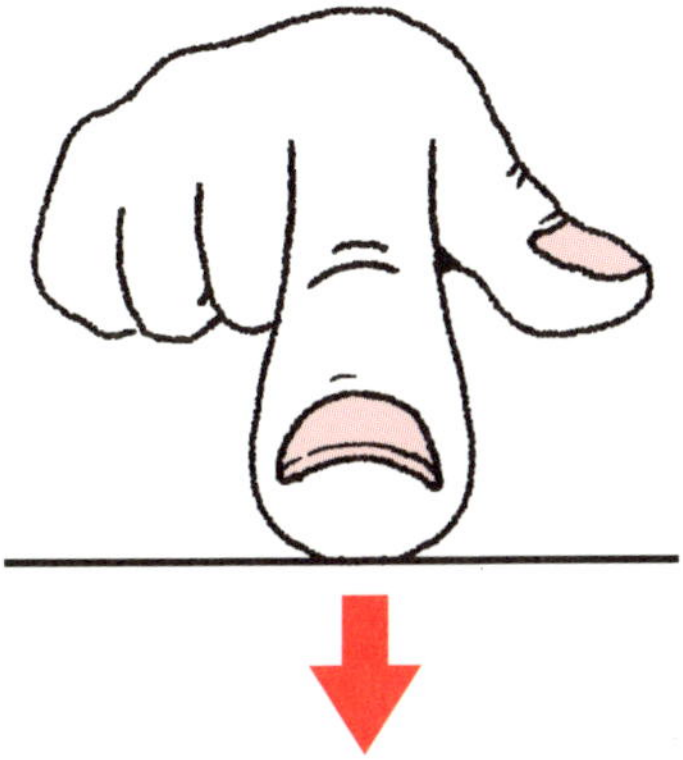

指の押し込み距離と力の比から
硬さを推定

手段2　力分布による知覚

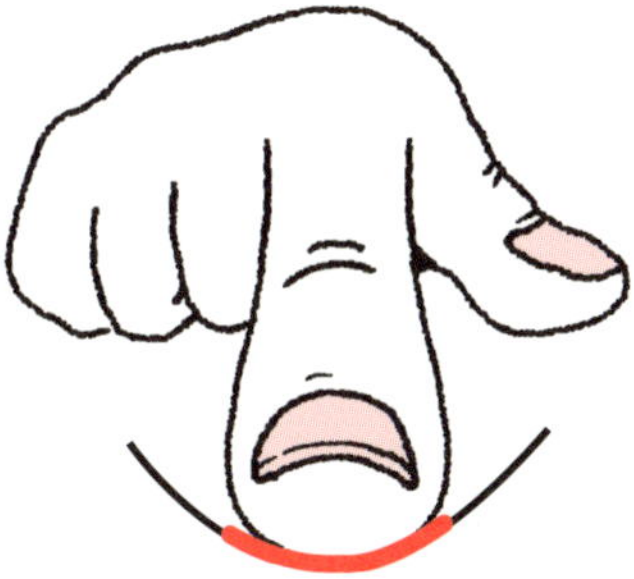

指の押し込みによる接触面積の
増加具合から硬さを推定

硬さの知覚

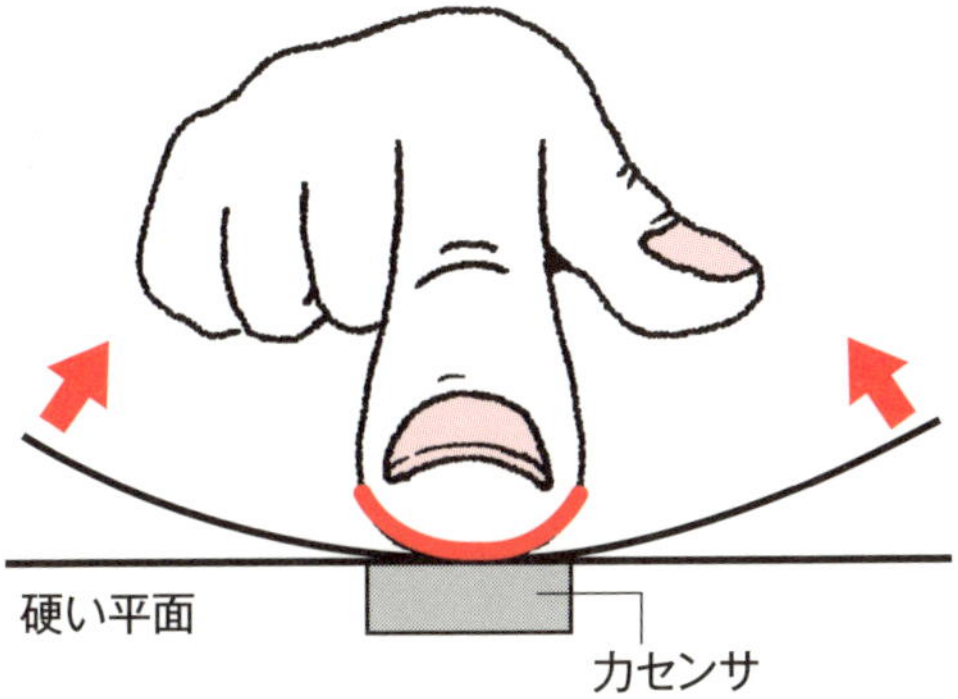

指の押す力を力センサで計測し、それに応じて指が面に触れる領域を増大させると、手段1よりも手段2が優先され、柔らかい表面に感じます。指が沈み込む感覚も生じます。

用語解説

ばね定数：荷重＝変形量×ばね定数、いわゆるフックの法則。ばね定数が小さいほど柔らかく、大きいほど硬い。

19 影響し合う五感

クロスモーダル現象の応用

五感は独立したものと考えられがちですが、実際には相互に影響し合っています。揺れるプリンを見るだけでその硬さがわかったり、蚊が耳元を飛ぶだけで身体を触られたようなゾクゾクを感じたりするように、視覚や聴覚から触覚を感じた経験は誰にでもあるでしょう。また、腹話術効果として知られているように、腹話術師が人形の口を動かすと、腹話術師の発話が人形の口から発せられたように感じられます。これは口の動きという視覚情報が、耳で得た音源定位の情報を修正するために起こります。

複数感覚の間で起こる相互作用によって五感の感じ方が変わる現象を「クロスモーダル現象」といいます。この現象は提示しやすい視聴覚情報を駆使するだけでも、触覚や嗅覚、味覚などの提示しにくい感覚情報を提示できる可能性を示しています。そのため、研究分野で注目されています。

例えば、クロスモーダル現象を活用したものとして視覚を使って触覚を提示する疑似触覚（Pseudo-haptics）があります。マウスカーソルを操作していて、パソコンの動作が重くなりカーソルがカクカクと動いて見えた時、手に力がかかった、マウスが重くなったと感じた経験はないでしょうか。これが疑似触覚です。手とカーソルの連動を知っている時、自分の手と違う動きのカーソルを見ると、自分がかけた以外の力が働いたに違いないと解釈されて、触覚を感じてしまうのです（**図1**）。特別なデバイスを使わなくても視覚だけで触覚を表現できるので、ウェブサイトで触覚の表現などに用いられています。

また、同じ形の物を触っていても、違う形の物に触っているように見せるだけで多様な形に触っているような感覚を提示できます。これは触覚提示デバイスの性能向上に活用できます。**図2**では、円柱に触れる手の動きをくぼんだ形に沿って動くように変換して見せ、くぼんだ形に感じさせています。

要点BOX

- 複数感覚の相互作用がクロスモーダル現象
- クロスモーダル現象によって視聴覚情報から触覚や嗅覚などの感覚を提示できる

図1　疑似触覚

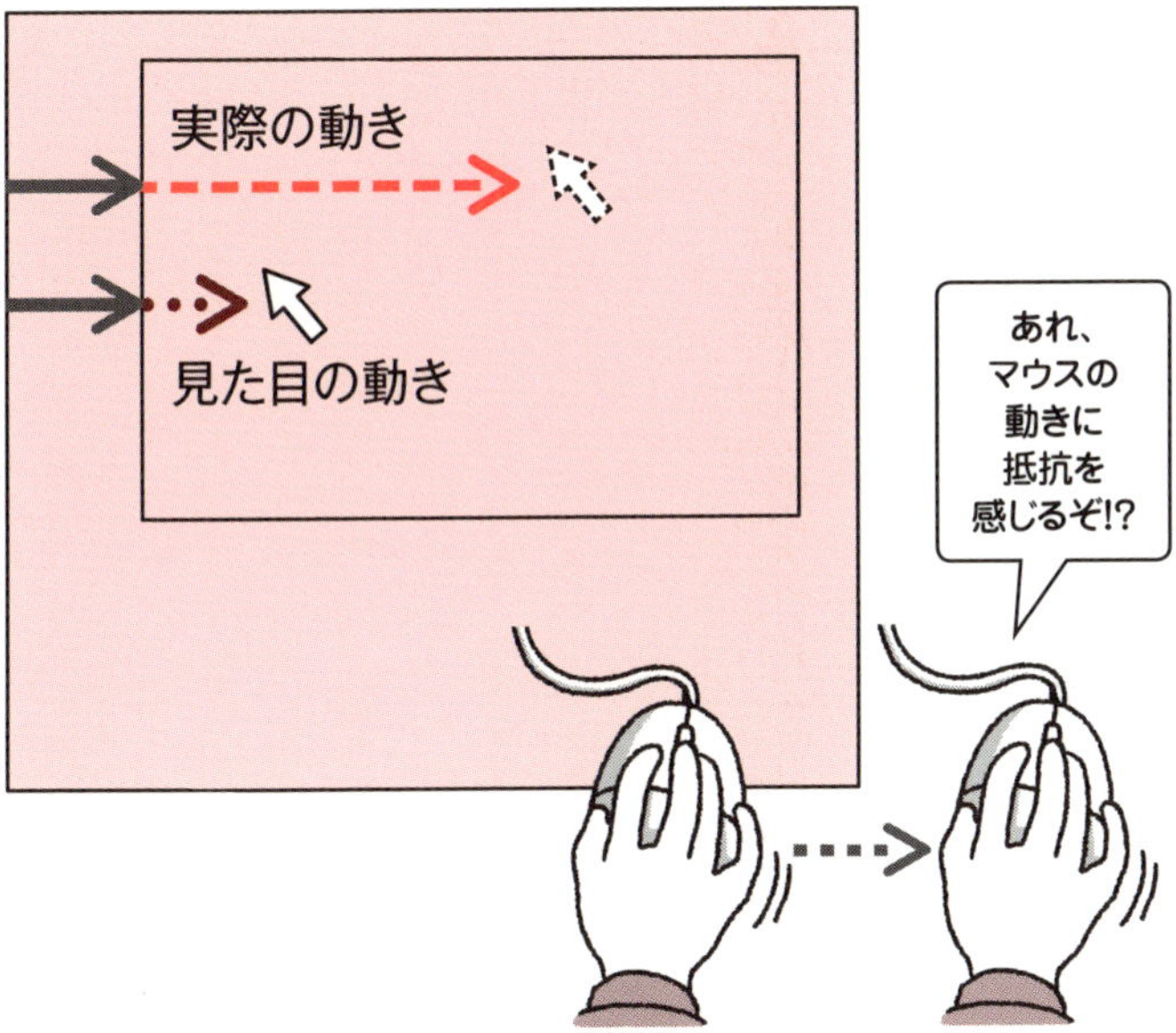

図2　視覚と触覚の相互作用で形状を提示するMagic Pot

20 匂いは感情や記憶に強い影響を与える

嗅覚とディスプレイ

嗅覚は系統発生的に最も古い感覚であるとされます。多くの動物では高度に発達し生存のために活用されていますが、著しく視覚が発達した人間の場合には他の動物ほどの発達は見られません。

嗅覚は、鼻腔に入ってきた匂い物質が嗅上皮の嗅繊毛に発現している嗅覚受容体と結合し、その刺激が嗅細胞によって電気信号に変換され、嗅球を経て梨状皮質、扁桃体、視床下部、大脳皮質嗅覚野などに伝わりながら処理されて生じます。

匂い物質は、空気中を漂って鼻に到達できる分子量約３００以下の低分子有機化合物が主で、数十万種類あると推定されています。1つの匂い物質は、複数の嗅覚受容体と反応します。また、匂い物質の濃度が変わると反応する嗅覚受容体の組み合わせが変化し、違う匂いとして感じられます。嗅覚受容体は約４００種類あるといわれ、その組み合わせによって数十万種類の匂い物質を嗅ぎ分けることができるのです（図1）。

嗅覚情報は、感情（扁桃体）や記憶（海馬）、複数の感覚（前頭眼窩野）に関する部位に直接伝わります。そのため、匂いは感情や記憶に強い影響を与えるという特徴があります。

嗅覚は化学的に生じる感覚であるため、視聴覚とは異なり任意の感覚刺激の生成が難しく、ディスプレイの開発も困難です。そのため、用意した匂い物質を鼻へ届ける方法に焦点を当てた開発例が多いです。

匂い物質を気化させて放出するアロマディフューザは、家庭や商業施設で空間に匂いを充満させるために用いられます。個人ごとに匂いを提示する手法としては、鼻周辺に身につけて使用するウェアラブル嗅覚ディスプレイや、気流や空気砲を利用して鼻に匂いを届けるディスプレイが開発されています（図2）。匂いの提示ができるようになってきた一方、空間に残る匂いの影響をいかになくすかは課題となっています。

要点BOX

- ●人間は嗅覚より視覚の方が発達している
- ●嗅覚の任意の刺激は難しい
- ●鼻に匂い物質を届ける手法の研究が多い

図1　嗅覚受容体における匂い物質の受容

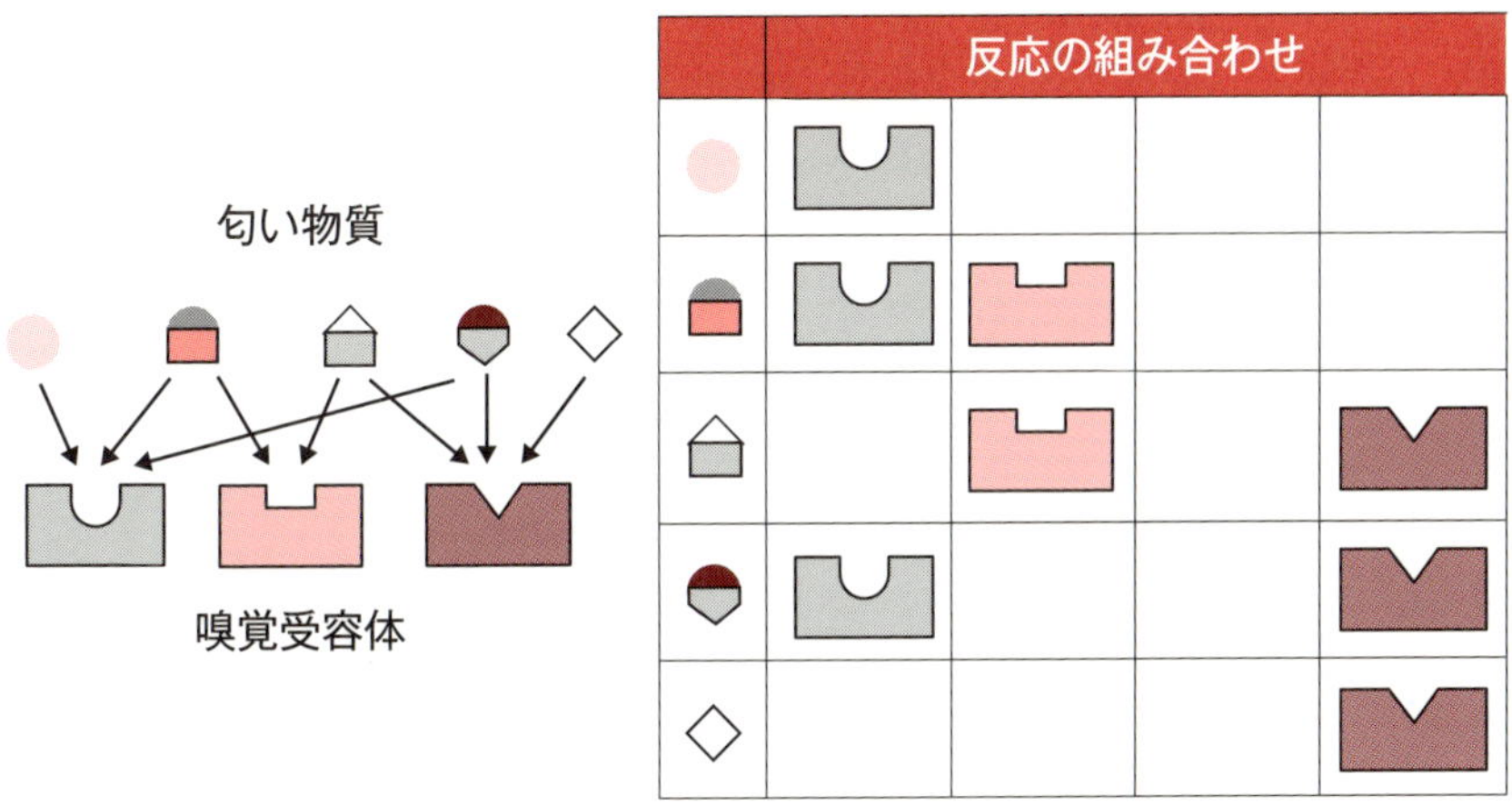

図2　ウェアラブル嗅覚ディスプレイ

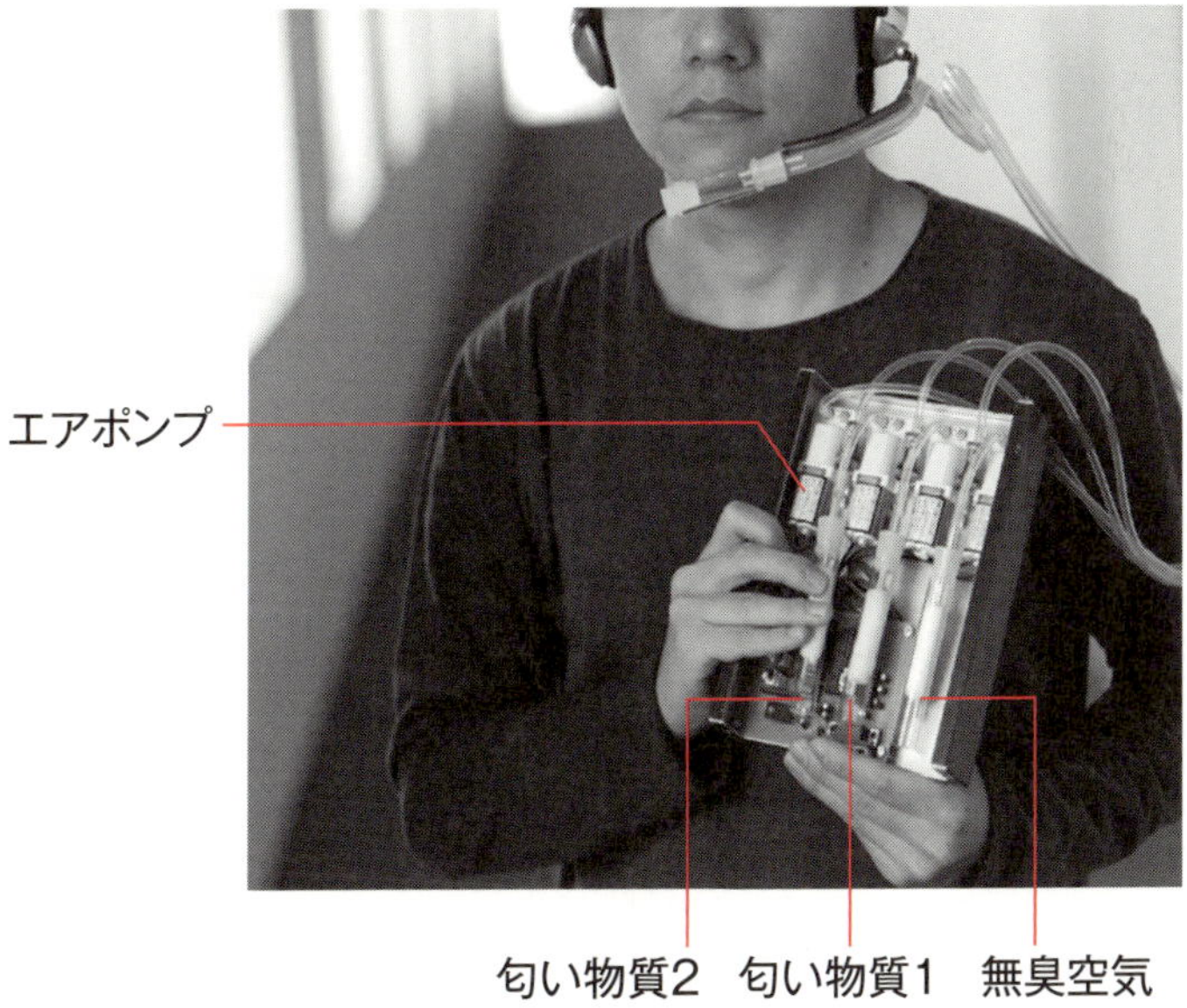

21 味を変化させることができる？

味覚・食味とディスプレイ

味覚は嗅覚と同様、化学的受容体に物質が結合することで生じる感覚です。嗅覚は離れた位置から漂ってくる化学物質を検出しますが、味覚は接触した化学物質を検出するという違いがあります。

口に入ってきた味物質は、50から100個程度の味細胞が集まる味蕾《みらい》で検出され、脳に伝わります。味覚受容体は味細胞の表面にあり、異なる受容体がそれぞれ別の味物質を受容することで味が区別されます。受容体の種類に対応する基本味として、甘味、酸味、塩味、苦味、うま味の5種類があります。舌先では甘味が感じやすい、といったことを表す味覚地図を見たことがあるかもしれません。これは実際には間違いであり、現在では味覚を感じる部位は刺激の種類によらず共通で、どの味蕾もすべての基本味を感知できることが明らかになっています（**図1**）。

味覚のセンシングに関しては、5つの基本味に反応する人工脂質膜が食品と反応した時の膜電位の変化パターンを計測して味覚を定量化する味覚センサが開発されています。味覚のディスプレイは、このセンシングに基づいて5つの基本味に対応する味物質を適切に混ぜ合わせれば実現できそうに思えます。

しかし、実際にはそう簡単にはいきません。その大きな理由は、私達が感じる味は、実際には味覚だけで決まっていないからです。日常経験する味は「食味」とも呼ばれ、食品の見た目や食品の香り、食感や温度の影響など、様々な感覚の影響が加味されて成り立っています。風邪をひいた時に鼻が詰まると食べ物の味を感じないのは、匂いが食味に大きな影響力を持つからです。逆に、こうしたクロスモーダルな影響を逆手にとれば、食味をバーチャルに提示することも可能です。メタクッキーというシステムでは、香りの提示できるHMDを使って、クッキーの見た目と香りを変えることで、食味を変化させています（**図2**）。

要点BOX

- 基本味を操作しても味の再現は難しい
- 食味は味覚だけでなく様々な感覚が影響する
- 視覚と嗅覚を使って食味の再現が可能

図１　舌で味覚を感じる仕組み

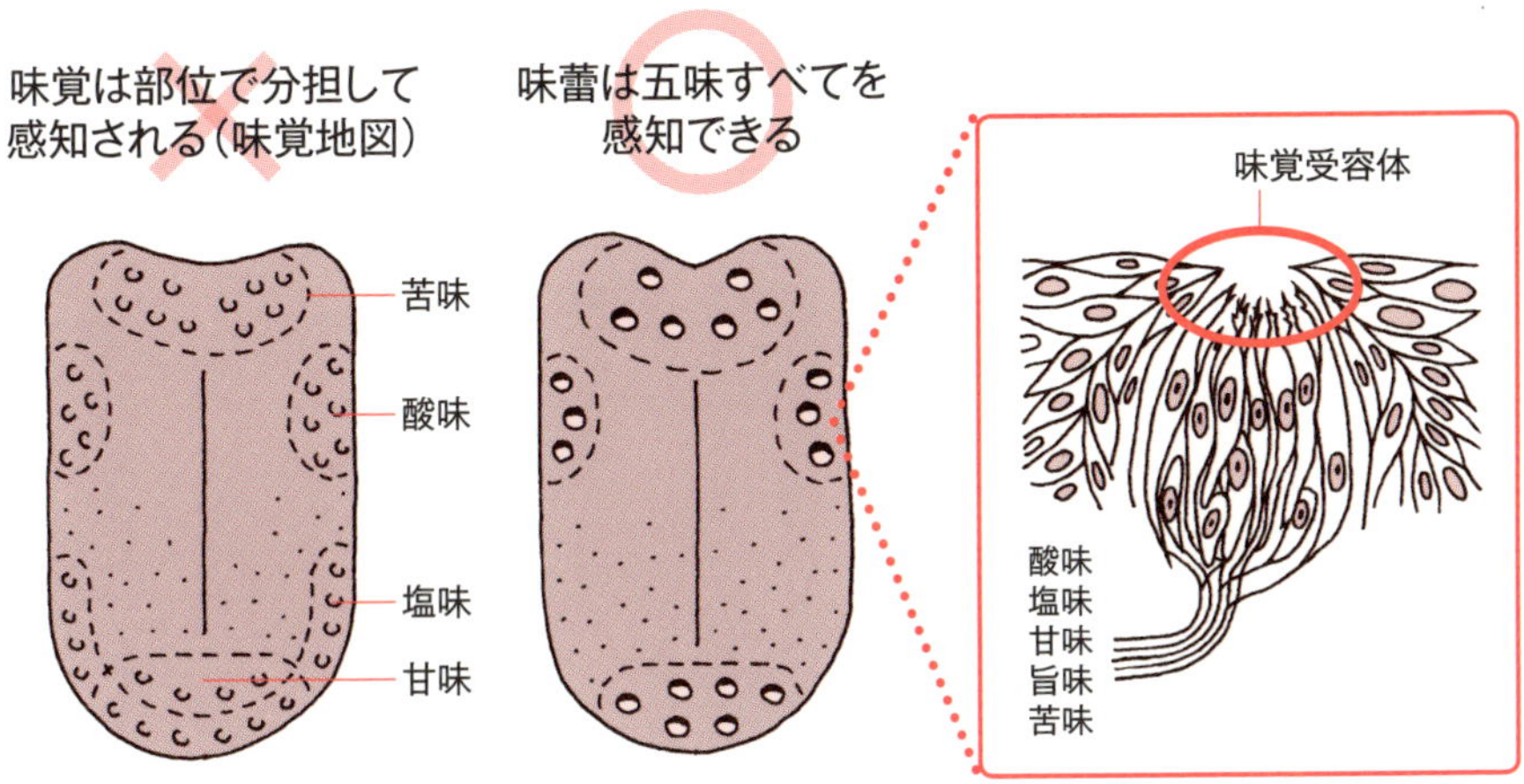

図2　見た目と匂いを変えて食味を変えるメタクッキー

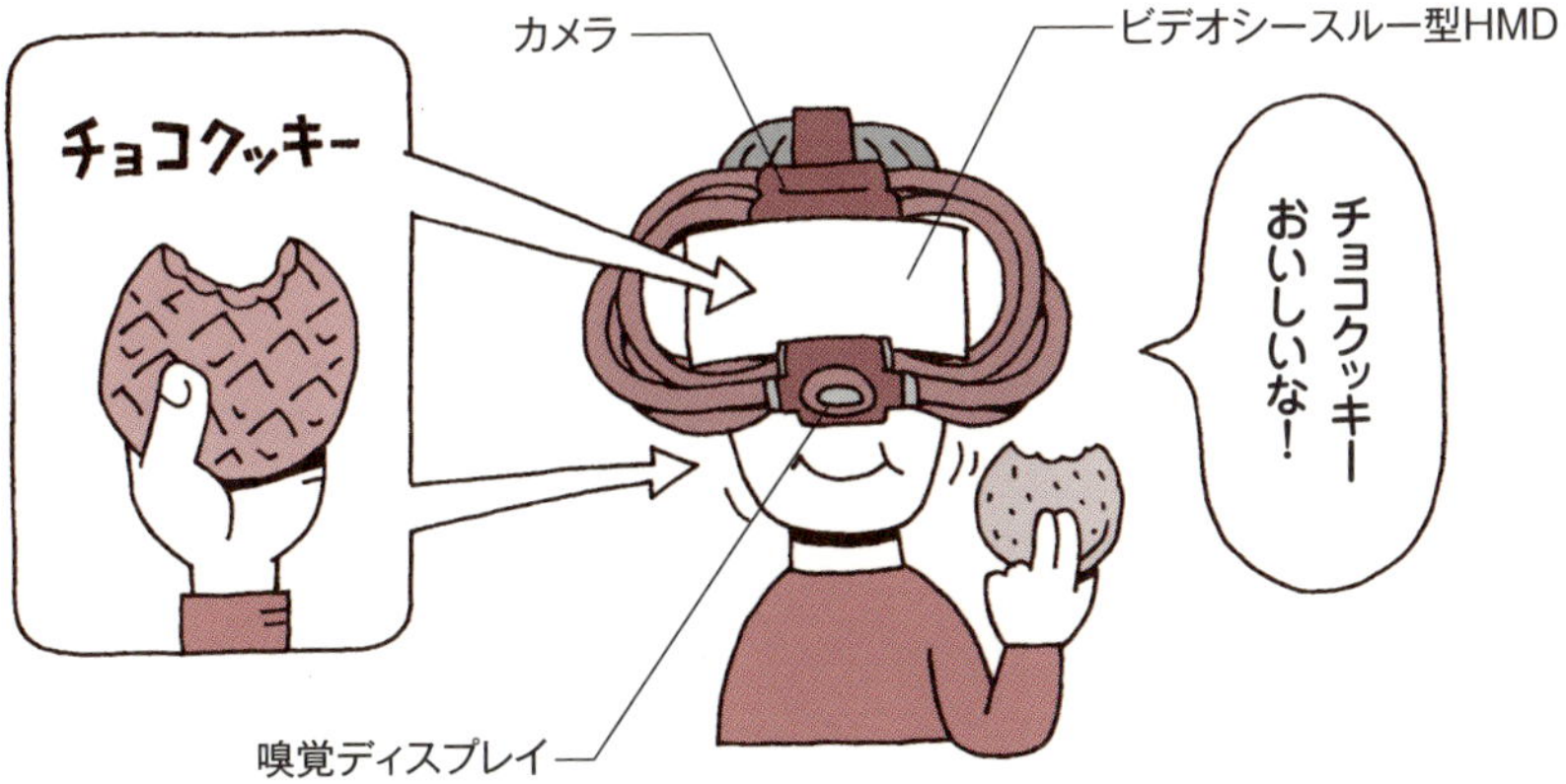

HMDに嗅覚ディスプレイが付いています。バタークッキーの見た目をARでチョコクッキーに見せながらチョコレートの匂いを提示することで、食べるとチョコクッキーに感じます。

22 VR酔い

乗り物酔いとの違い

ＶＲ酔いはどうしておこるのでしょうか。船酔いや車酔いと違うのでしょうか。自動車などの乗り物で生じる酔いは「動揺病（motion sickness）」と呼ばれ、症状は悪心、嘔吐、顔面蒼白などです。同じような症状をおこす病気にはメニエール氏病があります。

私達は、直線および角加速度を感知する内耳と身体のバランスを保つ前庭―動眼反射や前庭―脊髄反射で身体バランスを保持しています。乗り物酔いは、乗り物の動揺による内耳への加速度刺激や左右の内耳前庭機能のバランスが悪くなったために発症するといわれています。ＶＲ酔いは、ＶＲ空間上で動いた時に生じる吐き気や眼精疲労、めまいのことです。

なぜＶＲ酔いがおこるのでしょうか。ＶＲ酔いの根本的な発生メカニズムは完全には解明されていません。現状では、視覚誘導性自己移動感覚（視覚ベクション）による感覚不一致説が有力とされています。視覚ベクションとは、実際には静止している人間が、視覚情報によって移動しているような感覚が引き起こされてしまう現象です。この視覚情報と体性感覚、前庭感覚の不一致が酔いを引き起こすという説です（図）。ＶＲはＨＭＤを装着し、視界いっぱいに映像を見るという特性上、視覚誘導性自己移動感覚が容易に引き起こされるために酔いが発生しやすいといわれています。そのためＶＲの体験時間は20分以内が望ましいとの報告もあります。

また、ＶＲ体験はテレビやビデオよりも精神心理的影響が強いことが示されています。特に自分の視点でバーチャルな世界を体験する一人称ＶＲでの殺人や暴力的なゲームによる若年者の危険行動誘発への危険性が報告されています。米国では13歳未満の子どものインターネット上での安全を守るためにCOPPA（Children's Online Privacy Protection Act）法が制定されています。このように、ＶＲ機器だけでなくコンテンツの人体への影響にも注意が必要です。

要点BOX

- ●VR酔いの根本的な発生メカニズムは完全に解明されていない
- ●VR体験の精神心理的影響は強い

VR酔いの発生メカニズム

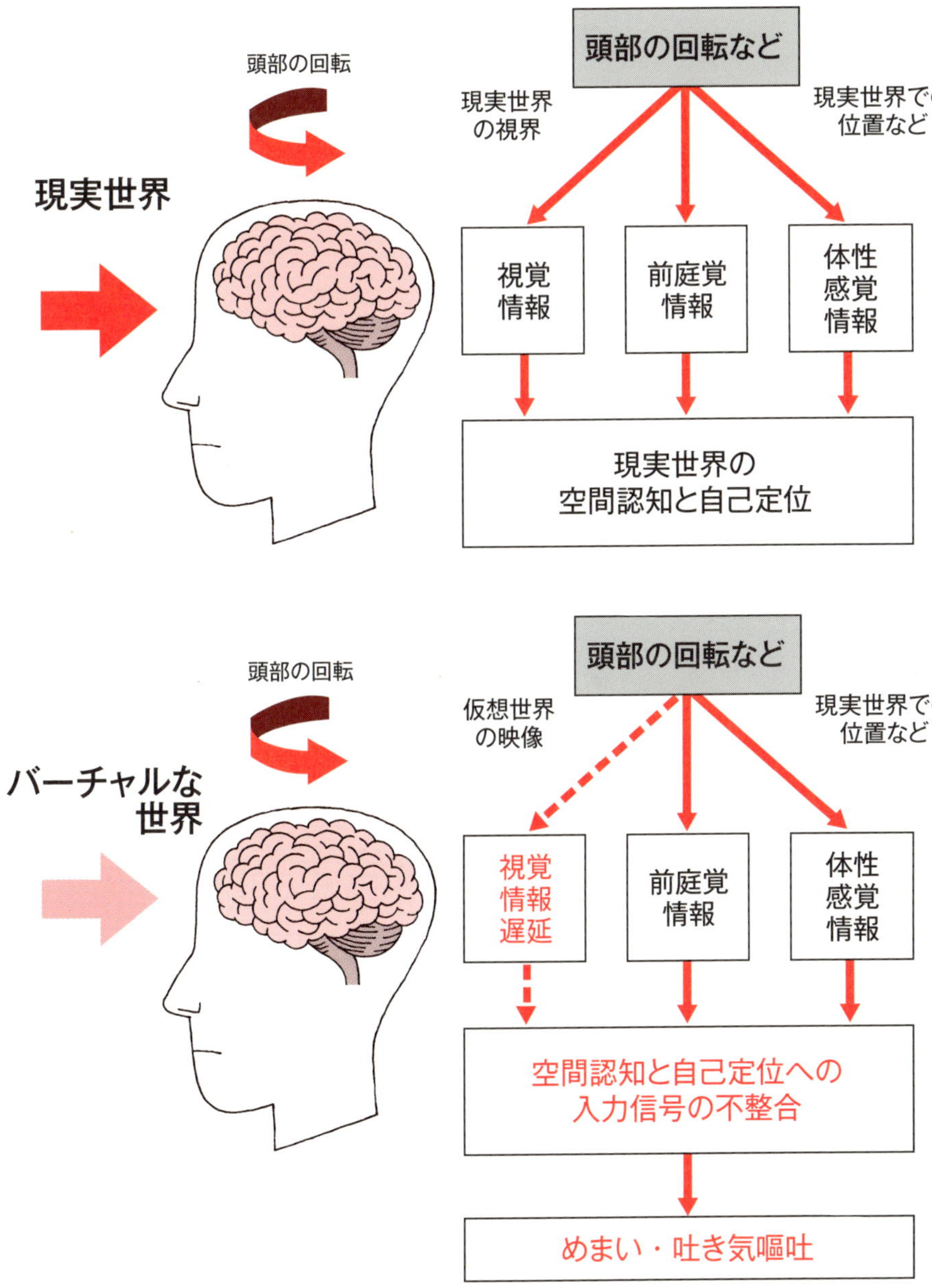

23 VR空間での動きの再現とVR酔いの対策

前庭感覚を作り出す

HMDが広く普及するようになり、長時間のVRゲームをプレイすると気分が悪くなる「VR酔い」が問題として取り上げられるようになりました。VR空間での動きと現実世界での動きが完全に一致していればVR酔いは起こりませんが、椅子に座った状態で動きの激しいVR映像を見ていると気分が悪くなります。これは、視覚的な動きと前庭感覚や固有感覚などの身体の感覚ともいうべきものの間に齟齬《そご》が生まれることで生じると考えられています（図1）。

VR空間での動きの感覚は視覚を含めて様々な感覚の統合によって生まれます。その中でも、前庭感覚という頭部の加速度や角速度などを検知している感覚が重要です。前庭感覚を作り出すVR技術を大きく分けると①人を力学的に振り回すモーションチェアを利用する方法②「前庭電気刺激」と呼ばれる電気刺激によってバーチャルな加速度を作る方法があります（図2）。

前庭電気刺激は耳の後ろやこめかみなどに電極を設置して、そこから微弱な電流を頭部に流すことで前庭感覚をバーチャルに感じさせることができます。前庭電気刺激は非常に小さくて軽量で安価な装置で前庭感覚を作り出すことができるため、HMDの中に組み込むことも可能であるという点では優れています。一方で、モーションチェアは前庭感覚だけではなく固有感覚や触覚なども一緒に作り出せるという点が優れているといえるでしょう。

モーションチェアや前庭電気刺激を利用して、前庭感覚を視覚と齟齬のないように作ることでVR酔いを低減することができると考えられます。また、これらの前庭感覚を作るアプローチではなく、VR内で移動する時にワープのような視野の動きに方向性や連続性を持たせない方法やフレームなどの動かない領域を視野に設定する方法といった、視覚の動きを抑えるアプローチも取られています。

要点BOX

- ●VR酔いはVR空間と現実世界での動きの齟齬が引き起こす
- ●力学的に動かすか、電気刺激を与えるか

図1　VR酔いの発生

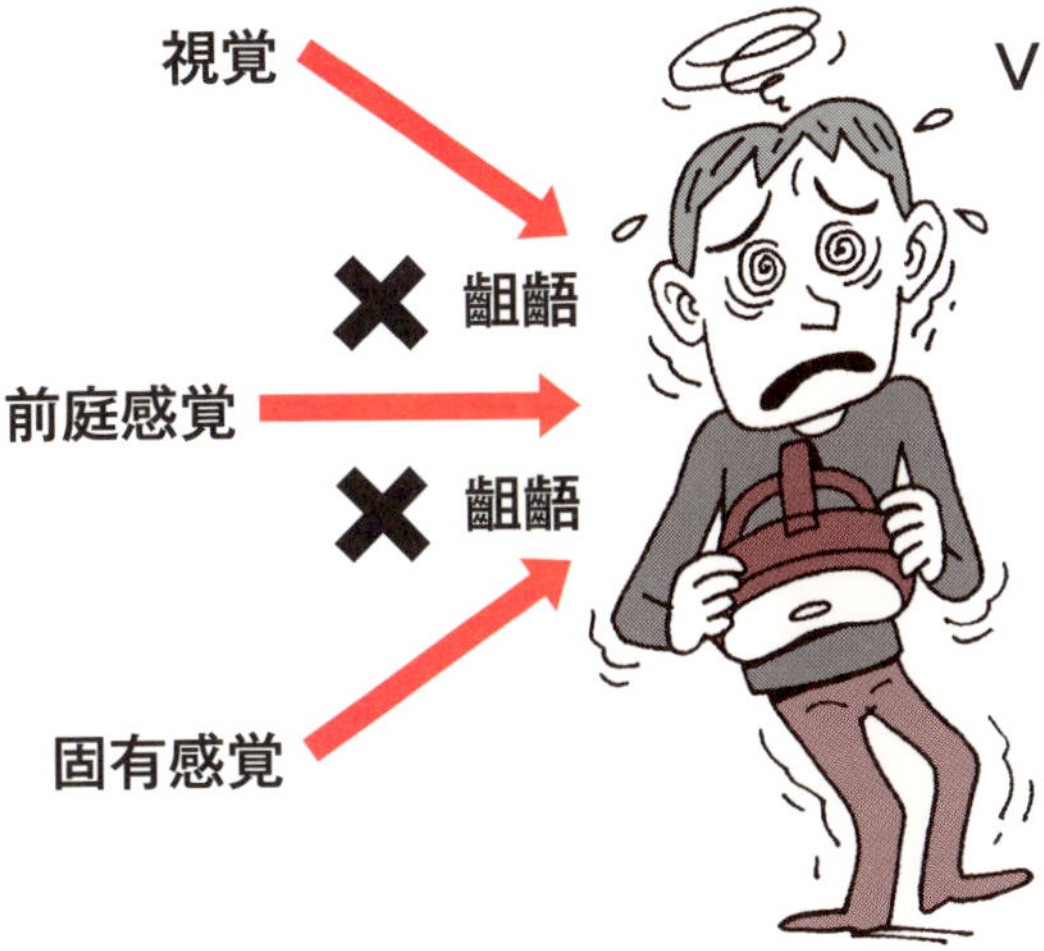

前庭感覚や固有感覚と視覚の動きが食い違うと気分が悪くなります。

図2　前庭感覚を作り出すVR技術

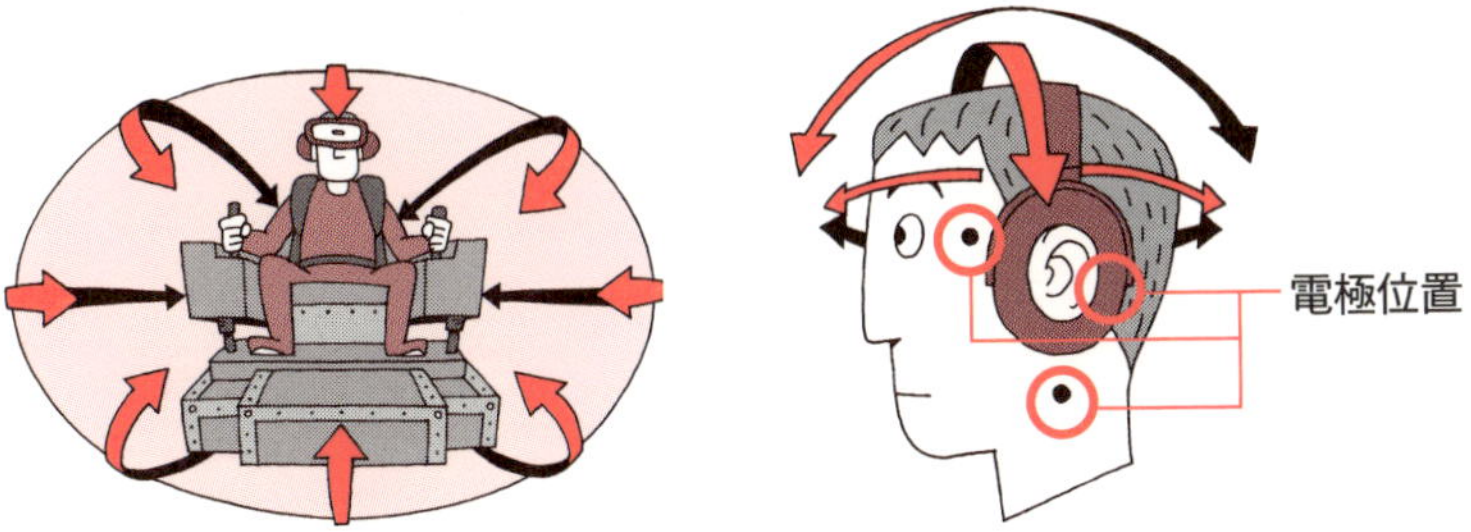

モーションチェアの利用　　電気刺激を与える

人を乗せて動かすモーションチェアや、前庭感覚器を皮膚表面からの電気刺激によって刺激する前庭電気刺激は、両方とも前庭感覚を提示するための前庭感覚ディスプレイ技術といえます。

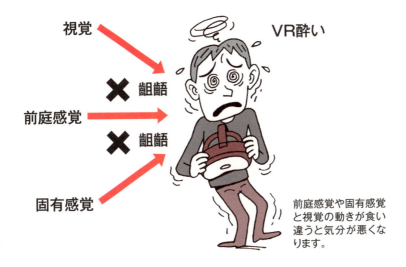

Column

なぜ、錯覚は存在するのか

ある知覚心理学者に聞いた面白い話を紹介しましょう。錯覚を辞書でひくと「思いちがい」などとあり、一般に悪いことのように扱われています。しかし、私達は錯覚が存在するがゆえに現在、存在しているともいえるそうなのです。

図1にある図形をながめてみましょう。aとbと、どちらが長く感じるでしょうか。aの方が長く見えるはずです。これを「ミュラー・リヤー錯視」といいます。では、**図2**にあるような3次元世界を考えてみましょう。廊下からエレベーターホールなどを見た時の風景です。この図中には、図1のaとbが埋め込まれています。

もし、錯覚のない人がいたとしましょう。図2のAとBの長さは同じに見えてしまうはずです。しかし、実際は、Aの方が奥まった場所にあるから長いのです。私達がサルだった時代、もし、AとBにエサとなる実がついていたとしましょう。錯覚によってAに飛びつくサルの方が、より多くのエサにありつくことができたはずなのです。したがって、錯覚は進化の淘汰圧を乗り越えて、私達の知覚特性として生き残ってきたといえます。これ以外にも様々な錯覚を感覚特性として持っており、それは何らかの理由によって、存在しているはずなのです。

様々なメディア機器は人々の錯覚を利用して作られています。かつてディスプレイとして使われていたCRT（ブラウン管）は、蛍光面に投影された光点を高速で動かすことによって、2次元の画面を作り上げました。もし私達が「残像」という錯覚現象を持たなければ、このディスプレイは存在しなかったでしょう。動画アニメーションも技術的には静止画の集まりとして処理します。私達に錯覚がなければ、連続する静止画像の連鎖から、動きを感じることはないでしょう。錯覚現象はVRにとって、宝の山なのです。

図1
ミュラー・リヤー錯視

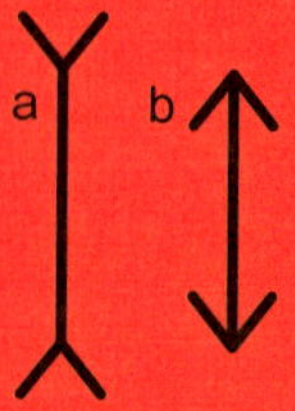

図2　3次元世界に埋め込まれたミュラー・リヤー錯視

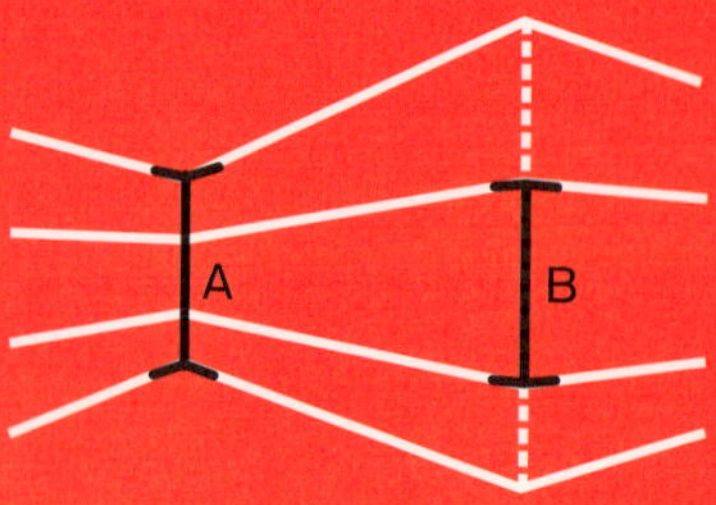

第3章

VRが可能にする 新しいインタラクション

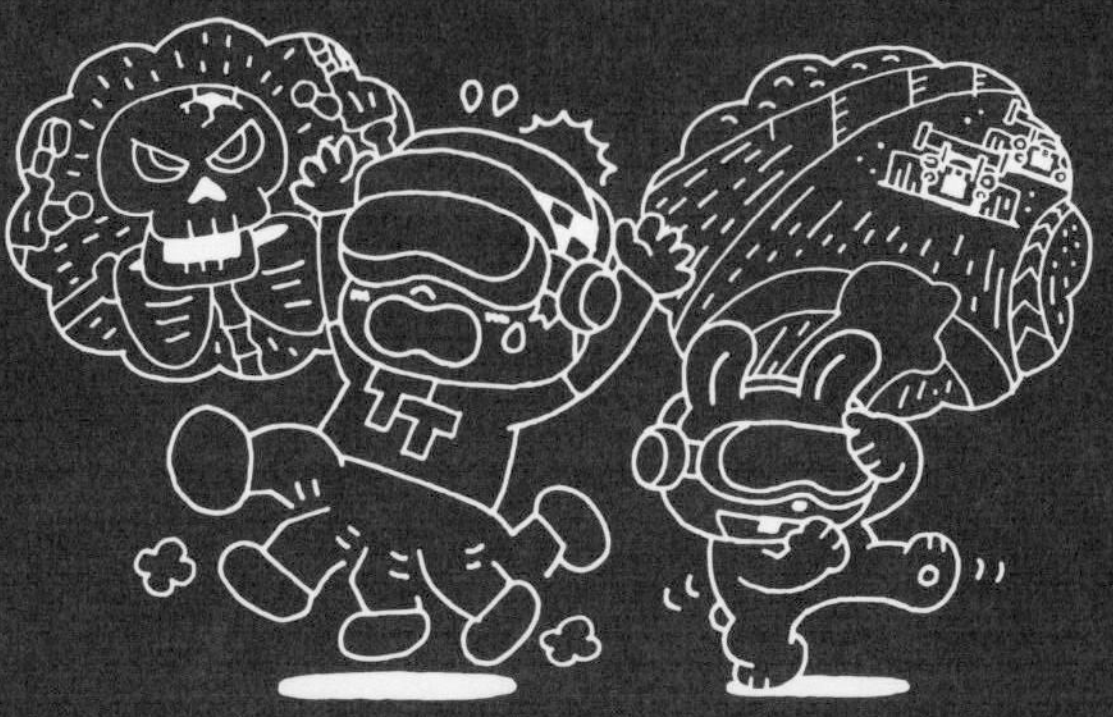

24 コンピュータグラフィックスとは

バーチャルな世界での美しい映像の作り方

バーチャルな世界を人々の目に見せるためには、CG技術を用いて、正確で美しい映像をインタラクティブに描画する必要があります。一般に、CGの処理はモデリングとレンダリングの2段階に分けられます。

モデリングは、バーチャルな世界に配置された3次元物体の形状や質感をコンピュータで扱えるデータにする作業です。レンダリングは、モデリングで作った3次元データを用いて、目の位置や照明条件に応じた映像を合成する作業です。

人物のCG合成を例に説明しましょう。まず、目鼻の位置や鼻の高さなどの3次元形状をデータ化します。さらに、肌の色やそばかすのような模様（テクスチャ情報）をデータ化します。3次元形状データの表面に、テクスチャデータを貼り付けることで、人物の顔モデルができあがります。しかし、笑ったり怒ったりという表情を描き出すには、この顔モデルのどの部分とどの部分が連動して動くのかということもデータ化しておく必要があります。動きのモデルです。

このように、形状・テクスチャ・動きの3つのデータが必要になります（**図1**）。精密なデータであるほど、正確で美しい映像を合成できる可能性はありますが、計算量が増えてしまいます。いかに効率的に計算できるモデルを用意するかが重要です。

レンダリングは、光源から発せられた光が3次元モデルで反射して目に届くまでをシミュレーションする技術です（**図2**）。これによって、陰影のある情景を描き出します。光源を出てから目に届くまで1回しか光が反射しないと仮定すると計算は簡単になります。しかし、現実世界では無数に反射が繰り返されており、この仮定には無理があります。さらに、物体表面の質感は、複雑な反射特性を考慮することで上がっていきます。複雑なシミュレーションを高速に計算することが重要です。

要点BOX

- ●CG処理はモデリングとレンダリングの2段階
- ●CG合成は形状・テクスチャ・動き情報が必要
- ●効率的で高速な計算技術が重要

図1　コンピュータで扱える情報

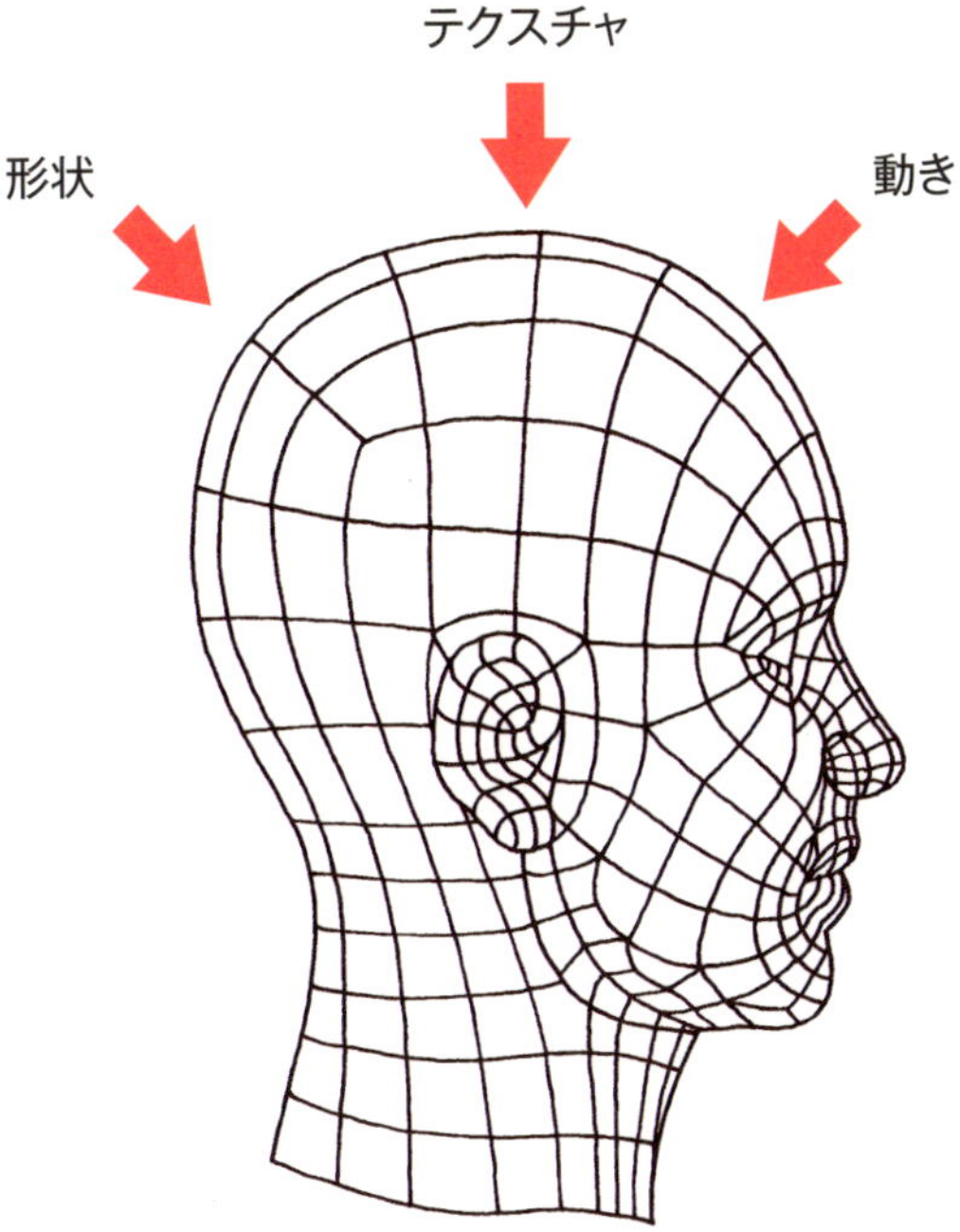

図2　レンダリングの概要

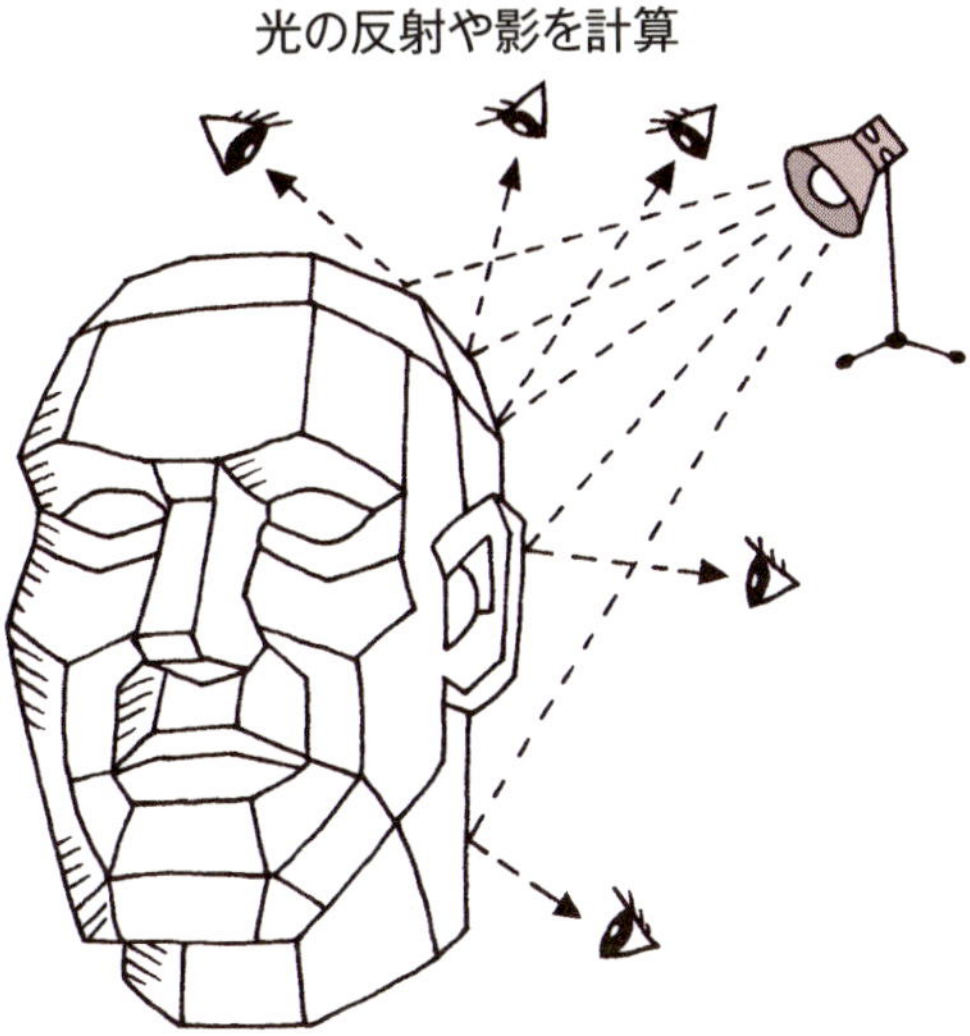

25 実写データを使ったCG

光の反射などの最大活用

複雑な3次元モデルを生成し、複雑な光の反射をシミュレーションすることは、容易ではありません。カメラで現実世界を撮影した写真（実写データ）には、この複雑な現象の結果が記録されています。これを最大限活用する方法を紹介します。

最も簡単なのは、テクスチャ情報として実写を用いる方法です（**図1**）。例えば顔モデルでは、人物の顔写真に対して凹凸を与えるだけで3次元データを生成できます。凹凸はMicrosoft社のKinectなどの3次元形状計測装置を用いることで与えられます。

様々な位置から何枚も顔写真を撮影して、写真同士の対応関係から3次元形状を推定する方法も有用です。「イメージベースモデリング」と呼ばれています。ただ、写真撮影時の照明条件がそのままテクスチャ情報に残るため、陰影の表現には限界があります。右上から赤い光で照らして撮影した写真からは、真下から青い光で照らした顔を合成できません。そこで、照明条件を変えてたくさんの写真を撮影しておくことで、この問題を解決します。

もう1つの例としては、360度の全天周映像が挙げられます（**図2**）。ユーザーは、上下左右に視線方向を変えることで、自分の周囲の様子を見ることができます。視点位置は固定されますが、視線方向をインタラクティブに変えることができるというVR体験です。全天周映像を撮影できるカメラが商業的に成功し、現在のVRブームを支えるコンテンツの1つになっています。撮影した段階で、視点位置固定のモデリングは完了しており、視線方向に応じたレンダリングだけをするCG技法です。このような方法は、「イメージベースレンダリング」と呼ばれています。

全周撮影を様々な位置で行っておけば、視点移動も可能になるため、不動産物件を探す際に部屋の様子をVR体験する手段として活用されています。

要点BOX

- ●簡単なのはテクスチャ情報への実写の活用
- ●多くの写真から3次元形状を推定する方法
- ●視点移動も可能になる全天周映像

図1　実写撮影によるCGの描画

ポリゴンモデル

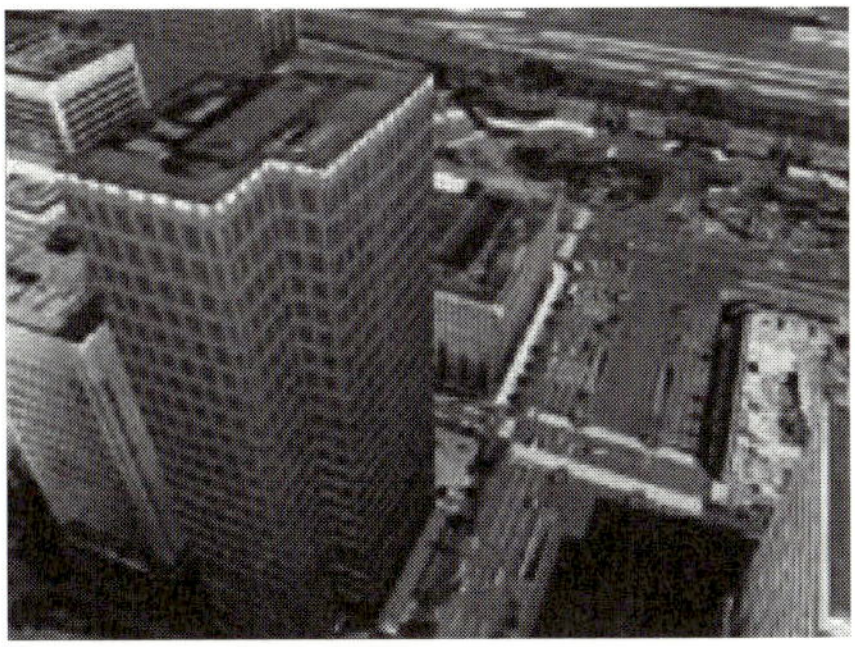

テクスチャマッピング
されたモデル

図2　全天周カメラによるCG描画

26 3次元空間をキャプチャできるカメラ

光線空間法

全天周映像を地球儀のような球体に貼り付けてみると、緯度と経度の2つのパラメータで、光線の入射方向を表せることがわかります。そこでコンピュータの中では、2次元のデータ配列（情報空間）で全天周映像を扱います。3次元実空間の様々な位置で全天周映像を撮影すると、光線の通過位置の3次元と方向の2次元で、合計5次元の情報空間が必要になります。しかし、この次元が高くなるとデータ量が増えるため、効率的な扱いが課題になります。

次元を増やしながらその効果を考えていきましょう。

カメラを水平方向に並べて撮影した場合には、画像の2次元にカメラ位置の1次元を加えて、3次元の情報空間が必要になります。これは、壁に空けられた細い横スリットを通過してくる光線を集める撮影方法であると考えられます。ユーザーはスリットに沿った水平方向（1次元）にしか、視点を移動することができないのです。

カメラを水平垂直の2次元平面状に並べた場合には、4次元の情報空間になります。この時、ユーザーが壁の向こうを四角い窓を通じて眺めていると考えれば、水平垂直だけでなく前後も含めた3次元の視点移動が可能になります。本来5次元必要だった情報空間に対して、「壁の手前から眺める」という制約を加えることで、4次元の情報空間で3次元の視点移動が可能になるのです。

光線空間法は、多数のカメラで撮影したデータを用いて4次元情報空間を埋め尽くす方法です（図）。これがモデリングに相当し、レンダリングの際にはユーザーの視点移動に応じて必要な光線の情報を4次元情報空間から読み出すだけという高速処理で映像を合成します。レンズ効果を考慮することで、焦点ボケを描き出すこともできます。実写だけでなく、演算時間のかかる高品質CGのデータを蓄えておいて、インタラクティブに映像合成することも可能です。

要点BOX
- ●5次元になるとデータ量が増大する
- ●4次元の情報空間で3次元の視点移動
- ●多数のカメラデータを用いる光線空間法

カメラをたくさん用意して
その場所を通る光をすべ
て記録する、というのが光
線空間法の考え方です。

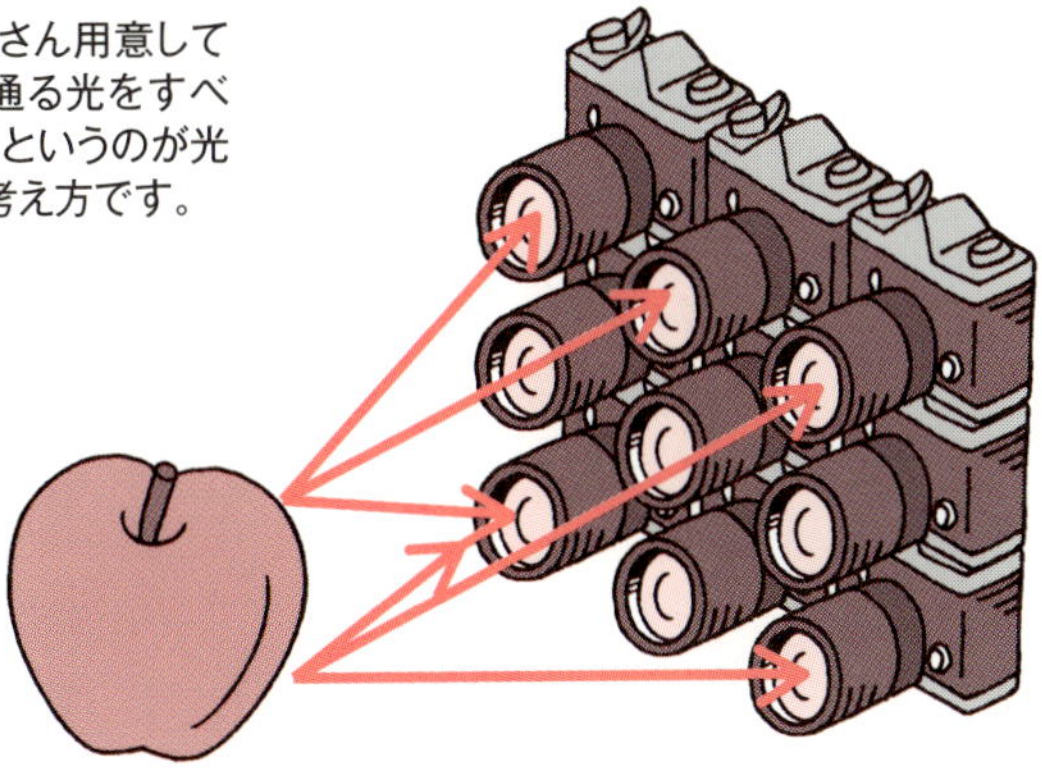

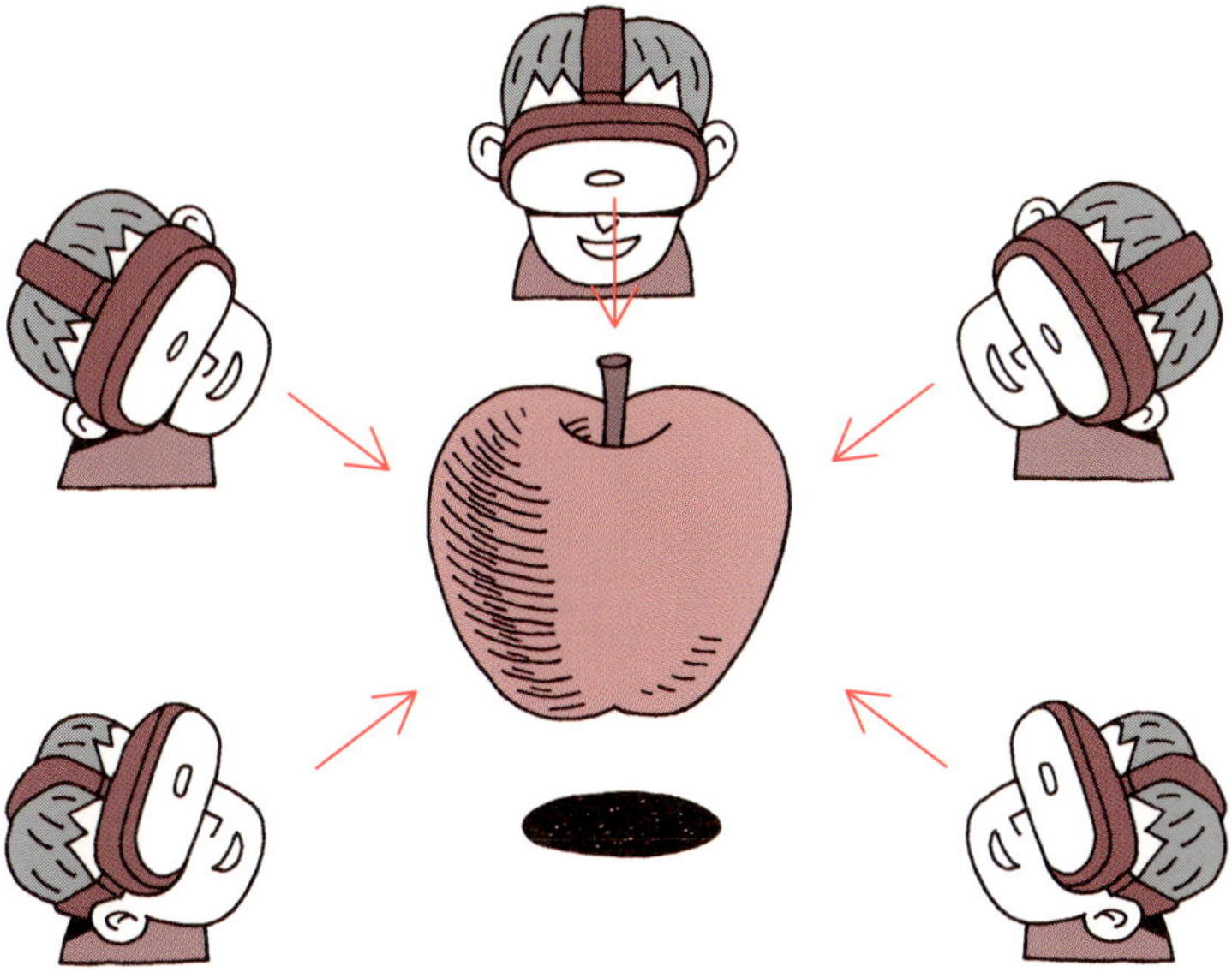

ユーザーの視点移動に応じた映像を合成します。

27 実空間の「範囲」という制約を取り除く

リダイレクションの技術

数メートル四方の範囲のVR空間を自由に動き回ることのできる「ルームスケールVR」や前後左右上下に移動可能な「スタンドアロンVR」が市販され、VR空間を実際に歩き回わって移動することができるようになってきました。しかし、部屋やリビングで広大なVR空間を歩き回ろうとすると壁や家具などにぶつかってしまいます。このように、歩き回れるVR空間の範囲は実空間の広さの制約を受けます。

この問題に対して、周囲の環境を把握する能力である「空間知覚」をゆがめることで限られた現実空間内で広大なVR空間を歩き回ることを可能にする「リダイレクション技術」が提案されています。

空間知覚は視覚や聴覚、前庭感覚、身体の各部位の位置や運動を感じ取る体性感覚などの複数の感覚によって構成されていますが、視覚に大きく頼っていること（視覚優位という）が知られています。リダイレクションの手法の多くは空間知覚が視覚優位であることを利用して、ユーザーの歩行距離や進行方向を変化させる視覚操作を行っています。

具体的には、実空間で120度回転しているユーザーにHMDを通してVR空間では90度回転している映像を見せることで本当に90度回転していると感じさせる「回転量操作」、実空間で1m歩いているユーザーにVR空間では1・2m歩いている映像を見せる「並進移動量操作」、曲がった道を歩いているユーザーにVR空間では真っ直ぐな道の上を歩いている映像を見せる「曲率操作」といった視覚操作手法が用いられています（図1）。

また、視覚操作に触覚を組み合わせる手法や、人の認知特性を利用し、VR空間上のドアの位置や家具の配置を入れ替えることで、空間構成自体を変化させ歩行可能な空間を広げる手法も提案されています（**図2**）。こうした手法を適切に組み合わせることで、限られた実空間であっても没入感を損ねることなく、広大なVR空間を歩き回ることが可能になります。

要点BOX

- 空間知覚をゆがめて実際の移動範囲を拡大させる
- 認知特性を利用し空間構成自体を変化させる

図1　空間知覚をゆがめるリダイレクション手法

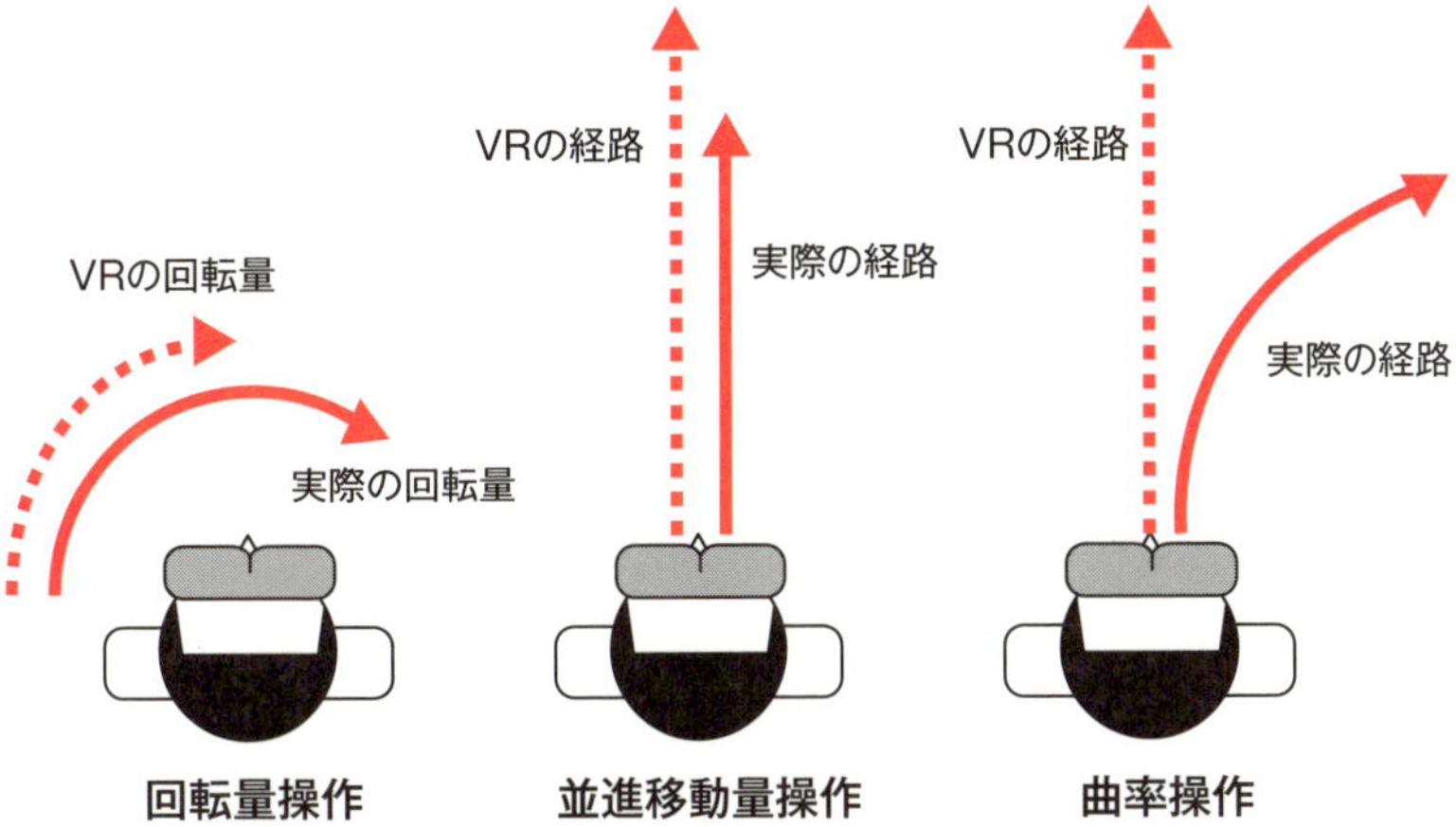
VRの回転量
実際の回転量
VRの経路
実際の経路
VRの経路
実際の経路
回転量操作
並進移動量操作
曲率操作

図2　VR空間の構成自体を変える手法

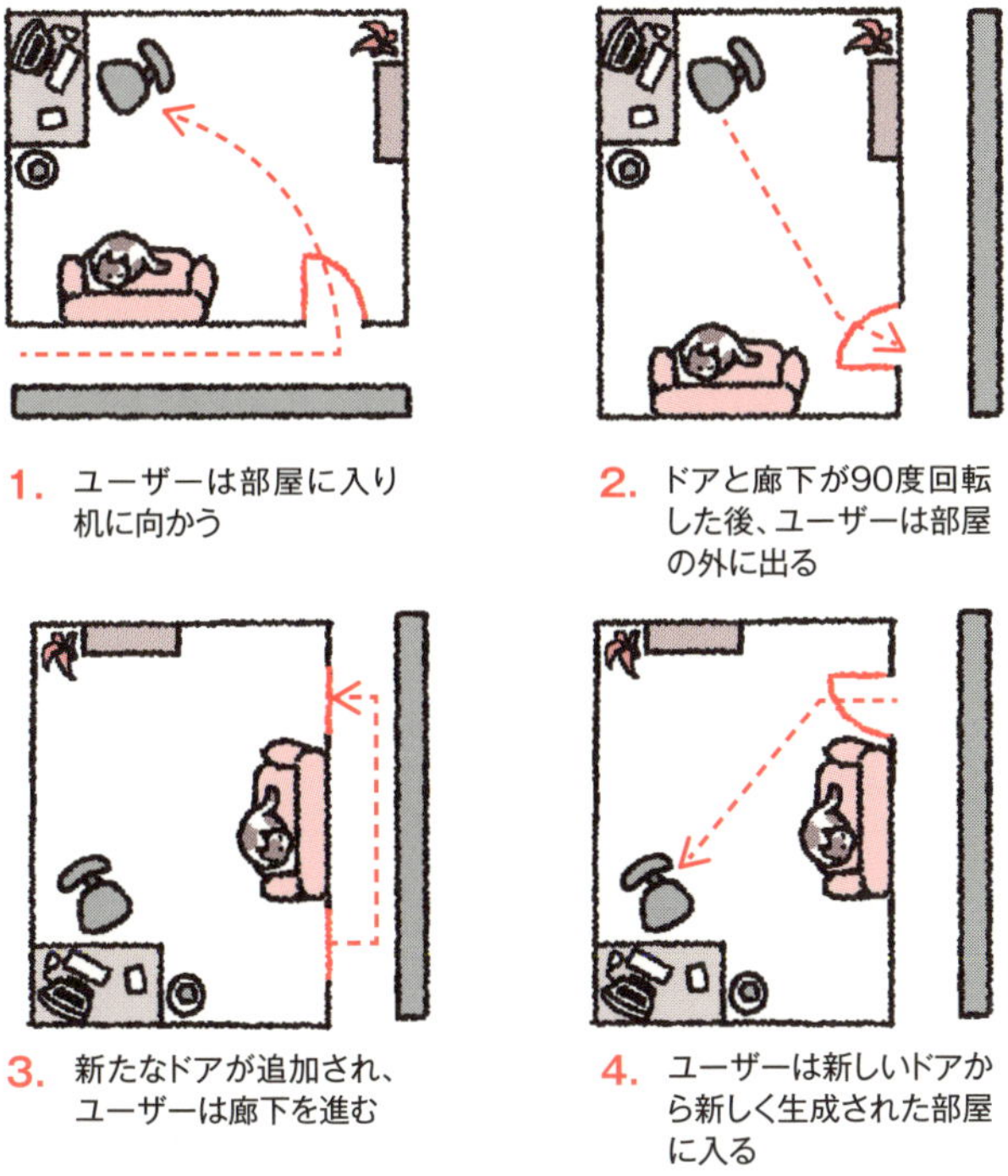
1. ユーザーは部屋に入り
机に向かう
2. ドアと廊下が90度回転
した後、ユーザーは部屋
の外に出る
3. 新たなドアが追加され、
ユーザーは廊下を進む
4. ユーザーは新しいドアか
ら新しく生成された部屋
に入る

ユーザに気づかれないように、ドアや家具の位置を移動することで
複数の部屋を同一の実空間上に配置しています。

28 見せたいものを見てもらう技術

ちょうどいいインタラクション、行動誘発技術

　VRを使ったサッカー中継を考えてみましょう。テレビ中継と違って、スタジアムの好きな場所からサッカーを見ることが可能になるでしょう。一方で、自由にどこでも見られるということは、大事なゴールシーンを見落としてしまう可能性も高くなるということです。だからといって、画面上にボールの位置を知らせる矢印などの指示が出ては、せっかくの没入感も興ざめですし、見たいところを見る邪魔をされたと感じたり、自分で発見する楽しみが削がれたりしてしまいます。見所に注意が向いて自分からそちらを見てしまう、気になるところがある時にはそれを見に行こうとする邪魔にはならない。そんなちょうどいいインタラクションを実現するのが「行動誘発技術」です。

　短期的な行動を誘発する方法としては、注視時間の制御、視覚誘発性身体運動の活用、他者の行動情報の利用などがあります。

　注視時間の制御は、バーチャルな世界で見せたい物の周辺で視線が対象の方を向くよう、実際の顔の向きとバーチャルな世界での顔の向きを少しだけずらす手法です。無意識のうちに対象物を見る時間が長くなると興味が喚起され、対象物の方向への移動や対象物とのインタラクションが誘発されます。視覚誘発性身体運動は、視野の大部分を占める映像がある方向に移動するとそれに合わせて身体が動く現象です。これは、右を向いて欲しい時に映像をわざと右に少し動かすことで、反射的に右を向いてもらう、というように利用できます（**図1**）。他者の行動情報を利用する手法は、他の人が興味を持っている対象は自分も興味を持ってしまうという現象を利用し、VR空間内で他者の行動を見せて、同じように動いてもらうことを誘発するものです。

　VRを使い続けてもらうための、長期的な行動誘発も重要です。例えば、ゲーミフィケーションを使えば、モチベーションを維持できます（**図2**）。

要点BOX

- ●ユーザーの自由な行動を担保しつつ、特定の行動を促すインタラクション
- ●長期的な行動を誘発する技術も必要

図1　視覚誘発性身体運動を使った行動誘発型インタラクション

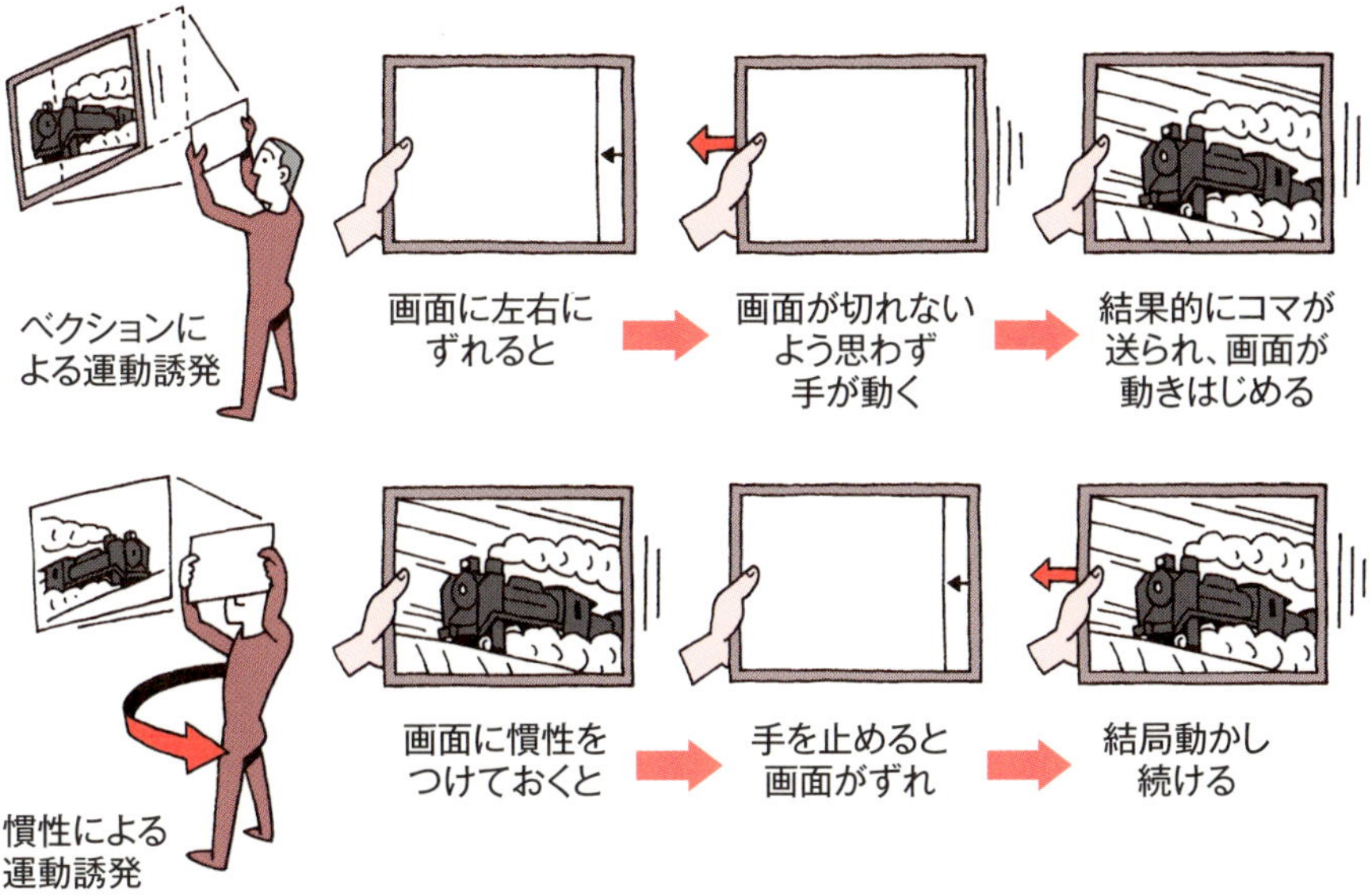

図2　VRとゲーミフィケーションを使ったトレーニングに対するモチベーション誘発

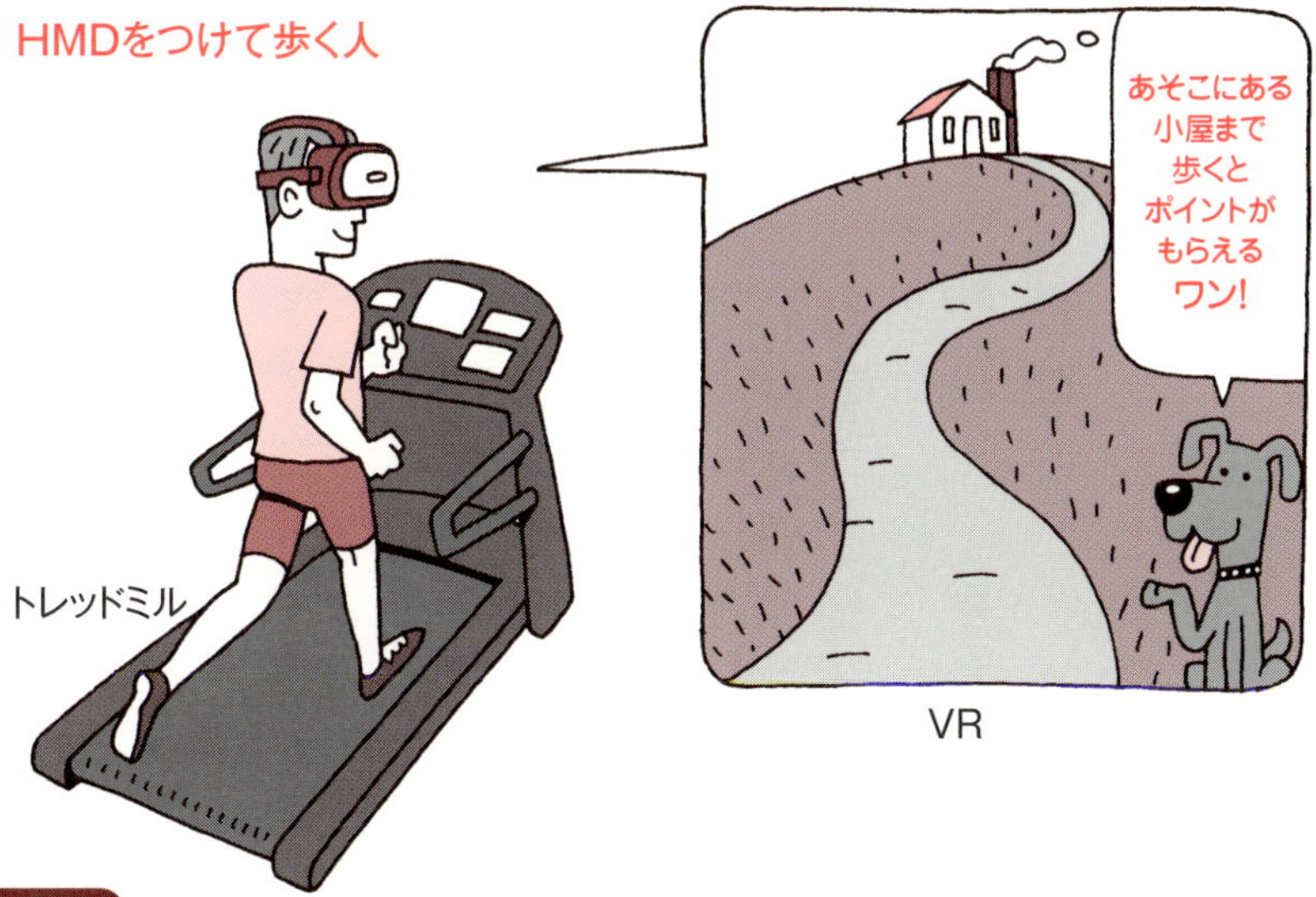

用語解説

ゲーミフィケーション：ゲームの要素や技術を他分野に活かすこと。

29 VR空間で別の身体を手に入れるとどうなる？

アバタと身体所有感

　身体の一部（手など）や全身の動きをトラッキングし再現することで、VR空間内に自分の分身となるアバタを作れます。バーチャルな世界に没入したユーザーは、自分の本物の腕があるはずの位置に存在するバーチャルな腕を動かしたり、バーチャルな鏡に映し出された自分のアバタの姿を見たりするうちに、バーチャルな身体があたかも自分自身の身体であるかのように錯覚します。こうした感覚は、専門用語で「身体所有感（Sense of Body Ownership）」と呼ばれています。

　この錯覚の効果は、アバタの見た目が自分自身に似ているほど大きくなりますが、年齢や性別、人種などの異なる人間や、キャラクターなどに対しても身体所有感は生じます。このため、現実の人間には存在しない器官や能力を持った身体を手に入れることも可能です（図1）。さらには腕を増やしたり、尻尾を生やしたりするなど、現実世界には存在しない身体を手に入れることも可能です。このような現象は、遠隔地の分身ロボットをあたかも自分自身であるかのように操作するための技術や、リハビリなどへの応用が期待されています。

　近年では、VRで本来の自分と異なる身体を手に入れることで、身体だけでなく心にも影響があることが徐々に示されてきています。例えば、人は知らず知らずのうちにアバタの外見に合わせて振る舞うようになることがわかっています。この効果は「プロテウス効果」と呼ばれ、背の高いアバタを使うと交渉で強気になるといった影響が示されています（図2）。

　オンラインゲームの長期使用でもこうした効果は知られていましたが、VRではその影響が瞬時に、かつ強力に起こる点が特徴です。また、他人に変身できるVRは、立場の異なる他者への共感を促進する視点交換のツールであるともいえます。実際に、人種差別意識を減らす目的や色覚異常の体験などに使用され、その効果が示されています。

要点BOX

- ●バーチャルな身体を自分自身のものに感じる錯覚
- ●違う見た目のアバタにも身体所有感が生じる
- ●VRで違う身体を体験すると心にも影響する

図1　VRと身体と心の関係

アバタは形状から機能まで自由自在に設定することができます。

図2　プロテウス効果

VRでヒーロー体験をすると善人的な行動をとりやすくなります。

30 身体の動きをトレースする技術

身体型インタラクション

ユーザーがコンピュータを操作していることを意識せずにシステムの操作を行える状態を「ダイレクトマニピュレーション（直接操作）」と呼びます。現実の身体の動きを計測してバーチャル世界における身体であるアバタに反映し、バーチャル世界でも現実世界と変わらない直観的な方法でバーチャルな物体や環境とのインタラクションを実現できるVRは、ダイレクトマニピュレーションを実現したシステムの代表例といえます。これを実現する技術が、人物や物体の動きをデジタルでトレースするモーションキャプチャ技術です。

モーションキャプチャには様々な方式があり、特に慣性式、光学式、画像処理式の3つがよく用いられています。これらは計測の範囲、精度、手軽さの面で異なる特性を持つため、それぞれの特性を考慮して使い分けられています。

慣性式では、身体の各部に動きの量を検出する慣性センサを装着します。各部の動きの情報から逆算することで、身体の位置と姿勢が推定されます（図1）。時間が経つとずれが生じやすく、精度は他の方式と比べると低いものの、屋外や広い空間でも利用可能です。

光学式では多くの場合、ある範囲を囲むようにカメラを設置します。このカメラでHMDやコントローラ、あるいは身体に取り付けた複数のマーカを検出し、身体の姿勢を計測します（図2）。マーカが多ければ高い精度で計測できますが、決められた範囲内でしか計測ができません。

画像処理式では、奥行きを計測できる深度カメラを使う方式がよく用いられてきましたが、画像処理技術の発展で2次元画像から人の姿勢や表情を精度よく推定できる技術も登場しています。この方式では一般的なカメラさえあればいいため、最近では誰でも自分の表情やちょっとした動きをアバタに反映できるアプリがスマートフォンなどでも利用可能です。

要点BOX

- ●身体を使った直接操作がVRの特徴
- ●計測の範囲、精度、手軽さを考慮し、慣性式、光学式、画像処理式の計測手法が使い分けられる

図1　慣性センサ式のモーションキャプチャ

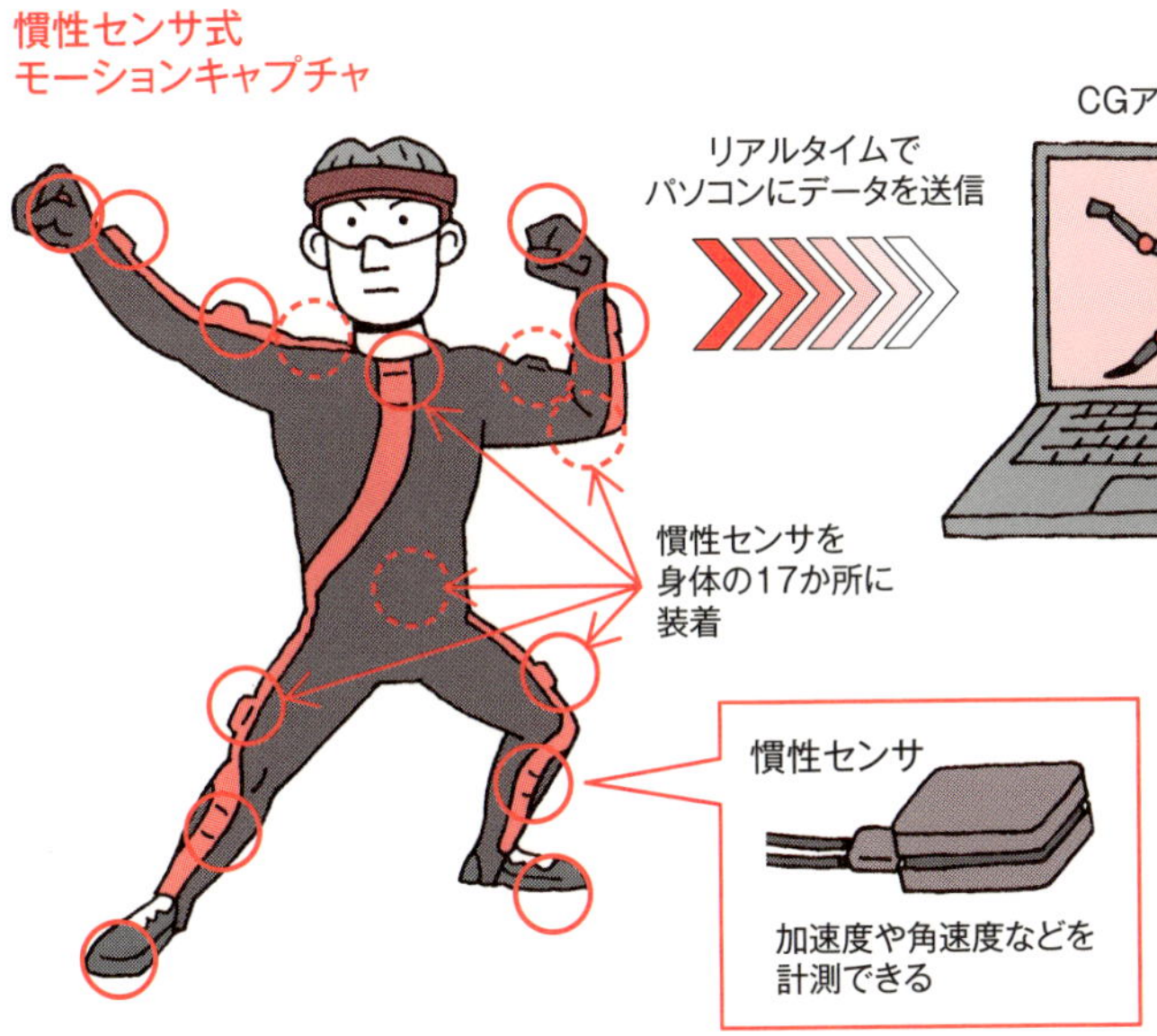

図2　光学式のモーションキャプチャ

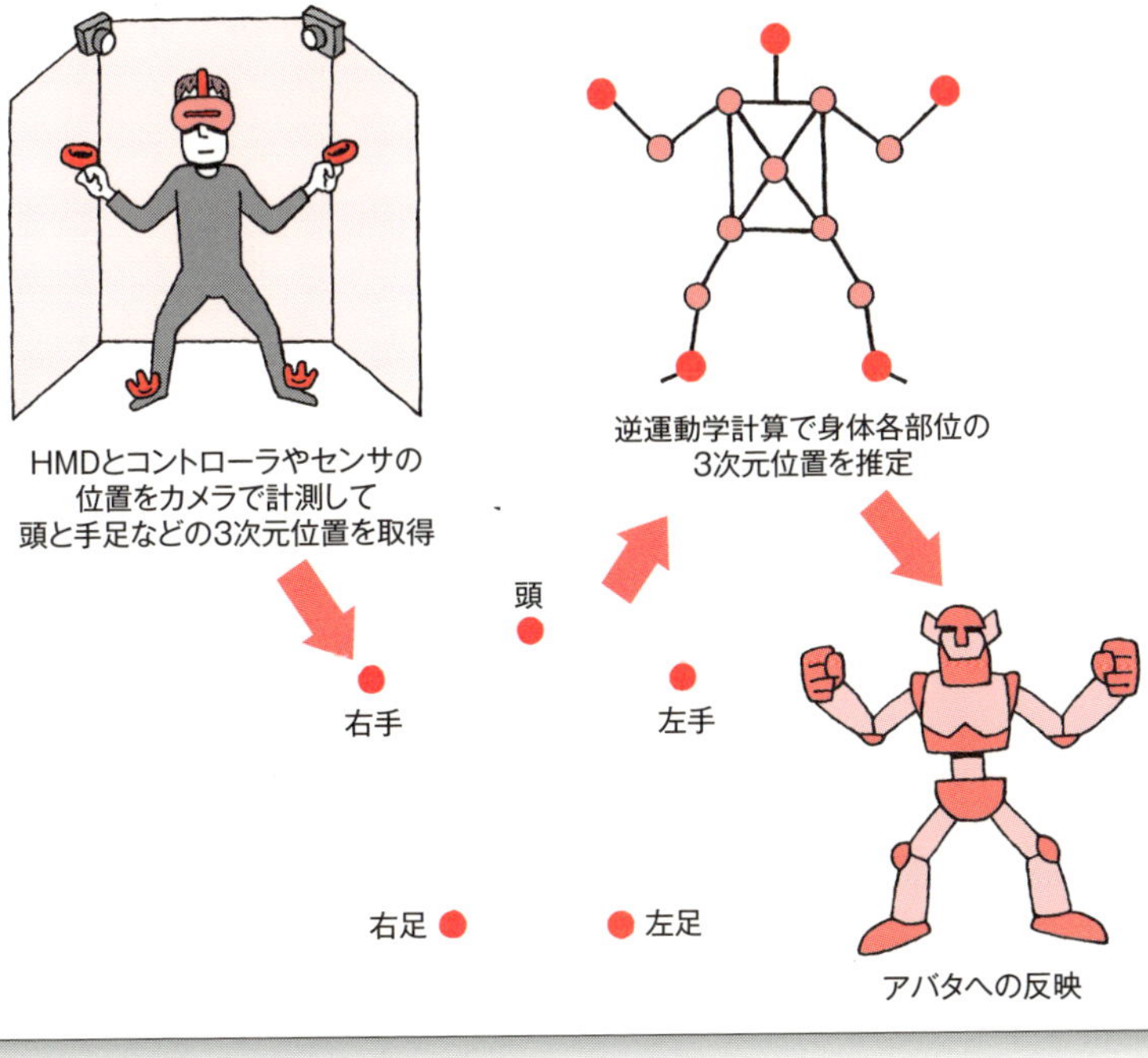

31 アバタを通じた自己表現

バーチャル身体がもたらす新しい可能性

VRを使うと、実際の身体とは異なる特性を持ったアバタを、あたかも自分の身体のように扱うことが可能になります。このことにはどのような可能性があるのでしょうか。

現在、それが最もわかりやすい形で世の中に出ているのがバーチャルユーチューバー（VTuber）でしょう。VTuberは、演者の動作や表情を反映したアバタの形で投稿ビデオやVRに登場する新しい形のタレントです（**図1**）。アバタの見た目で興味や関心を表すことや、現実の身体へのコンプレックスから解き放たれたアバタを使うことは、人とのコミュニケーションの仕方を変えることにつながります。VTuberはすでに約1万6000人いるそうです（ユーザーローカル社調べ、2021年10月集計）。また、アバタを簡単に作成できるサービスも続々と登場し、一般の人が「好きな自分」になるためにアバタを活用し始めています。

プロテウス効果（29項）として紹介したように、アバタの見た目は思考や行動にも影響を与えます。近年の研究では、自己肯定感が低い人がアインシュタインのアバタを使うと認知課題の成績が伸びたことや、家庭内暴力を振るう男性に被害者の女性視点を体験させると被害者への共感性が高まり更生につながることなどが報告されています。

バーチャル身体を使った他者視点体験を通して、それぞれの立場による考え方や行動についての想像力が刺激され、新しい気づきを得ることや、自分の思考の癖を直すことが可能になるのです。

自分とは異なるバーチャル身体を使う「変身」の他にも、複数人で1つの身体を扱う「合体」や、1人で複数の身体を扱う「分身」など、VRでは今までにない身体のあり方を実現することができ、自己表現をする手助けとしても利用できるでしょう（**図2**）。こうした新しい身体をTPOに応じて使い分ける時代がもうすぐやってくるかもしれません。

要点BOX

- アバタによるコンプレックスからの解放
- プロテウス効果による認知機能の向上
- 変身、合体、分身という表現

図1　VTuberによるイベント

（クラスター株式会社提供）

図2　VRで可能になる新しい身体のあり方

Column

デカルトとVR

デカルトという人をご存知でしょうか。「我思う、ゆえに我あり」と語った人です。彼は哲学者で、認識論の立場にいる人です。

普通、私を含めた技術者は外部にある実存世界を疑いません。私達が存在しようが存在しまいが、世界は厳然として存在するはずです。ですから、デカルトの認識論などはピンとこないはずです。「哲学者がまた難しいことをいっている」くらいの感覚かもしれません。

しかし、「リアリティ」という言葉を「現実」と訳すのと「現実感」と訳すのとでは、ニュアンスが異なります。前者は客観的現実の存在に軸足を置き、後者は主観です。VRの技術によって作られた人工的な世界は、こうした哲学的疑問を再び生じさせることになるはずです。再び、「現実とは何か？」についての、根源的な問いかけがなされようとしているわけです。デカルトの立場に立てば、VRの世界は立派な「現実」ということになるでしょうか。

さて、デカルトは、もう1つ大きな仕事をしています。それは解析幾何学の研究です。幾何学といえば、図形を扱う学問です。「円と直線とは2点で交わる」などは、図形的な問題です。こうした図形的問題を数式で解けるようにしたのが、解析幾何学です。図形的な情報はイメージ情報、数式はテキスト情報と分類することができますが、この両者を融合させたのがデカルトともいえるのです。

デカルト的思考とは、二元論ともいわれます。もしかすると、VRという領域を考える時、一番根本に持たなければいけない物の考え方といえるかもしれません。

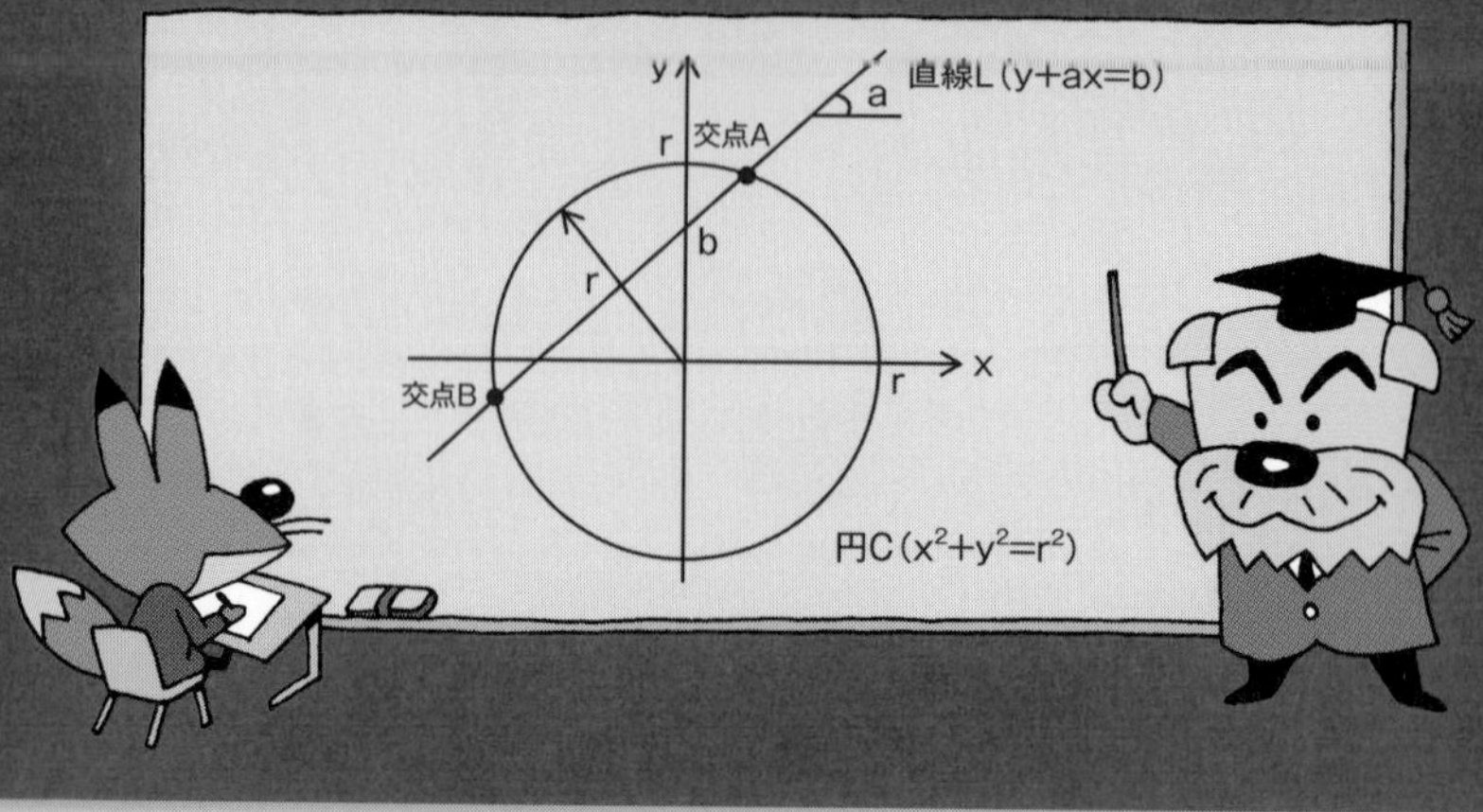

第4章

時間と空間を超える

32 遠隔地点を意のままに体験できるシステム

テレイグジスタンスとテレプレゼンス

VRは、コンピュータにより作られた世界にユーザー自身が存在するかのように行動できます。「テレイグジスタンス（遠隔存在）」とは、VRと遠隔操作ロボットを組み合わせることで、ユーザーが遠隔操作ロボットに変身し、離れた場所に存在するかのように行動することを可能とし、「テレプレゼンス（遠隔臨場）」とも呼ばれています。いわばバーチャルテレポーテーションともいえるこの技術は、1980年代に舘《たち》暲《すすむ》東京大学名誉教授らにより世界で初めて実現されました。

遠隔操作ロボットはユーザーの頭部や腕の身体動作をリアルタイムにトレースして動作し、ユーザーはロボット頭部に装着されたステレオカメラの映像をHMDで観察することで、遠隔にあるロボットの身体に入り込んだような感覚を得ることができます（**図1**）。現在では視覚や聴覚だけでなく、ロボットが物体に触れた時の硬さや温度などの触覚も伝えられるようになっています。

テレイグジスタンスにより、ユーザーは一瞬で遠隔地に移動することができるため、住んでいる国や地域に縛られず、遠隔医療や遠隔就労、遠隔教育をより高い臨場感を持って行うことができるようになります。また、飛行ロボットを用いることで空を飛んだり、人が行けないような災害地や宇宙空間で作業したり、小型ロボットを用いることでSF映画『ミクロの決死圏』のように微小な作業を行うことも可能とする技術です（**図2**）。

このようにテレイグジスタンスは、生身の身体の位置と機能の制約を開放する人間拡張技術と捉えることができます。つまり、身体が弱ったり、家から出ることが叶わないような方が社会で活躍する機会を創出することができるのです。例えば、ALS（筋萎縮性側索硬化症）や頸椎損傷などにより身体が不自由な方が分身ロボットを通してカフェで配膳業務を行うような社会実験が開始されています。

要点BOX

- ●VRと遠隔操作ロボットを組み合わせた技術
- ●視覚や聴覚に加えて硬さや温度なども伝達
- ●身体が不自由な方の社会活動の支援

図1　テレイグジスタンスシステム「TELESAR V」

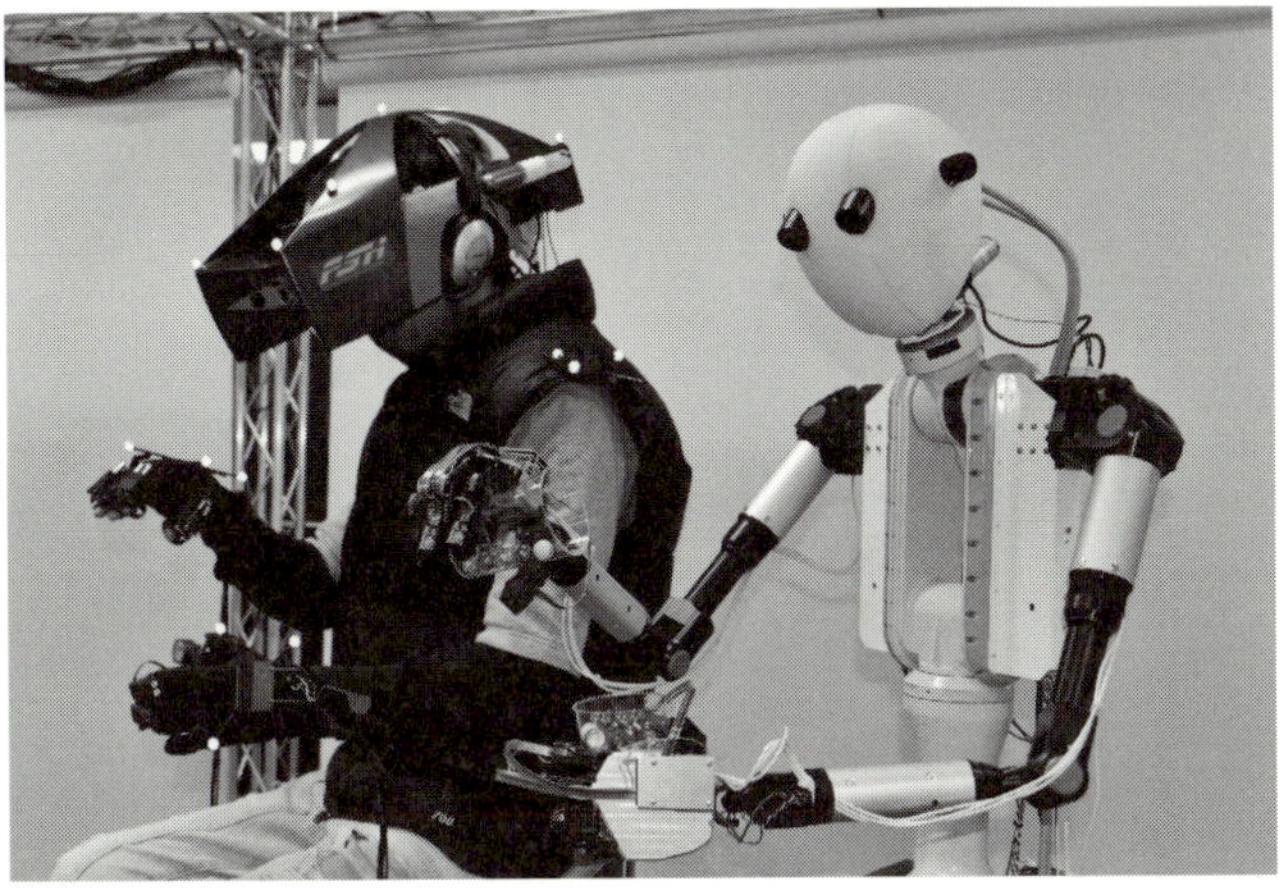

（東京大学舘研究室提供）

図2　テレイグジスタンスの展開例

（東京大学舘研究室提供）

33 臨場感を〝超える〟

テレプレゼンスの先にある超臨場感通信

「超臨場感通信」とは、2005年頃から、総務省や情報通信研究機構（NICT）などが使い始めた言葉で、テレビ会議をはじめとするテレプレゼンスのさらにその先の技術領域を指しています（図1）。

「超」という言葉には2つの意味があります。1つはSuperの「超」で、超特急、超音速などの類いです。解像度を上げる、視野角をさらに拡大するなど、既に存在する技術的枠組みの中での高みを目指すという方向です。もう1つの意味は、超心理学などの「超」で、Metaと訳されます。今まで進んできたものとは違った方向、という意味を持ちます。

後者について、もう少し詳しく説明してみましょう。例えば、遠方世界の情報を忠実に再現するのではなくデフォルメしたり、あるいは積極的に変形することによってよりよい効果を得ることができるかもしれません。こういう超臨場感システムを「メディエイテッド・テレプレゼンス」と呼びます（図2）。

具体的にいうと、テレビ会議システムに45項で紹介する「扇情的な鏡」で使われた笑い顔の表情フィルタを組み込むと、相手の映像が笑った顔に修正され、座が和むというわけです。この効果は想像以上のもので、ブレインストーミングのような状況において、アイデア数が増加するという報告もあります。

通常、テレビ会議が使われるのは、参加者がその場にいないなどの消極的理由によるものがほとんどです。つまり、仕方ないから行うものなのですが、メディエイテッド・テレプレゼンスは、もっと積極的な意味を持ちます。場合によっては、テレビ会議を通した方がいい効果があるのです。VTuberが注目されている理由も、このようなところにあるのかもしれません。

超臨場感とは、バーチャルがリアルを超える可能性がある、という野心を含んだ言葉だということができるでしょう。

要点BOX

- 実際の情報の変形によっていい効果を得るメディエイテッド・テレプレゼンス
- バーチャルがリアルを超える可能性

図1　超臨場感通信

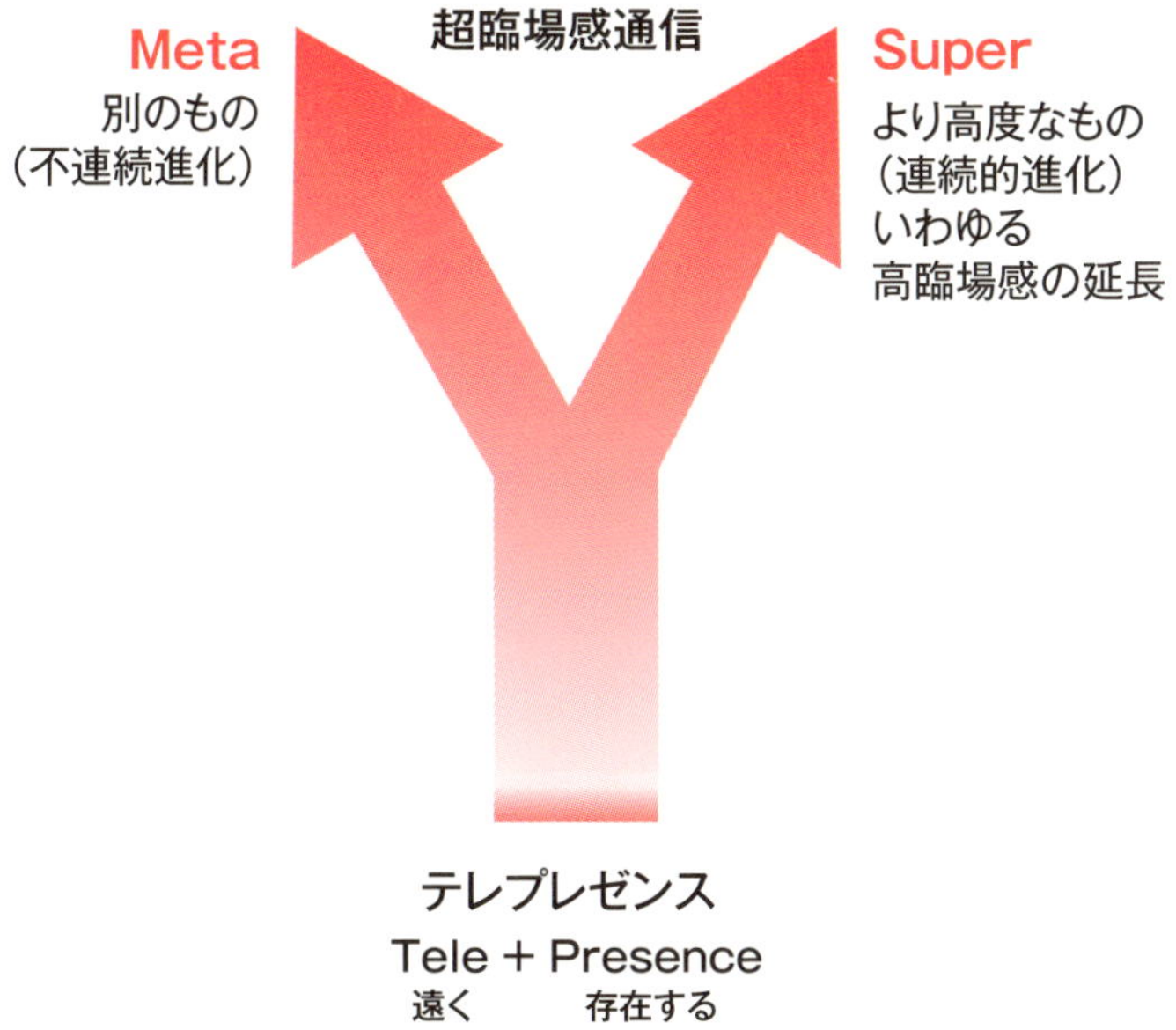

図2　メディエイテッド・テレプレゼンス

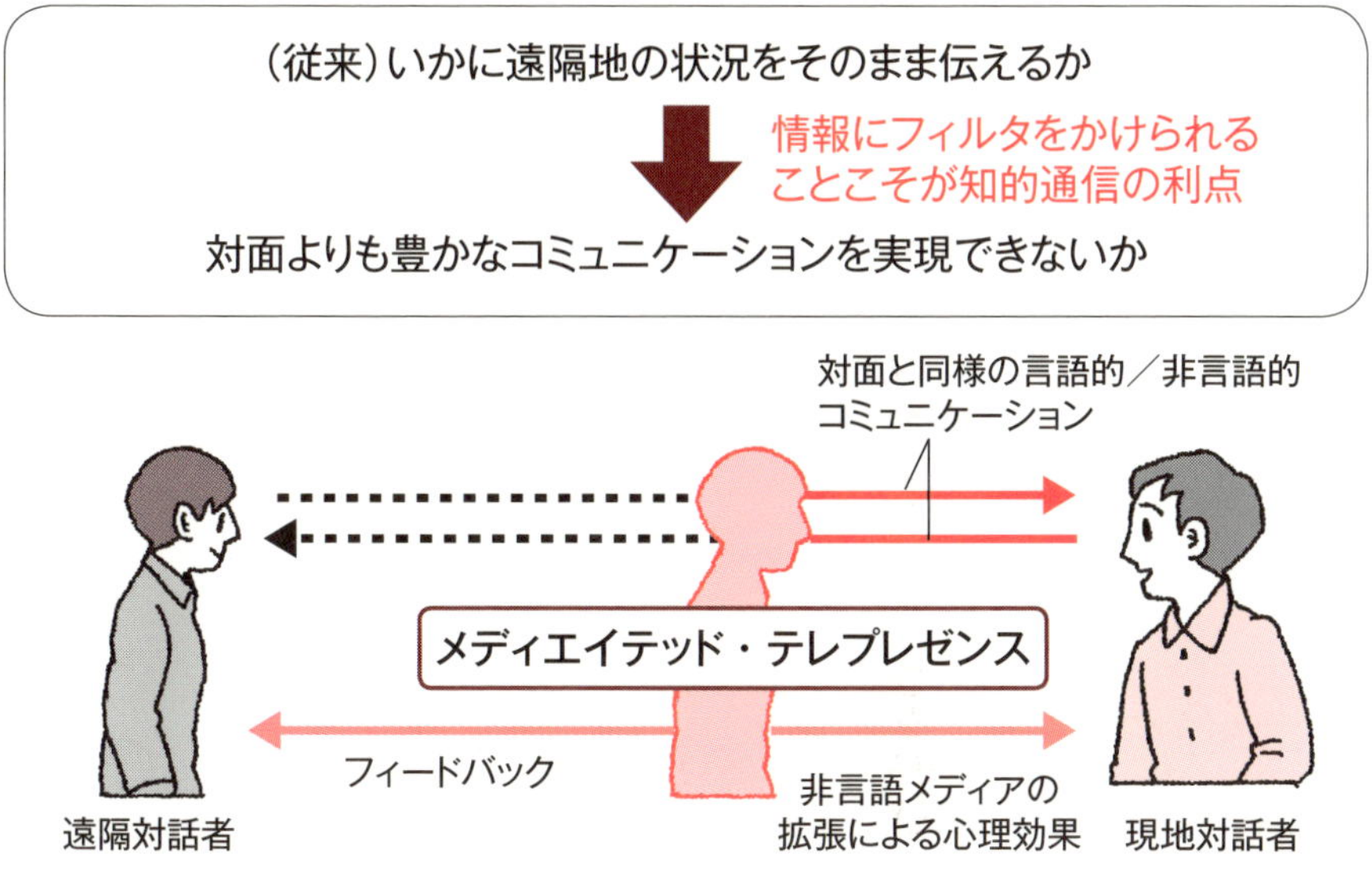

34 時空を超えた遠隔操作

スーパーバイザリー・コントロール

スーパーバイザリー・コントロール（管理制御、ヒューマン・スーパーバイザリー・コントロール）とは、1960年代に米国の原子力関連施設などで用いられていたテレオペレーションの技術の延長として提案された遠隔ロボットの制御手法です。人が直接、遠隔ロボットを制御するテレオペレーションと、ロボットが自動的に状況を判断し行動する自律制御とを組み合わせたものです。ユーザーが複数のタスクを同時にこなしたり、遠隔地と通信障害が起きやすいような環境だったり、遠隔地があまりにも遠くて通信に遅れがあるような場合に活用できる制御法です。

例えば、32項のテレイグジスタンスとテレプレゼンスにより、ユーザーの瞬間移動を実現することが可能になりますが、光の速さだけは超えることができません。地球から月までは片道1・3秒、火星だと片道13分もかかってしまいます。よって惑星などで遠隔ロボットを用いて作業を行う場合、ある程度自律性を持たせたスーパーバイザリー・コントロールが重要となるわけです。

図1に示すように、遠隔地のコンピュータを用いて自律性を持ちつつ遠隔地にあるロボットが作業を行い、ユーザーは遠隔地のコンピュータから送られた情報を手元のコンピュータに再現し、シミュレーションをしながら次の操作を指示することになります。火星探査ローバーの操作では、火星表面の3D形状を地球に送り、その映像をもとにローバーの操作を行いました（図2）。

スーパーバイザリー・コントロールを用いることで、大局的にロボットに指示を出せばよく、常時細かい判断を伴う動作に注意を向ける必要がなくなります。そのため、障害を抱える方の操作を支援したり、複数のロボットを同時に操作するようなことも可能です。この制御法は遠隔ロボットだけでなく、VR空間内のアバタなどの操作にも応用されています。

要点BOX

- ●人による制御と、ロボットの自立制御を組み合わせた技術
- ●VRのアバタ操作にも応用されている

図1　スーパーバイザリー・コントロールの模式図

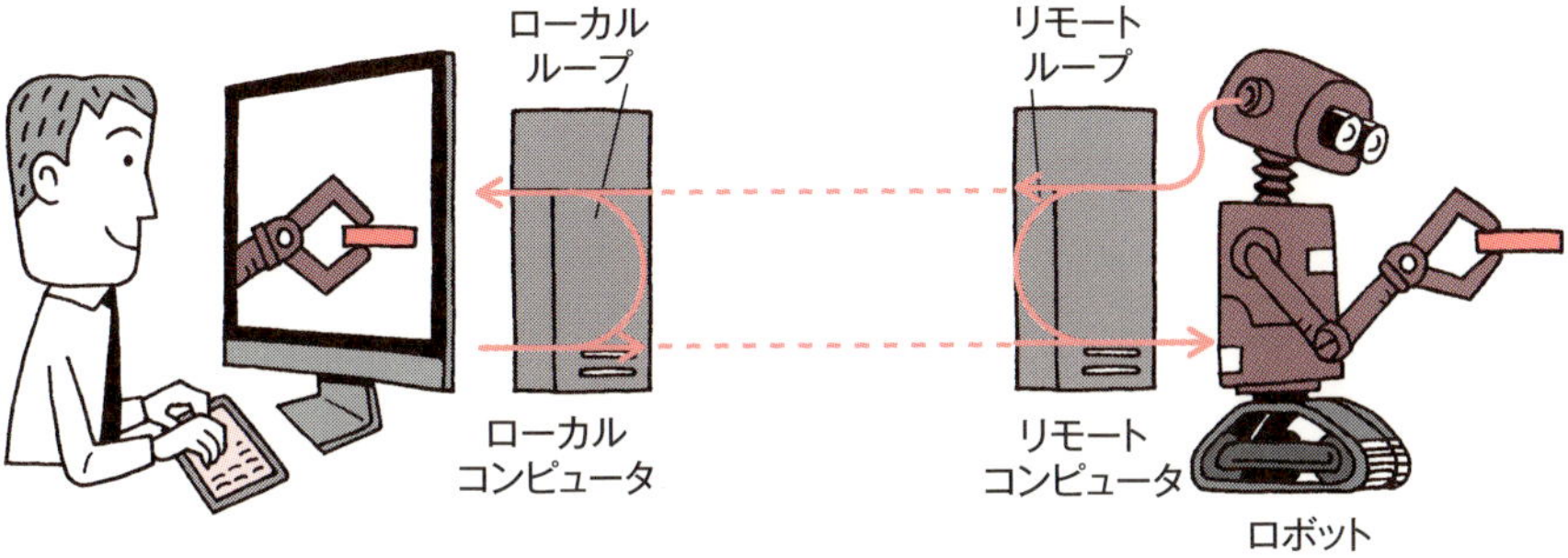

図2　火星探査ローバー

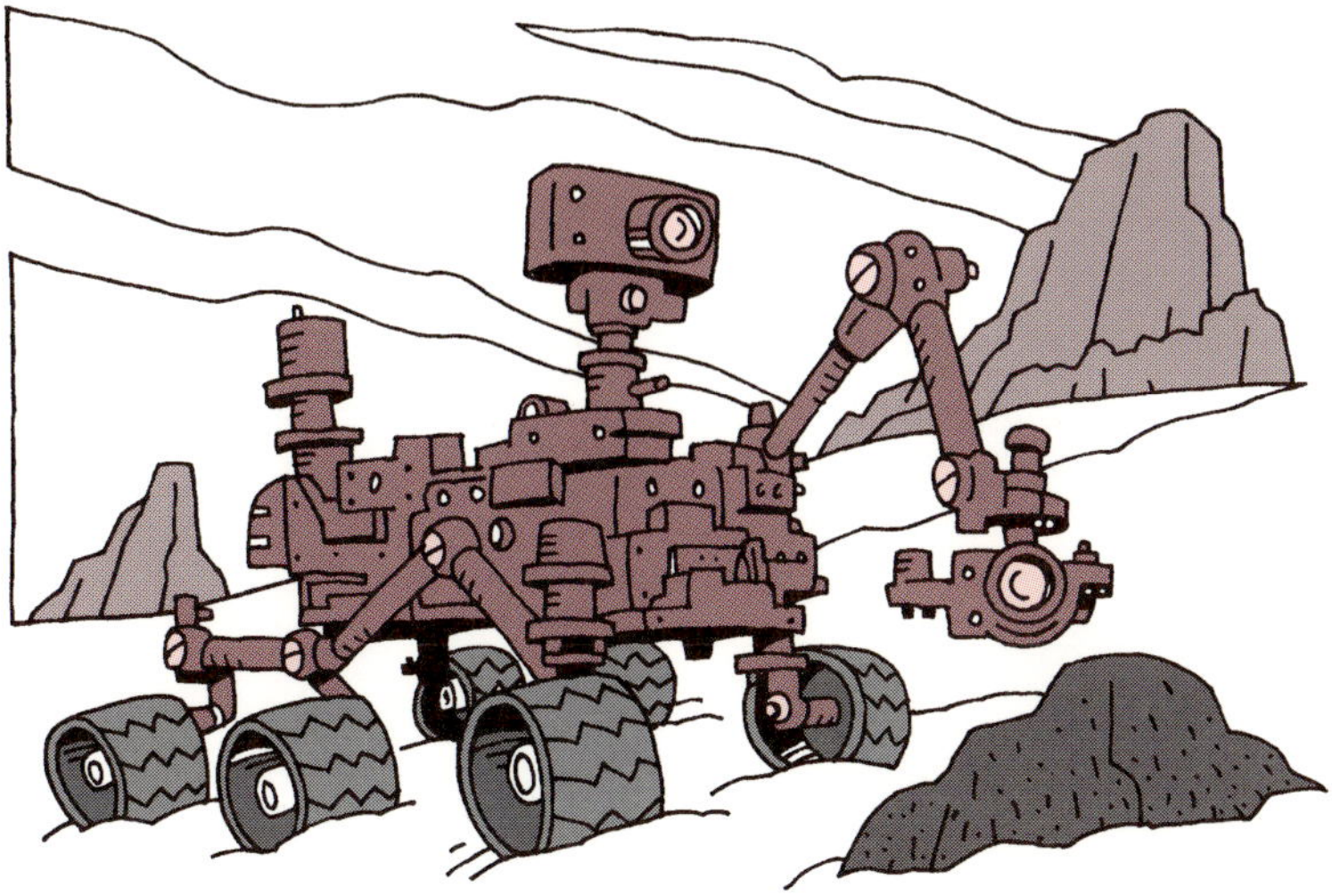

35 VRにおける自然な動きと時間の関係

高速な応答が鍵を握る

コンピュータを利用した新しい表現がVRとして体験できますが、その表現においてコンピュータは人や環境を計測・理解した上で反応する必要があります。例えば、HMDを装着した人に適切な全周囲映像を表示するには、頭の回転・姿勢を計測し、対応する映像を計算・描画し、その映像をディスプレイ機器に転送・表示することになります。この一連の処理にかかる時間は「遅延時間（レイテンシ）」と呼ばれ、できるだけ高速に処理を完了し、この遅延時間を小さくすることが違和感のないVRのインタラクションに求められます（図1）。

では、どの程度の遅延時間が影響するのでしょうか。カメラ越しの映像を3秒遅れで表示するHMDを装着した時、日常生活に大きな影響が出る様子が動画として公表されています。わずか3秒の遅延でも人の動きを想像以上に乱すことがわかります。

一方で、高速な画像処理と高速ロボットハンドを組み合わせた勝率100％のじゃんけんロボットというシステムも、遅延時間を限りなく抑えた一種のVRといえます。人の手の形の認識とロボットハンドの手の形成が20ミリ秒程度で完結する超高速の後出しですが、私達にはほぼ同時のタイミングとして、じゃんけんが成立しているように見えます（図2）。

タブレット端末など、タッチパネルの操作における違和感のない遅延時間は厳密に計測されています。動く指の位置に一致するように白い四角を動かすと、約6ミリ秒以下の遅延時間で違和感がなくなると報告されています。

このように遅延時間の小さい高速な処理が、自然なインタラクションにとっては大事です。要求される遅延時間の具体的な数値は状況に依存しますが、そのためには計測機器・計算機・表示機器すべてが高速に動作する必要があります。装置単体だけでなく、統合したシステム全体の高速化が問われています。

要点BOX

- 遅延時間を小さくすることで違和感のないインタラクションが可能になる
- 統合したシステム全体の高速化が重要

図1　HMDにおける遅延時間

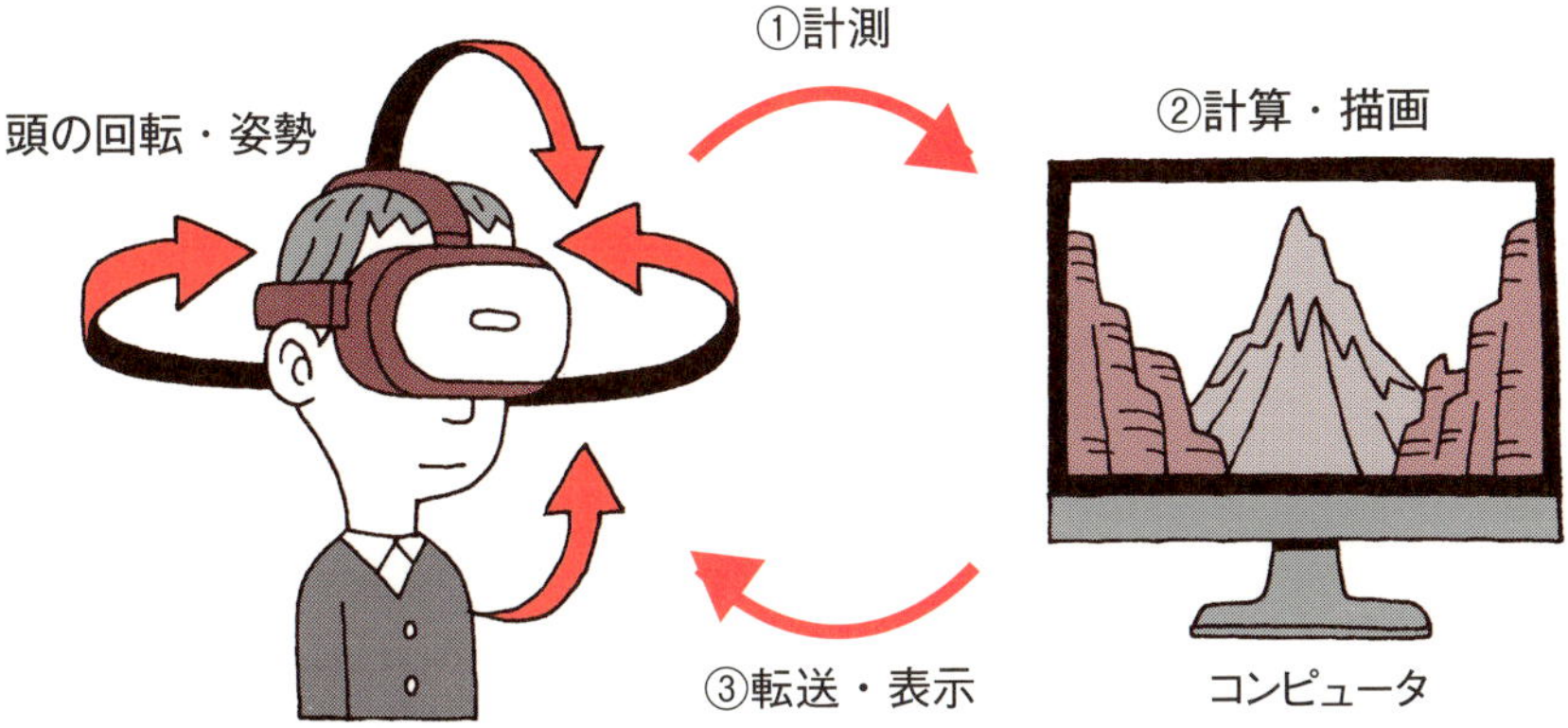

遅延時間とは①頭の回転・姿勢の計測　②対応する視界の映像の計算・描画　③映像の転送・表示の一連の処理にかかる時間を指します。これが大きいと、VR体験において大きな違和感が生じます。

図2　低遅延な応答による違和感のないインタラクション

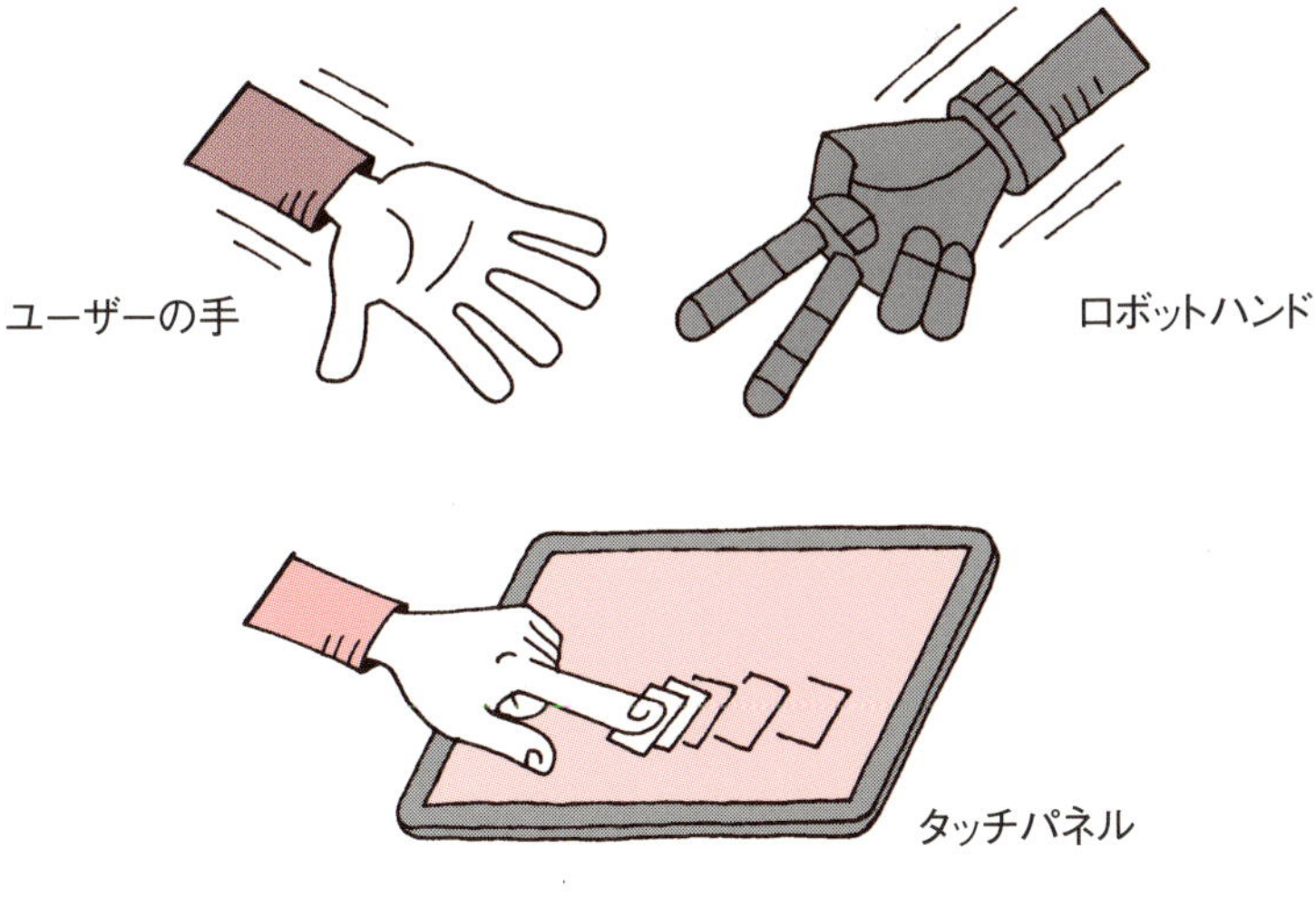

超高速な後出しにより確実に勝利するじゃんけんロボットや、指に吸い付くような表示が可能なタッチパネルが実現されています。

36 ライフログとVR

人生の記録・心の記録

ライフログとは、文字通り生活(人生)の記録です。もともとは見たものや体験したものすべてを記録し、再生・追体験することを目指すものでした。

最近では、360度の全天周映像カメラもVRのヘッドセットも身近にあるので、視聴覚情報だけならばそこそこの記録ができ、視点を変えない範囲での再生ができます。十分な映像圧縮をかければ、仮に80年分の映像としても、パーソナルに保有できる量になりました。

しかし、例え一生かけて記録はできても、見る時間が残っていません。そう考えると、本質的に問われるのは、膨大な記録がとれたとして、そこから必要な情報を探してくるテクノロジーです。

究極のライフログは、先が長い話です。今では、位置だけの記録、運動だけの記録、食事だけの記録、アプリの使用の記録など、生活の部分の間欠的な記録であっても、ライフログとみなすようになっています(図1)。その方がユーザーにとって記録の負担は少なく、記録から読み解きたい対象も明確で、受け入れやすいでしょう。

ユーザーはすべてを撮ろうとする必要はなく、欲しい記録だけをとればいいのです。ライフログは、そのような生活の部分部分の複合体だと考えるのが自然です。昨今、スマートウォッチを身につけている人が多いことを鑑みると、すでにライフログは定着しているともいえでしょう。

記録として重要なものは、センサの取得する客観的なデータだけではありません。むしろ、出来事を体験した時の感情、気分、良し悪しといった人の主観的な価値に相当するものが、あとから情報を探すにも、重要な意味を持つはずです。心に相当する極めてパーソナルな情報のログが、究極のライフログではないでしょうか(図2)。

要点BOX

- 全天周映像カメラ、HMDの普及によってライフログの記録と再生が身近になった
- 感情も記録できれば究極のライフログになる

図1　ライフログの記録

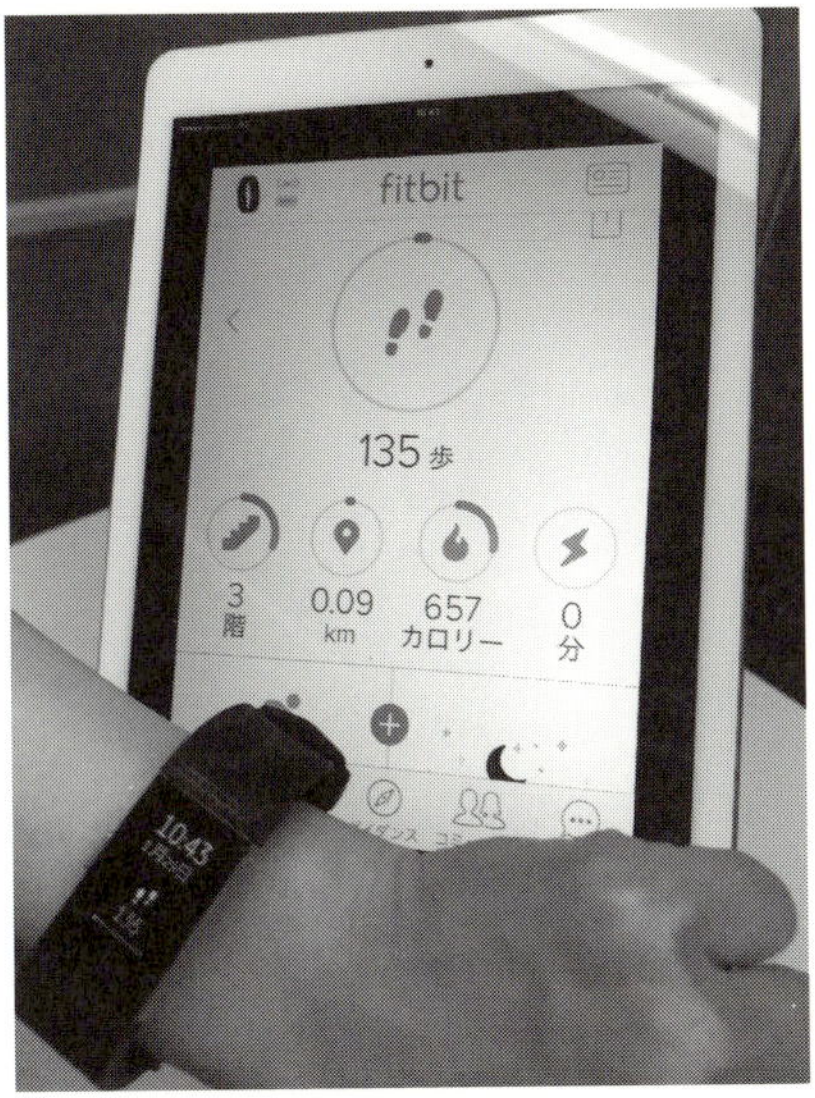

歩数、消費カロリーなどを記録。アプリで記録を確認でき、健康管理に役立ちます。

図2　ライフログの再生

一日の出来事を振り返ることも可能になるでしょう。

37

過去を再現し、未来を予測する

ライフログとデジタルアーカイブ

日常の行動や体験をデジタルデータとして長期間にわたり記録したものを「ライフログ」と呼びます。現在ではスマートフォンにカメラや位置情報・加速度センサー、電子マネー機能などが備わっています。それにより日常の行動や体験を移動履歴、購買履歴、写真や映像、SNSに投稿した発言といった形で、誰でも気軽に、もしくは無意識にライフログとして記録できます。そしてライフログを解析して短く要約したり、健康管理などに活用するサービスの開発や研究が広く行われています。

歴史的価値をもつ文化財などをデジタル化して保存したものを「デジタルアーカイブ」と呼びます。これまでデジタル化は特殊な装置を使用し公的組織で行われてきましたが、現在では個人や組織を問わず、様々な場所や時間の大量の画像・映像データがインターネット上で共有・蓄積されるようになりました。これらも世界中を網羅した都市や空間のデジタルアーカイブと見ることができます。

人を記録するためのライフログ技術は、伝統芸能や過去の生活の様子などの人が対象となるデジタルアーカイブを記録するのにも役立ちます。また、記録された膨大な過去の映像や画像から過去の空間を体験できるVRコンテンツを作成し、現在の空間と切り替えることで、現在と過去を行ったり来たりとタイムマシンに乗ったような体験をバーチャルに実現できるようになります（図1）。

ライフログの整理やVR再現は、あくまで過去の行動や体験についての話ですが、さらにその先の未来を見ることはできないでしょうか。実はすでに購買履歴から未来の購買行動を予測したり、ライフログと未来予測を利用して将来のタスクの破綻を回避したりできるようになりつつあります。さらに膨大かつ詳細な過去の記録からシミュレーションによって未来を予測し、行動を変える研究が進められています（図2）。

要点BOX

- デジタルアーカイブにはVR技術が有効
- 画像・映像データの蓄積量の増加による効果
- ライフログと未来予測によって行動を変える

図1　タブレット端末でのAR体験

図2　リアルタイムシミュレーションによる人間の認知行動の変容

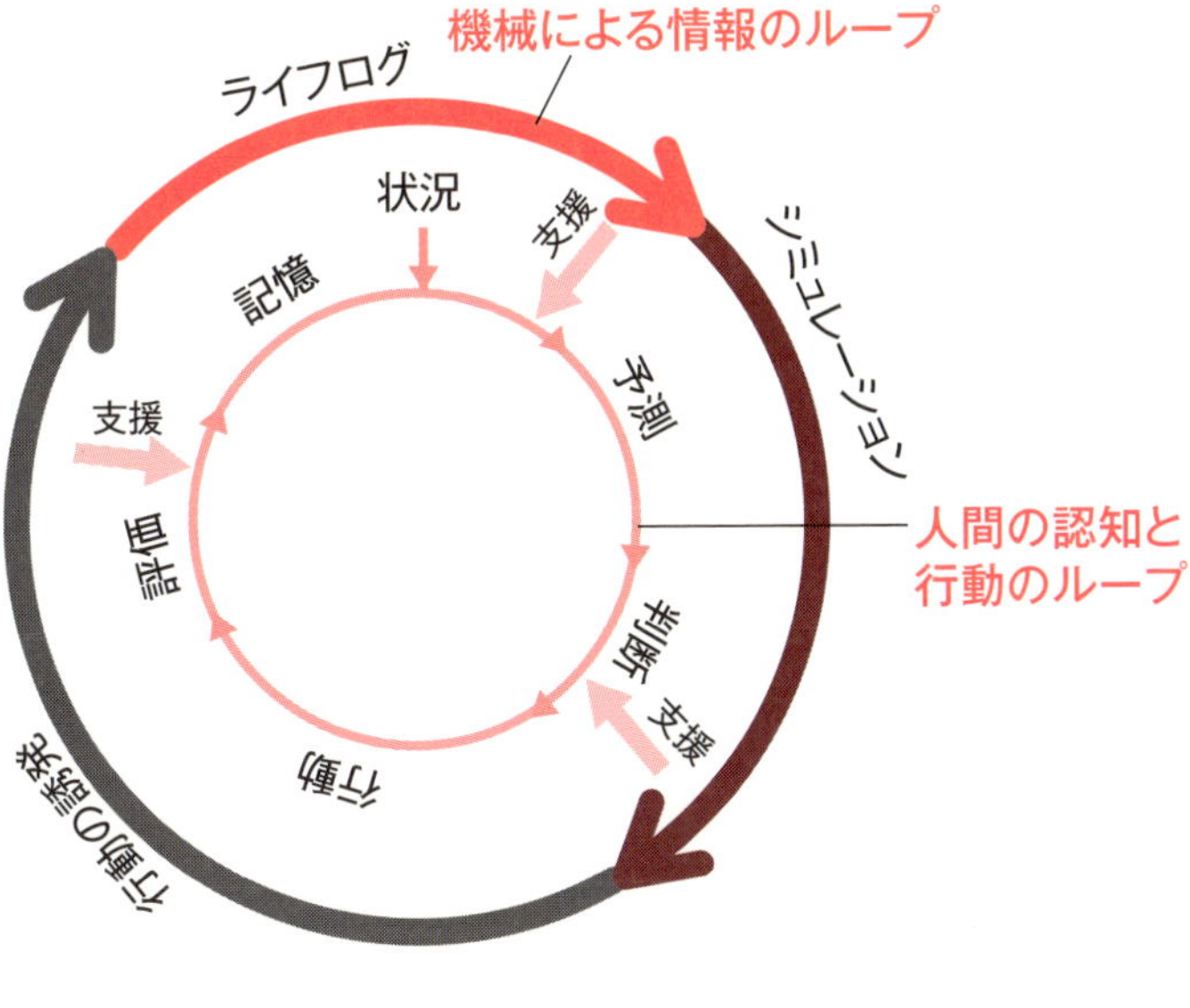

Column

VRを体験する方法

VRを体験する最も手っ取り早い方法は、VRゲームに触れることかもしれません。しかし、もう少し深いところ、あるいはもう少し技術的な内容について触れてみたいと思っている読者が多いのではないでしょうか。

体験するためには、VRに関する展示会がいいでしょう。最も長い歴史を持っているのが、「3D&バーチャルリアリティ展（IVR）」ですが、2022年以降は「XR総合展」などに改組されるようです。どちらかというと製造業の立場から見たVRが体験できます。コンテンツ的立場からいえば、「先端デジタルテクノロジー展」などもいいでしょう。

もう少し広い話題と一緒に調べたければ、「CEATEC」「Inter BEE」「INTER BEE IGNITION × DCEXPO」などの映像技術展などを巡るのもいいでしょう。

もう少し学術的な話題に触れたければ、日本バーチャルリアリティ学会の大会などに参加してみてはいかがでしょう。大体毎年9月頃全国大会が行われ、500〜600人が参加、200件以上の論文発表のほか、デモ展示なども行われます。学会では、研究会と称する小規模な研究発表会もあります。

国外に目を転じると、最も大きな会議が北米で開催される「SIGGRAPH」です。これは世界最大かつ最高水準のCGに関する会議です。世界最先端の学術論文発表の場であると共に、「E-Tech」という学術デモ展示や企業展示も充実し、研究者ならずとも楽しめると思います。

もっと学術的な会議が「IEEE VR」です。VR研究者であれば、SIGGRAPHかIEEE VRで発表しなければなりません。もちろん、米国のみならず、ヨーロッパにも魅力的な会議や展示会はあります。フランスでは「Laval Virtual」、もっと芸術的な展示会としてはオーストリアのリンツで開かれるArs Electronicaが有名です。

個々の企業にデモをお願いすることなども可能ですが、領域全体の様子を把握するためにはやはり学会や展示会などのような、中立的な視点からの情報収集をおすすめします。

第5章

VRの周辺技術

38 VRとAI

VR世界の自動生成

VRの世界に登場するキャラクターやアバタの動きをAIによって制御することが試みられています。古くは1980年代に、boidsという、鳥の集団の飛び方を周辺の鳥との関係から計算するアルゴリズムが提案されました。応用されたのが群集シミュレーションです（図1）。

遺伝的アルゴリズムで最適化させることで、環境内を巧みに移動するキャラクターの動きなどを自動生成させることができます。人工人格で、VR世界のキャラクターと会話するような世界が構築できます。

VR世界そのものの構築にもAIは活用されています。世界のマップを生成したり、写真から奥行き情報を推定して、立体的な世界を構築することができます。また、人の動きを取り込む時に、従来は身体にマーカーを装着する必要がありましたが、AIによる画像認識技術の向上で、通常のカメラ映像からマーカーなしで身体の動きを取得できるようになりました。

HMDは装着している人の顔を覆ってしまうので、利用者の顔を見ることはできませんが、HMD内に組み込まれたカメラやセンサーで取得した情報から、ユーザーの顔全体を立体的に復元する手法が開発されています。HMDを装着したままでもVR世界内での対面コミュニケーションを行うことができるのです。テレビやディスプレイで映像を見ている時に、表示されている映像から、そのさらに外側を推定するAI手法も開発されています（図2）。この技術を使うと、テレビの周りに映像をプロジェクションすることで、部屋全体が映像で囲まれるような没入感を得ることができます。

VRやコンピュータゲームを構築するためには大量のグラフィックス計算が必要です。それを処理するために開発されたGPU（Graphics Processing Unit）は、大規模な並列計算を可能にしました。機械学習の処理にも適し、多くのAIシステムで利用されています。

要点BOX

- ●遺伝的アルゴリズムを使って、キャラクターの動きなどを自動に作り出す
- ●周辺の映像を予測し生成する技術もある

図1　群衆シミュレーション

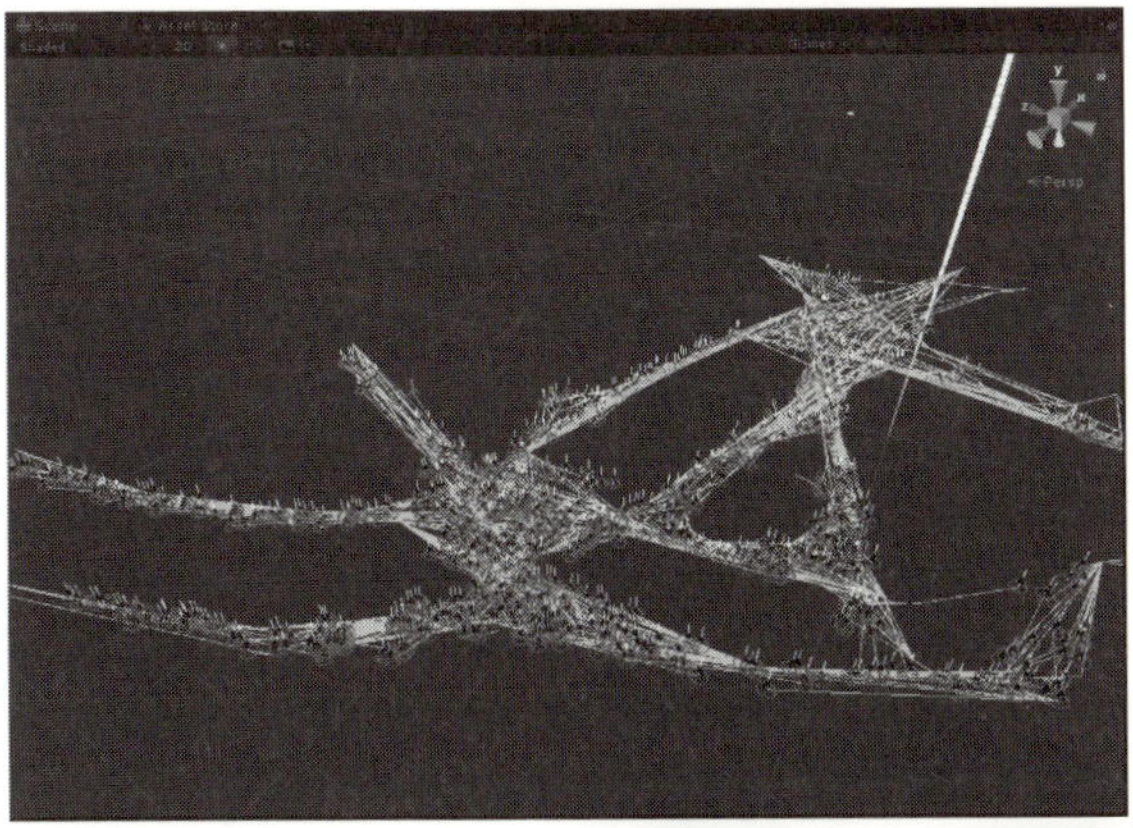

AIによる経路探索をしているUnityの作業画面と、それを活用した映画のシーン。

図2　テレビの外側を深層学習によって推定する「ExtVision」

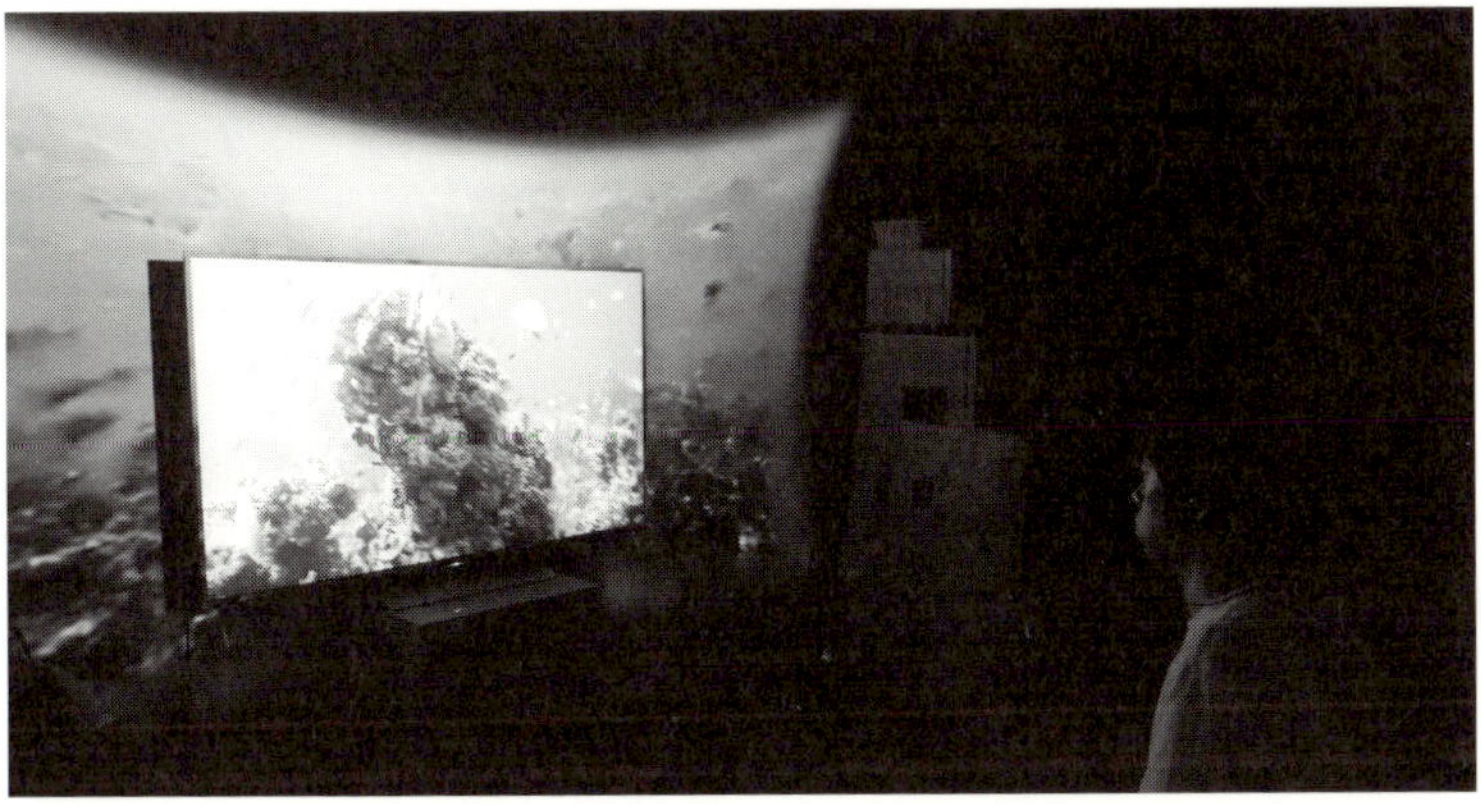

39 VRと先端センシング

身体だけでなく心の動きも表現

VRにとってセンサは重要な役割を果たします。磁気センサ、加速度センサ、ジャイロセンサはヘッドトラッキングやハンドトラッキングのために、VR黎明期の頃から利用されてきました（表）。これら3種類のセンサはVRヘッドセットやデータグローブに組み込まれ、実世界におけるユーザーの動きを正確に、実時間で検知できます。

最近では、動作する人物の周囲にカメラや赤外線カメラを置いて得られた情報を画像処理して、モーショントラッキングやアイトラッキングを可能にしています。こうして得た動き情報を利用して、バーチャルな空間におけるユーザーの体験を豊かにすることができます。

センサのウェアラブル化が急速に発展した結果、医療現場で使われてきた生体情報センシングが身近になってきました。スマートウォッチによる心拍数計測が代表的な例です。脳波、心電、脈波、筋電、皮膚コンダクタンス、呼吸、体温など多くの生体情報が日常的に計測できるようになっています。

こうした生体情報センシングによって、集中度や眠気の検知、ストレスや快不快のレベル検知、そして感情の識別が可能になるのです。さらに、眠気予測、疲労予測、生産性予測などといった予測技術も研究されています。

バーチャルな空間において、人と人とのインタラクションがあるシーンにおいては、人の状態センシングが果たす役割は大変重要です。現実世界で私達がさりげなく感じたり伝えたりしている雰囲気、ムード、想いをここでもさりげなく共有することができます（図）。VR上で人とのつながりを作るソーシャルVRのようにバーチャルな空間でアバタとしてコミュニケーションを行う場合には、身体の動きだけでなく心の変化も伝えることによってコミュニケーションがより豊かになると考えられています。

要点BOX
- ●基本は磁気・加速度・ジャイロセンサ
- ●カメラで撮影した画像から動き情報を取得
- ●心の変化を伝える必要性

VRの中核を担うセンサ

磁気センサ	磁場の大きさと方向を計測するセンサ。N極の方向を検出できることを利用して、地球表面における方位を知ることができる。
加速度センサ	加速度の大きさと方向を計測するセンサ。重力の方向を検出できることを利用して、地球表面における上下方向を知ることができる。
ジャイロセンサ	回転角速度の大きさと方向を計測するセンサ。回転角度の方向を検出できることを利用して、姿勢を知ることができる。

雰囲気・ムード・想いを共有するVR空間

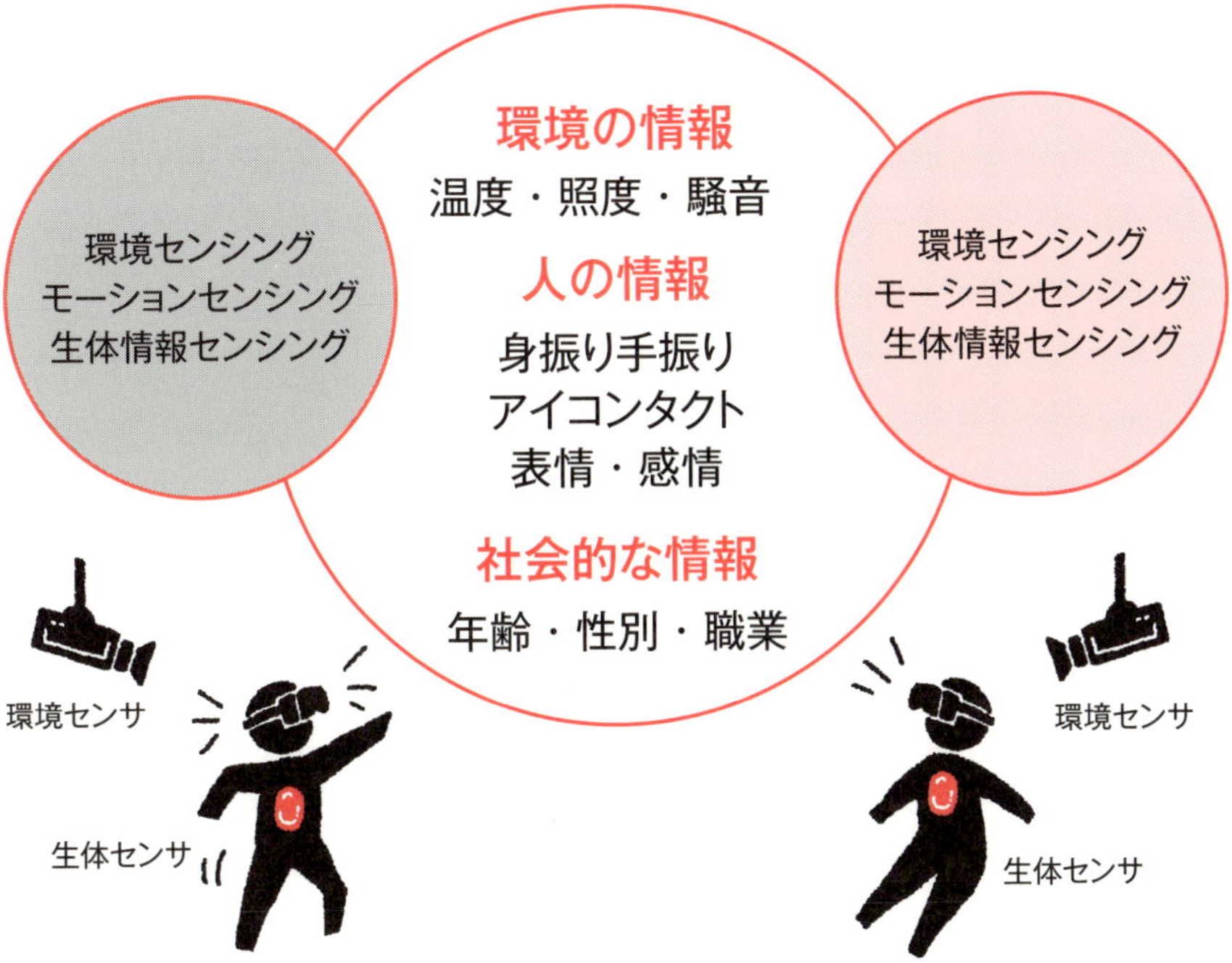

用語解説

トラッキング：頭や手などの動きを検知・追跡する機能。

40 VRとIoT

つながる情報のコントロール

IoTは「Internet of Things」の略で、モノとユーザー、そしてモノ同士がインターネットで通信することを意味します（図1）。IoTではモノに対して様々なセンサを取り付けて、インターネットを介してその状態をセンシングしたり、モノをコントロールすることで、より快適な生活を実現しようとしています。IoTによってネットワークにつながった環境・モノの動きや状態をリアルタイムに知ることができ、また逆にそれらに対して制御をかけられるようになるため、遠隔地や広い環境状況の情報収集・制御が可能になります。

IoTのシステムが大量のデータを収集し、制御可能なモノの数も飛躍的に増大するため、それらをいかに人々が理解、また制御しやすいように提示するかというインタフェースの設計が非常に重要になります。遠隔地や身の回りの情報をわかりやすく提示する手段としてVRとARは期待されており、二酸化炭素濃度や気圧、電波強度など目に見えないものや、過去の景観といった時間軸を超えた情報をVR空間やタブレット端末などを介して現実空間上に可視化・重畳したり、センサにより収集した遠隔地の情報を触覚などの五感情報も含めてVRにより臨場感高く伝達するといった取り組みも行われています。

また、情報の伝達だけでなく、遠隔地でネットワークにつながった医療機器や建設機械などをVRシステムによって直感的に操作するといった、IoTでつながった様々なモノをコントロールするための手段としてもVRは着目されています。医療、農業、建設業、サービス業など、あらゆる業種でVRとIoTを連携させる取り組みが広がりつつあります（図2）。

これらの技術を実現するには通信インフラの拡充が不可欠であり、高速・大容量、かつ低遅延な通信が実現可能な第5世代移動通信システム（5G）に期待が寄せられています。

要点BOX

- ●データの提示方法として期待されるVRとAR
- ●医療、農業など幅広い分野で活用が拡大
- ●通信インフラの拡充が必須

図1　IoTの概要

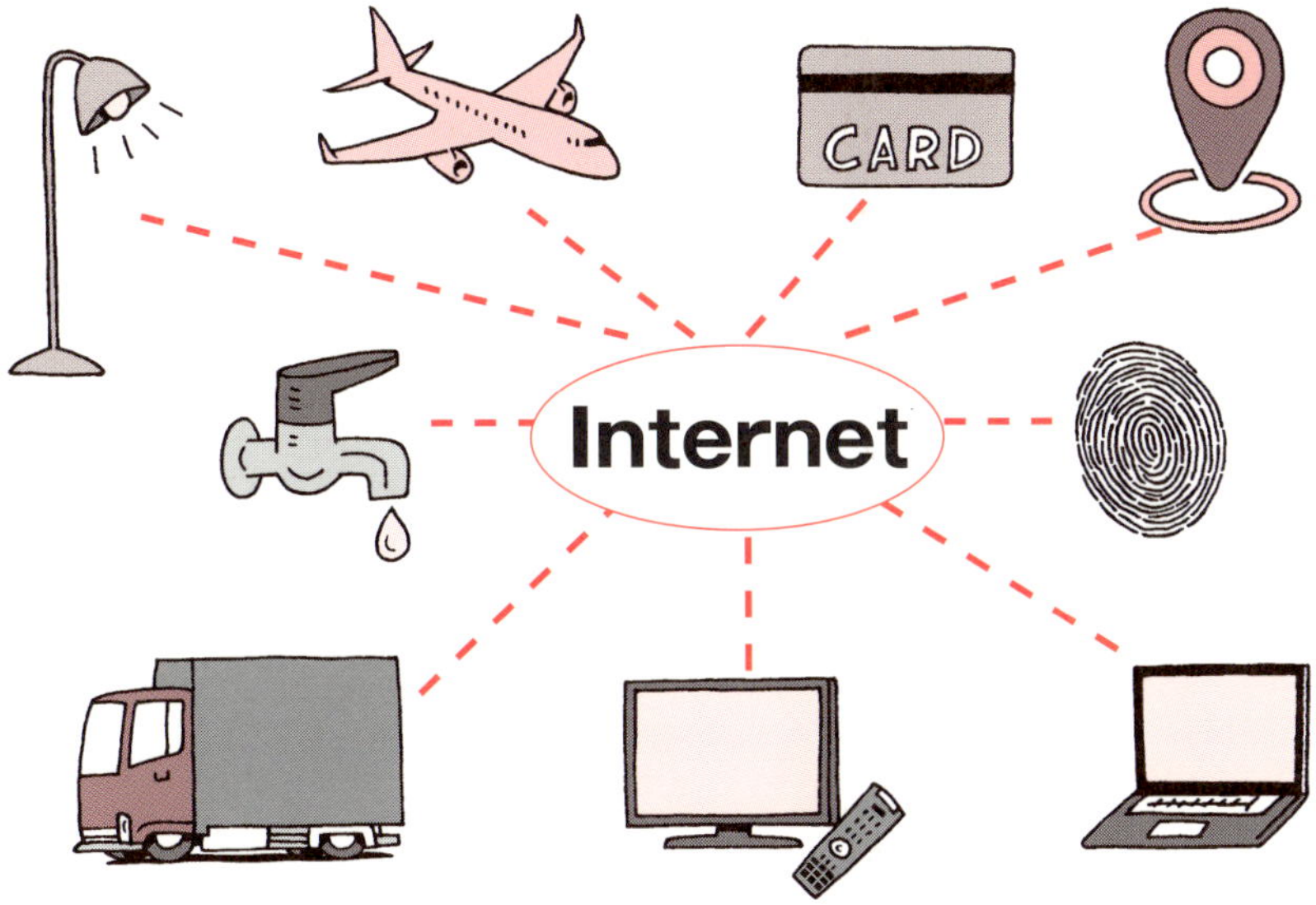

図2　VRとIoTの応用

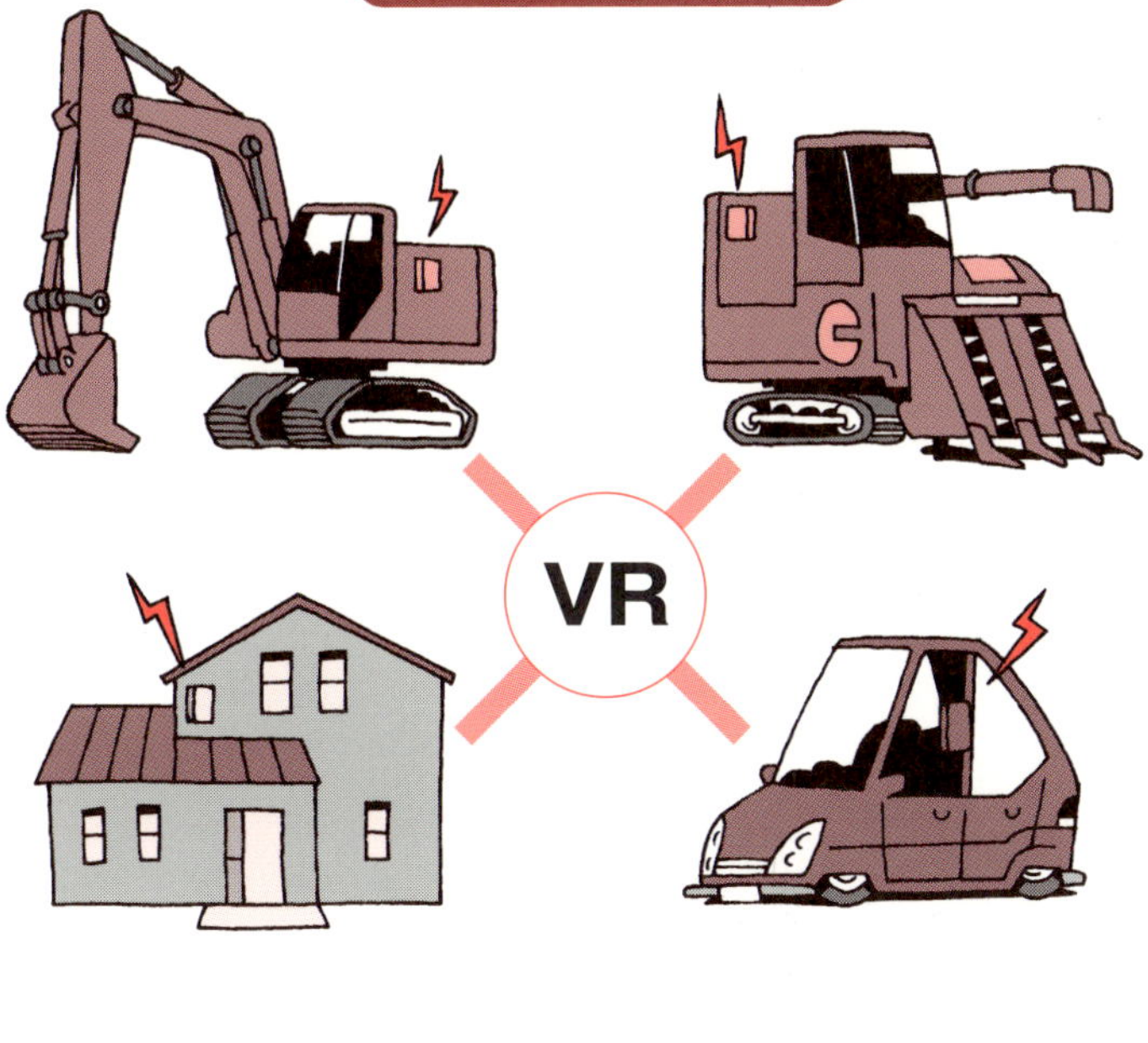

41 VRとロボット

主観的視点と客観的視点

32項でも解説しましたが、VRとロボットは、特にテレイグジスタンスの実現において非常に緊密な関係にあります。遠隔地にいるロボットと操作者がVRシステムにより視界や音声を共有し、操作者の動きとロボットの動きを連動するようにすることで、あたかも操作者が遠隔地にいるかのような体験が可能になります（**図1**）。

テレイグジスタンス以外にも、VR・ARとロボットの融合領域では様々な研究がなされています。VR空間で自律ロボットの動作をあらかじめ強化学習させることで、現実空間でスムーズな動作を実現する取り組みが進められています。強化学習は、動作の結果得られる報酬をもとに、試行錯誤を通じて適切な動作を獲得する枠組みです。例えば、ロボットアームによる物体把持を強化学習により実現しようとする場合、実際に現実空間でロボットアームを動かして学習を回すには多大な時間・運用コストがかかってしまいます。しかし、VR空間内で環境・ロボットを再現して学習を回すことにより、運用コストを大幅に削減することができます。

また、VR空間内でエキスパートに作業をさせることで、熟練動作をロボットに学習させるような試みも進められています。人間がVR映像を見ながら取った動作を、ロボットに模倣学習させることにより、目標とする動作を知っている状態で効率的な学習が可能になります（**図2**）。

他にも、ARを用いて遠隔ロボットの動作をタッチパネルで分かりやすく操作させることを可能にするシステムも研究されています。テレイグジスタンスのようなロボットと操作者の主観視点を共有する方法でなく、操作対象の作業空間を三人称視点で捉えたカメラ映像をタッチスクリーン上に表示し、ロボットの操作したい部位に直接指を触れることによってロボットを直感的に操作することが可能です。

要点BOX

- ●操作者とロボットの動きの連動
- ●テレイグジスタンス以外での研究も進む
- ●VR空間でロボットが学ぶ

図1　建設機械を操縦できる双腕双脚の人型ロボット「KanaRobo」

（株式会社カナモト提供）

図2　VRを使ったロボットの模倣学習

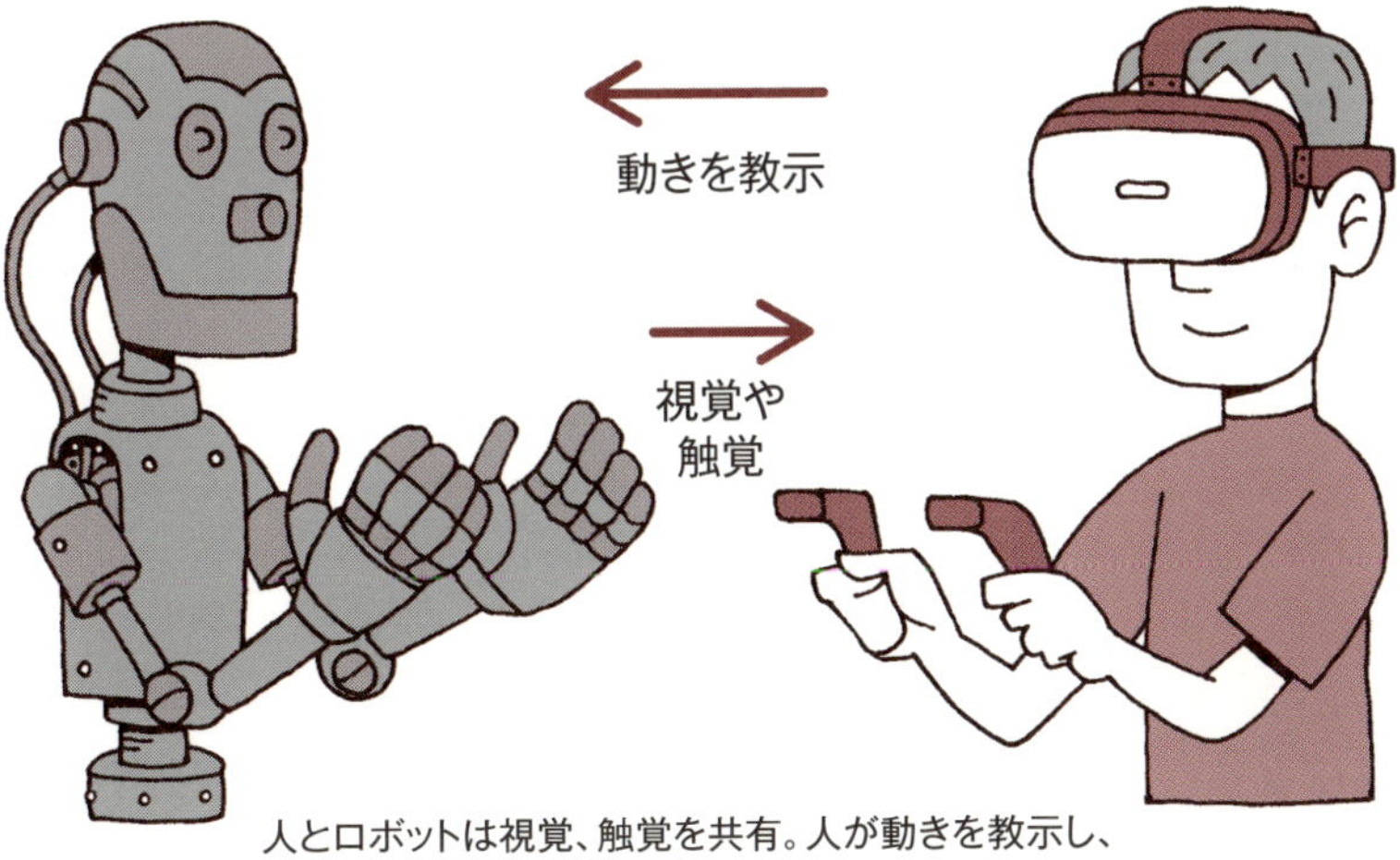

人とロボットは視覚、触覚を共有。人が動きを教示し、ロボットがそれを学習します。

42 VRと5G

VRに適した環境

自由な移動環境でVRを使うためには、速くて応答のよい移動通信が必須です。新しい移動通信の基盤技術として、第5世代移動通信方式の研究が進んでいます。移動通信方式は1980年代に導入されたアナログの第1世代から始まり、ほぼ10年ごとに世代を変えて進化し、通信速度を上げてきました（図1）。現在は第4世代（4G）。日本では、2019年に5Gのプレサービスが始まり、2020年に商用サービスが始まりました。

5Gには3つの大きな特徴があります。高速大容量、低遅延、多接続です。

5Gでは、その通信速度（ダウンリンク）の最大は10～20Gbps（ギガビット毎秒）で、4Gに比べて100倍にもなるといわれています。それに加えて、ダウンリンクに比べて1桁低いアップリンクの速度が、10Gbpsと飛躍的に上がります。このため、4K映像であろうと、サクサクと送信・受信が可能でしょう。

5Gはネットワーク遅延が1ミリ秒と極めて低遅延です。4Gでは50ミリ秒と、遠隔で機器を制御するには遅延による時間ずれが深刻な問題になります。遠隔手術でメスがずれては困りますし、自動運転の車が遅れた信号で事故を起こしては困ります。

さらに、5Gは多接続可能で、1平方キロメートルあたり100万以上の機器を同時に接続できます。至るところにあるセンサー、アクチュエータを同時接続することが可能なのです。

これらの特徴から、5GではIoTやM2M（マシンツーマシン）が重要なアプリケーションだといわれています。この低遅延は、人の通常利用にとってはオーバースペックでしょう。しかし、VRで極端な応用を作ったとしても、遅延のほころびは見えないともいえます。ネットワークというインフラが飛躍的に進歩すると、VRは大きく変わるかもしれません（図2）。

要点BOX

- ●日本での5G商用サービス開始は間近
- ●高速大容量、低遅延、多接続の3つの特徴
- ●ネットワーク環境の進歩

図1　移動通信ネットワークの高速化・大容量化の進展

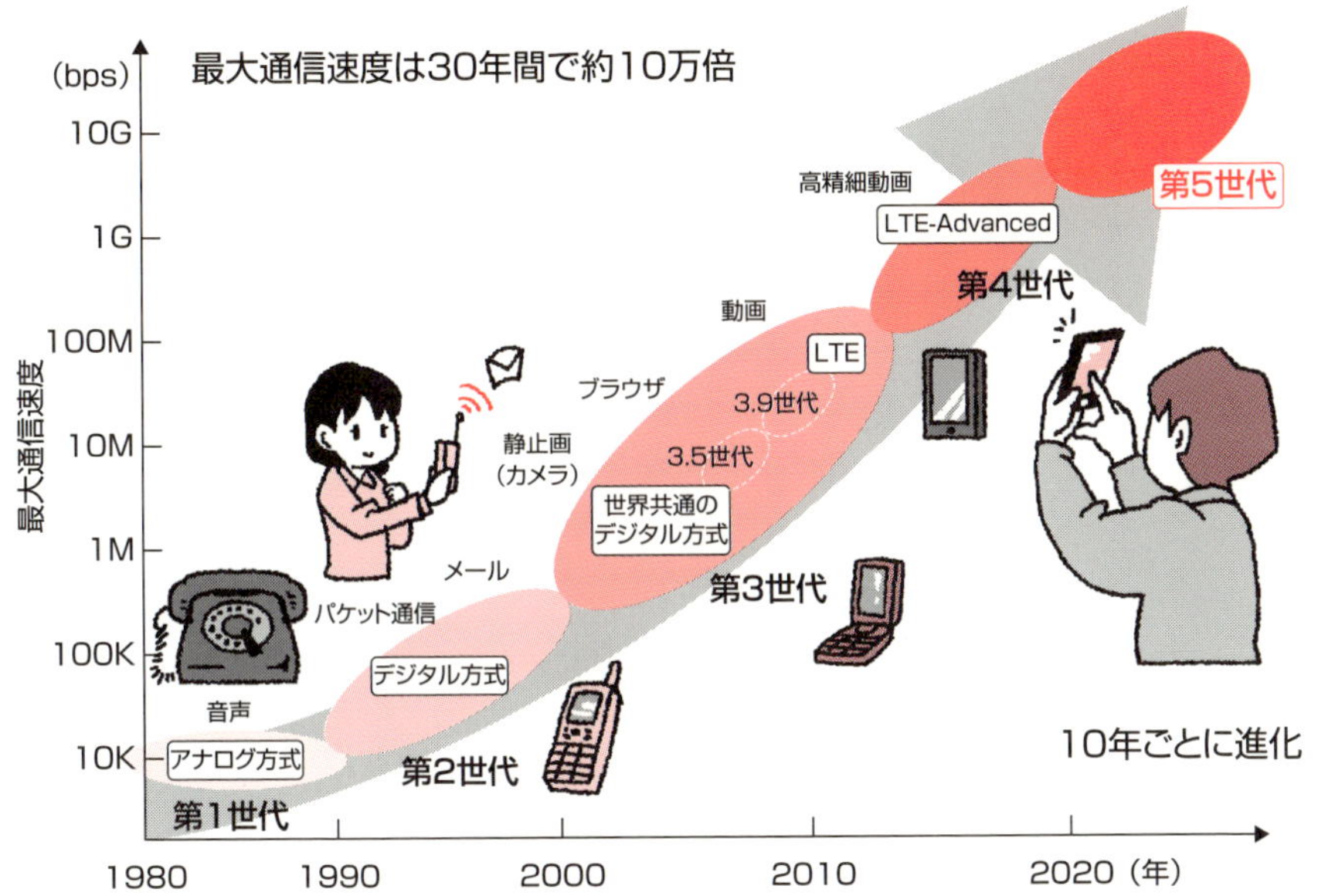

（総務省「令和2年版情報通信白書」を基に作成）

図2　移動通信システムの進化

	1G	2G	3G	4G	5G
導入時期（日本）	1979年〜	1993年〜	2001年〜	2010年〜	2020年〜
規格	独自規格		国際標準化		
通信方式	アナログ	デジタル			
最大速度（下り）	2.4〜10kbps	11.2〜28.8kbps	0.06〜14Mbps	0.04〜1Gbps	10Gbps
交換方式	回線交換方式	回線交換方式（音声）とパケット交換方式（データ）が併存		オールIP化	
アクセス方式	FDMA	TDMA	CDMA	OFDMA	
位置付け					産業・社会基盤
			生活基盤		
	通信基盤				
機能的価値	情報の伝達			情報の加工・処理	情報・モノの制御
主なプレーヤー		コンテンツ・アプリ事業者		デジタル・プラットフォーマー	
	通信事業者				
	通信機器メーカー				

※3Gには3.5Gを含み、4Gには3.9Gを含むものとする。

（総務省「令和2年版情報通信白書」を基に作成）

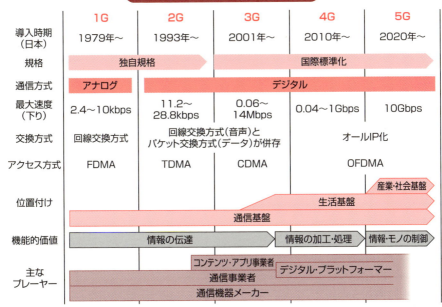

43 ダイナミックプロジェクションマッピング

映像投影で物体の形状や質感を変化させる技術

建物やステージ背景といった現実世界の物体にぴったりと合うようにCG映像をプロジェクタなどで投映する技術を「プロジェクションマッピング」と呼びます。プロジェクションマッピングは単に物体に映像を投映するだけではなく、物体や見る人に合わせた映像を使うことによって、あたかも物体の形状や質感が変化しているかのような表現を実現できるため、エンターテインメント分野で広く活用されています。現実の物体に情報を付与するAR技術の一種ですが、存在しない形状や質感を、見る人に知覚させるという点は、VRに通ずる技術といえます。

近年では、建物やステージ背景といった動かない物体だけでなく、ダンサーやボールなどの素早く動き回る物体に対しても、ぴったりと合うように映像を投映する「ダイナミックプロジェクションマッピング」と呼ばれる技術も開発されています（**図1**）。

ダイナミックプロジェクションマッピングでは、物体の動きや変形を計測し、それに合うような映像を生成して、投映するのですが、計測から投映までに時間がかかると、その間に物体が動いてしまい、物体に対してずれた映像が投映されてしまいます。

そこで、高速カメラや高速画像処理、高速プロジェクタなどを用いて、計測から投映までを数ミリ秒（1ミリ秒は1000分の1秒）で行うような装置の研究が進められています。物体に取り付けたマーカーを目印としたり、事前に物体の形状モデルを設定することで、物体の動きを高速に捉える大型のダイナミックプロジェクションマッピング装置が一般的です。

ドローンに載せられるような小型軽量の装置や、物体を計測するためにマーカーや形状モデルを必要としないアルゴリズムも発表され、エンターテインメント分野に限らず、様々な応用が期待されています（**図2**）。

要点BOX
- ●存在しない形状や質感を知覚させる
- ●ダイナミックプロジェクションマッピングは動きまわる物体に映像を投影する

図1　ダイナミックプロジェクションマッピング

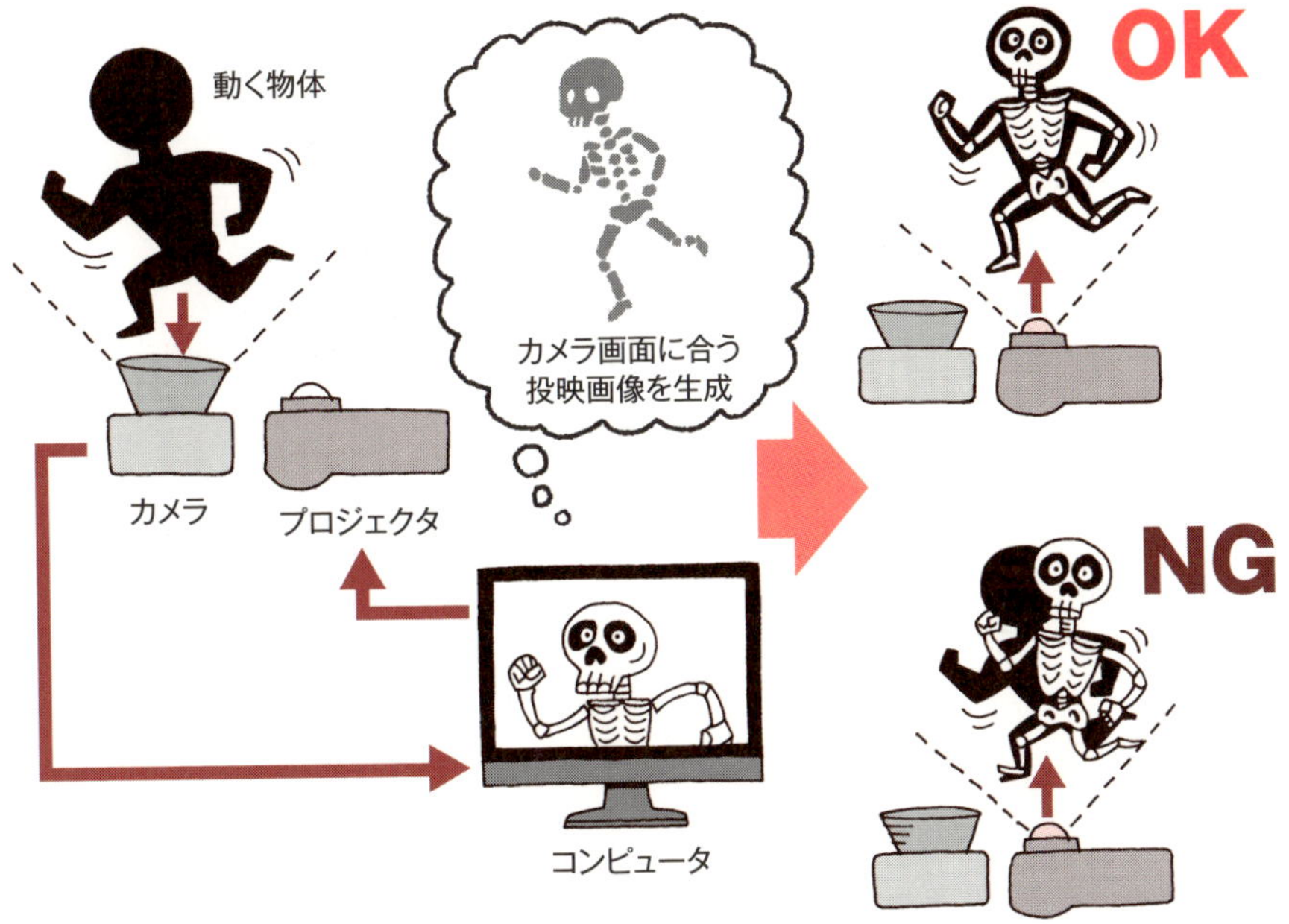

動く物体にぴったりと合うように投映を行うには、計測から投映までにかかる時間を短くしなければなりません。近年のダイナミックプロジェクションマッピングでは、数ミリ秒のうちに計測、画像処理、画像生成、投映が行われています。

図2　ダイナミックプロジェクションマッピング「MIDAS projection」

（東京大学石川・妹尾研究室提供）

マーカーや形状モデルを使うことなくダイナミックプロジェクションマッピングを実現した例。素早く動く手にもぴったりと映像を投映し、金属でできているかのような質感を与えています。さらに、触れたものも金属に変えてしまうような映像表現が実現されています。

Column

イノベーションのジレンマとVR

新しいテクノロジーが登場しようとする時、後世から見ると、いろいろと奇妙なことが起こることがあります。VRは第2世代に入りつつあるわけですが、第1世代で起こったことを単なる昔話としてではなく、もっと積極的に捉える必要があるようにも思います。

1990年代、日本のディスプレイメーカーのほとんどはHMDの研究開発に手を染めました。ある程度の成果をあげたところもありますし、まったくダメだったところもあります。

思い出すのは、ほとんどのメーカーがHMDを「視野角の広いディスプレイ」というふれ込みで売り出したことでしょう。当時、VRのコミュニティから見ると、ヘッドトラッキングしないHMDなど何の意味があるのかと、思ったことがあります。しかし、今になって考えてみれば、ヘッドトラッキングという概念自体、かなり特殊だったのでしょう。人々は理解できないものに出会った時、従来の似たものになぞらえて理解しようとするのです。ヘッドトラッキングのような先端的なインタラクティブ性が理解できなかったため、その部分を排除し、単なる広画角のディスプレイとして理解しようとしたのではないかと思います。航空機技術を手にしながら、それを自動車として理解しようとしたようなものかもしれません。

イノベーションの中で重要な概念で「意味転換」があります。スマートフォンは携帯電話からスタートしましたが、今や電話としての意味付けはだいぶ小さくなっています。HMDというプロダクトを手にした時、どのような意味付けを考えるかによって、その後の進化のシナリオが変わります。

HMDを従来型のディスプレイの目で見れば、分解能やコントラストなどが問題になるのでしょう。それはそれで重要かもしれませんが、すばやく見回せることから見れば、それは二義的な性能になるのかもしれません。

破壊的なイノベーションにおいて重要なのは、時として成熟技術から見ると、スペックダウンに見えることをしなければならない場合もあることです。これを「イノベーションのジレンマ」と呼びます。新しい技術の本質はどこにあるかを間違わないことが大事なのです。場合によっては、今できることを当面犠牲にすることも必要になるでしょう。航空機としてのHMDを離陸させるための秘訣は何なのでしょうか。

第6章

VRの可能性

44 脳科学とVR

脳科学の新たな実験系

脳科学とは、一般に知覚・運動制御・記憶・学習・感情などの脳の働きを研究する学問とされています（**図1**）。VRは現実世界から受ける刺激の代わりに、視覚や聴覚、嗅覚などの五感に工学的な擬似知覚刺激を与えることでバーチャルな世界に存在する感覚を得ながら仮想体験を行うことができる技術です。そのため、VRは今までにない脳科学の実験系として注目されています。

例えば、嗅覚と記憶について取りあげてみましょう。ある特定の匂いがそれにまつわる記憶を誘発する現象は、フランスの文豪マルセル・プルーストの名にちなみ「プルースト効果（プルースト現象）」として知られていますが、まだ謎が多く、すべてのメカニズムの解明に至っていません。

バーチャルな世界で過去の疑似体験を行うことで、実際の感覚と同じような効果を発生させる現象（クロスモーダル現象）を起こすことができます。VRを用いてプルースト効果を誘導し、この時の脳の状態を脳波や脳血流量、fMRI、脳磁図などで測定することで認知と記憶と情動の関係について解析ができるわけです（**図2**）。

このような認知心理学への応用以外にも、VRは脳の可塑性に関する脳科学研究にも応用されています。例えば、脳卒中などの患者にVRを用いて仮想体験を行い脳内の神経とそのネットワークを活性化させ、その再構成の仕組みを明らかにしようとするものです。この知見をもとにVRはリハビリテーションへ盛んに研究応用されています。

最近では、VRを用いた脳科学研究への実験装置は、ヒトだけでなくマウスなどのモデル動物を対象としたものも作られています。これによって、記憶の中枢である海馬細胞の機能の分析や視力の識別、嗅覚刺激のような異なる感覚刺激による場所細胞の誘導などまで様々な脳科学研究で利用されるようになっています。

要点BOX

- 生理機能と社会機能の解析に有用
- リハビリテーションへの応用
- モデル動物を用いたVR実験装置もある

図1　知覚・運動制御・記憶・学習・感情などの脳の働きの概要

右前頭葉：新規な刺激に対する処理（文脈非依存性理論）
左前頭葉：既存の情報に基づく内的提示により行動を導く（文脈依存性理論）

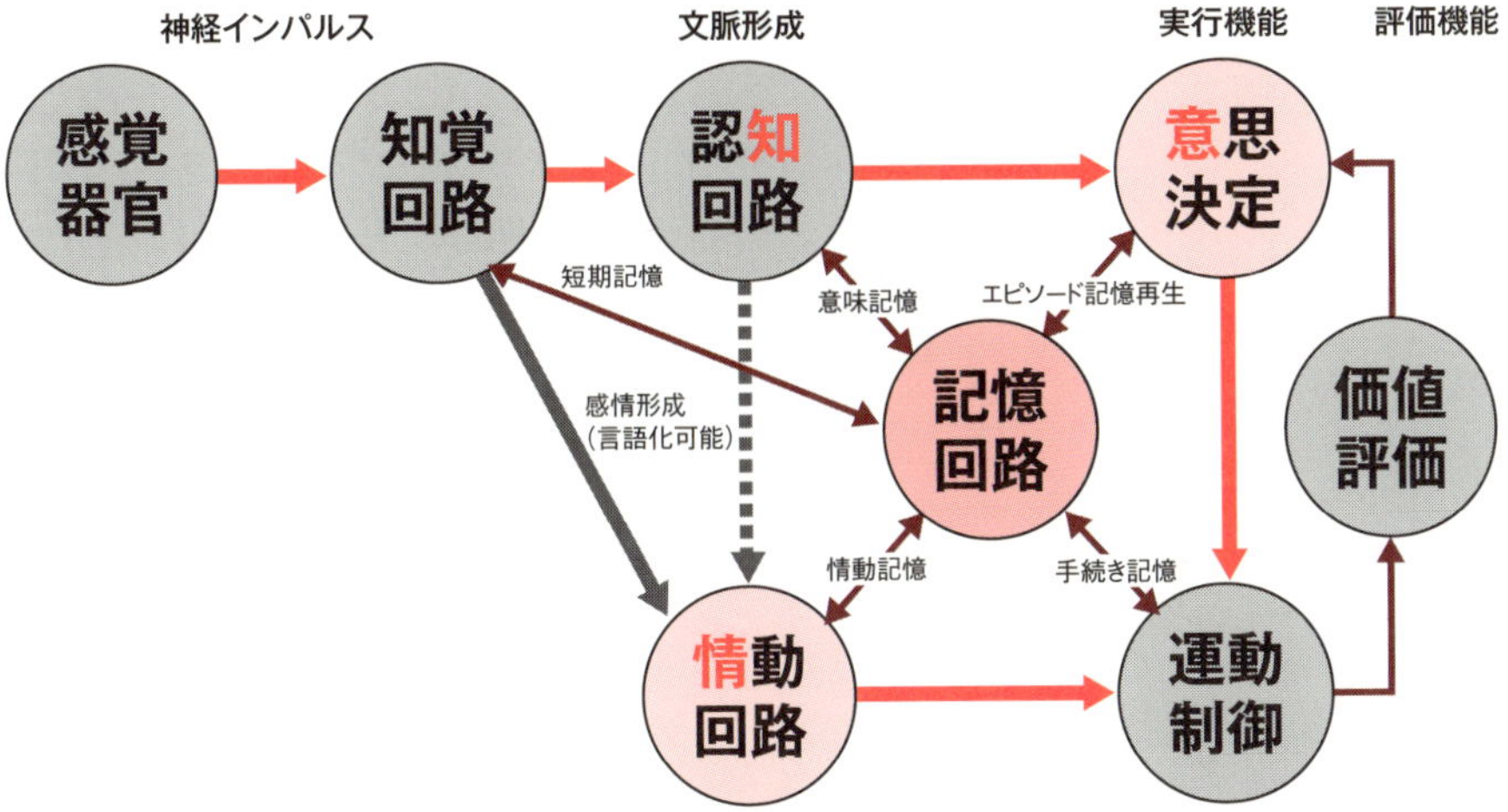

図2　VRを用いた脳機能解析

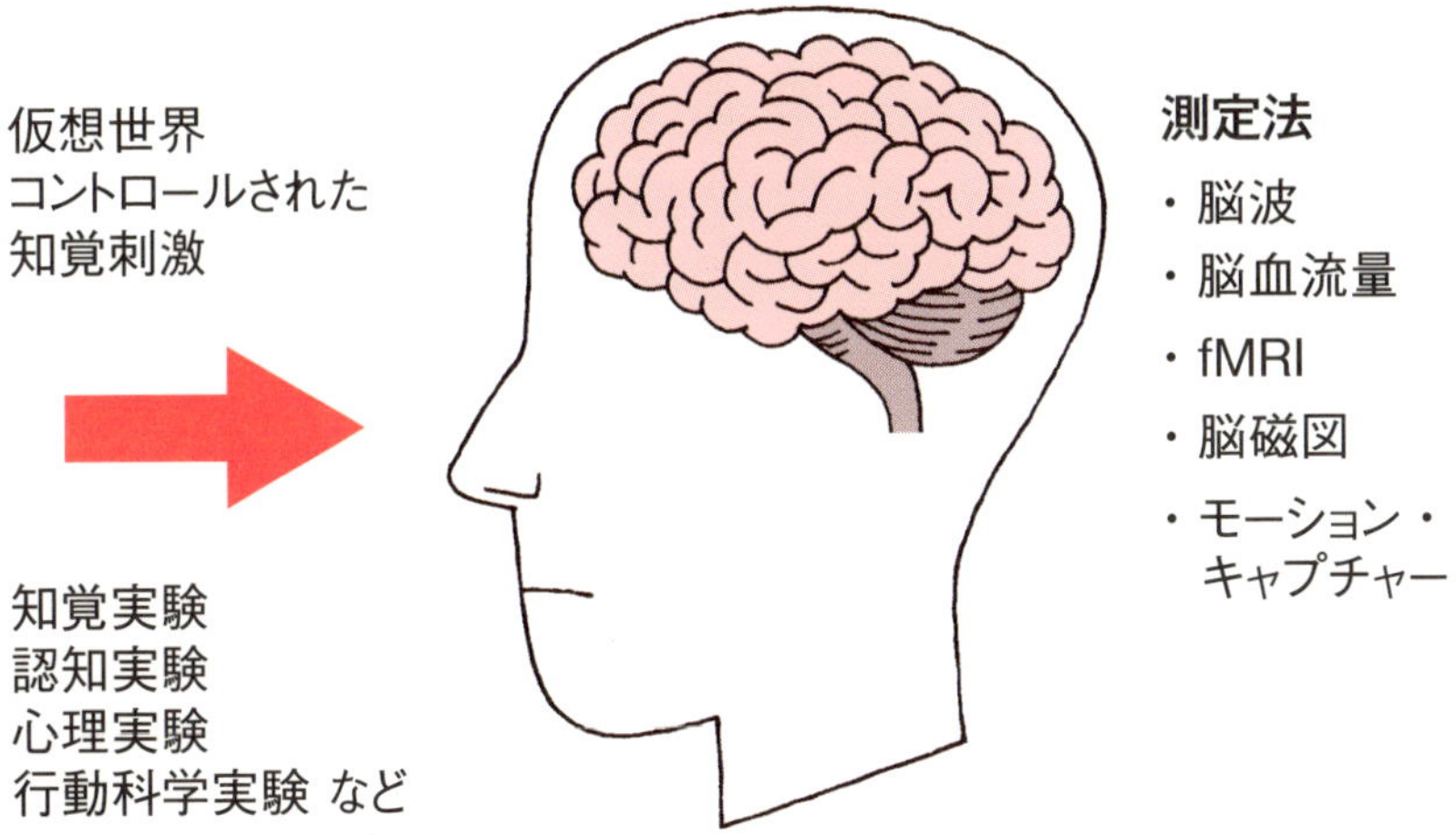

用語解説

場所細胞：動物がある特定の場所を通過する時だけ発火する、海馬の錐体細胞。

45 感情とVR

感情の操作の可能性

人は「悲しいから泣く」のか「泣くから悲しい」のかという命題に対して、「泣くから悲しくなるようだ」ということが心理学の研究から明らかになってきました。例えば、末梢起源説では、心臓の動悸や筋肉の動きの変化など、外部からの刺激によって身体に反射的に起きる変化を知覚することが感情の経験につながるとしています（図1）。

また、擬似的に作り出した身体的な変化によっても、感情や感情と関連する主観的な体験を変化させられることがわかっています。過去の実験では、自分のものとは異なる虚偽の心拍音を自身の心拍音であるかのように聞かせることで、写真に写る人物の魅力度を操作できることがわかりました。

研究者の立場からいえば本意ではありませんが、「バーチャルリアリティは騙しの技術」という人もいるくらいで、偽の身体感覚を作るのはVRの得意とするところです。こうした感情と身体の逆説的な関係性から、VRを使って感情の生起と関連する身体感覚を作り出すことで、感情を操作できる可能性があります。

こうした考えのもとに作成されたVRシステムが「扇情的な鏡」です（図2）。表情を変化させる画像処理技術を用いて、覗き込む人物の表情を「笑った顔」や「悲しい顔」に加工して鏡を模したディスプレイ上に映し出します。すると、自身の表情が笑顔に見えるとポジティブ感情が、悲しい顔に見えるとネガティブ感情が増加することがわかりました。それに加え、自身の身に着けているものの好き嫌いや、実際の表情にまで影響を与えられることがわかりました。

感情の操作は危ない技術に思えるかもしれませんが、冷静な判断ができるように気持ちを落ち着ける、失敗して落ち込んでいた気分を盛り上げる、メンタルを調整して本来のパフォーマンスを発揮できるなど、自分の心とうまく付き合うためのツールとして、こうした技術が活用されることを期待します。

要点BOX

- ●身体的変化が感情に影響する
- ●偽の身体感覚で感情を操作する
- ●笑顔の自分を見るとポジティブになる

図1　末梢起源説

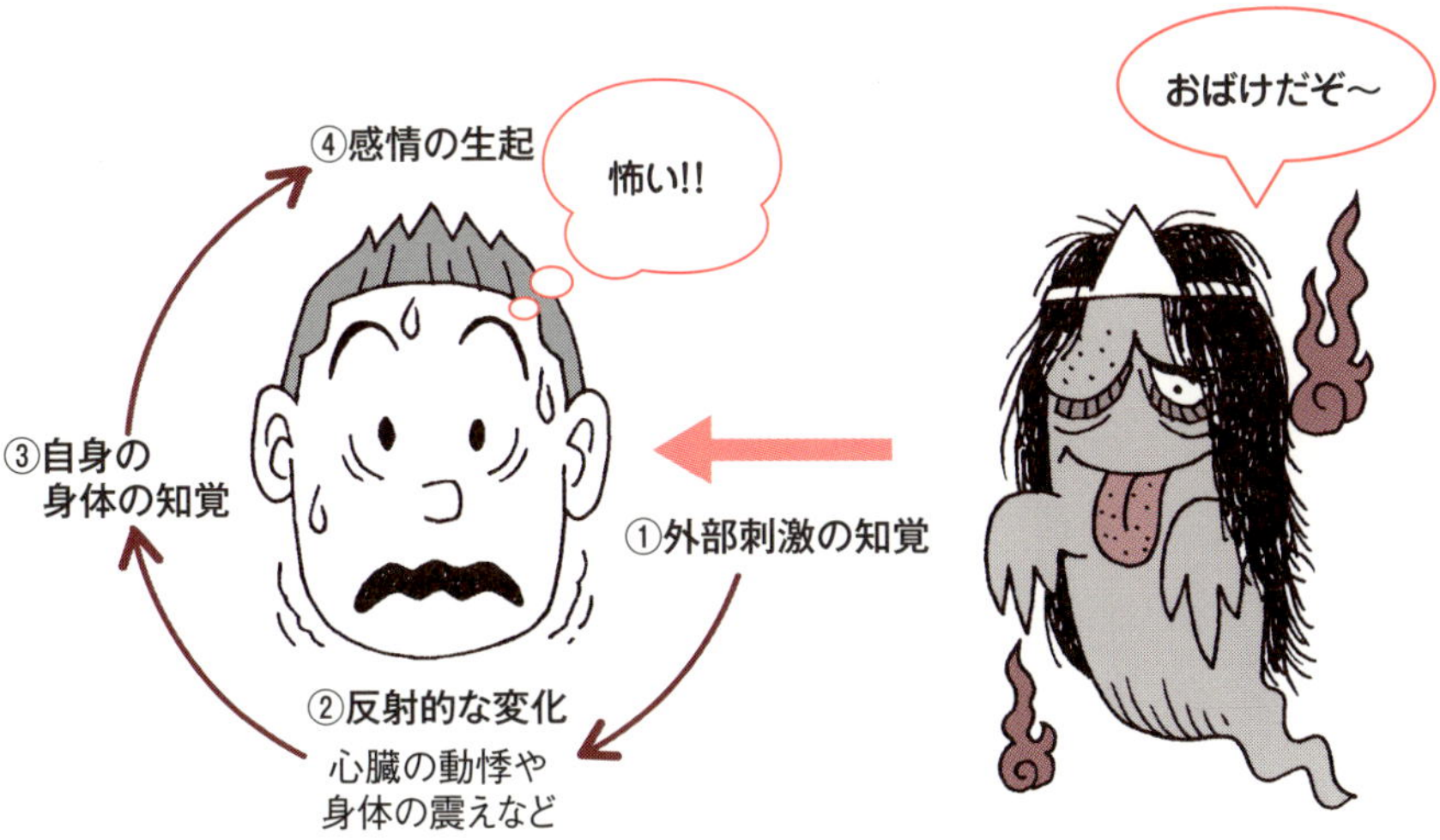

図2　自分の表情が違って見える鏡型の装置「扇情的な鏡」

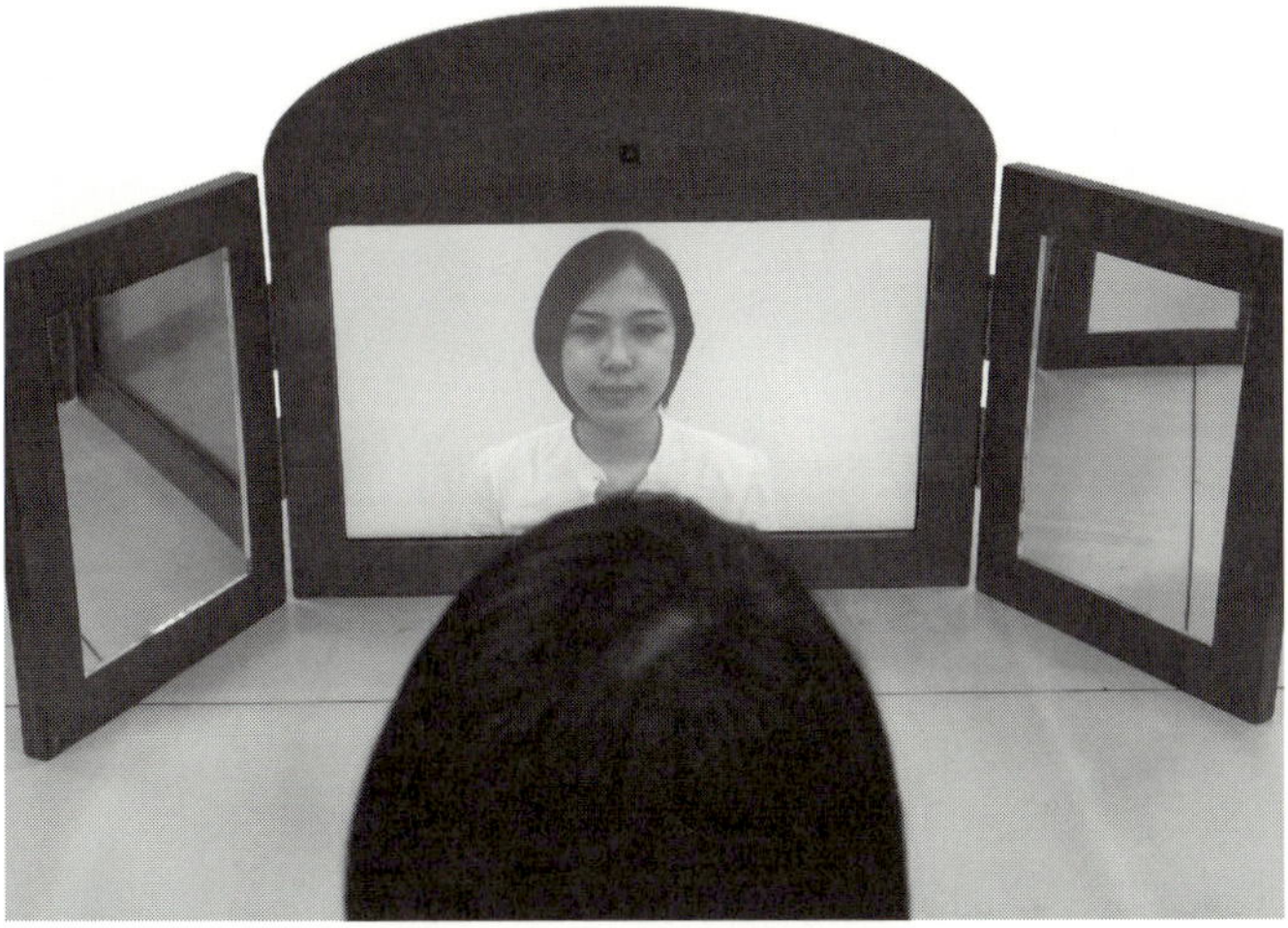

画像処理技術を使って表情を変化させます。

46 新しいインタフェースとVR

感覚を作り出す

VRでは感覚を作り出すディスプレイ技術が非常に重要であるとともに、動きを誘導したり、行動を誘発する技術も不可欠です。これらの技術は人とシステムをつなぐ境界面の技術ということで、「インタフェース」と呼ばれます。ここでは、比較的新しいインタフェースである神経刺激インタフェースと、錯覚を利用したインタフェースを紹介します。

錯覚は実際とは異なる知覚を得てしまう現象ですが、錯覚を利用することでそこには存在しないはずの感覚を作り出すことができるため、VRなどの技術で積極的に活用されています。偏振動を使った「ぶるなび」（NTTコミュニケーション科学基礎研究所が開発）を例に説明します（**図1**）。振動の往路は強く短時間、復路は弱く長時間で振動する装置を手に持つと、強く短い振動の方向へ力覚を生起します（この場合、往路）。実際には偏った力は発生しないのですが、人は片側方向への力の感覚を錯覚するのです。

この錯覚を利用したインタフェースと同様に注目されているのが、神経を電気刺激などで刺激して様々な感覚を作り出す神経刺激インタフェースです。皮膚表面に皿やゲルのような電極を貼りつけて、そこから微弱な電流を流す経皮電気刺激が、神経刺激インタフェースとして最も多く利用されています。経皮電気刺激を利用した神経刺激インタフェースは前庭感覚や味覚、視覚、嗅覚を含めた鼻腔内化学感覚、触覚などの感覚を作り出す感覚ディスプレイとしての利用が行われます（**図2**）。さらに、経皮電気刺激は筋肉の収縮を引き起こしたり、唾液分泌を促進するなど人に備わる効果器のアクチュエーションも可能であり、人の運動や行動の誘発をもたらすインタフェースとしても期待されています。

これらの新しいインタフェースの利点は、軽量・小型な装置のため、人の活動を阻害せずに利用できるという点にあります。

要点BOX

- 錯覚の利用と神経を刺激するインタフェース
- 大きな装置は必要ない
- 神経を刺激して感覚を作り出す

図１　振動インタフェース「ぶるなび」

図2　電気刺激による感覚提示手法

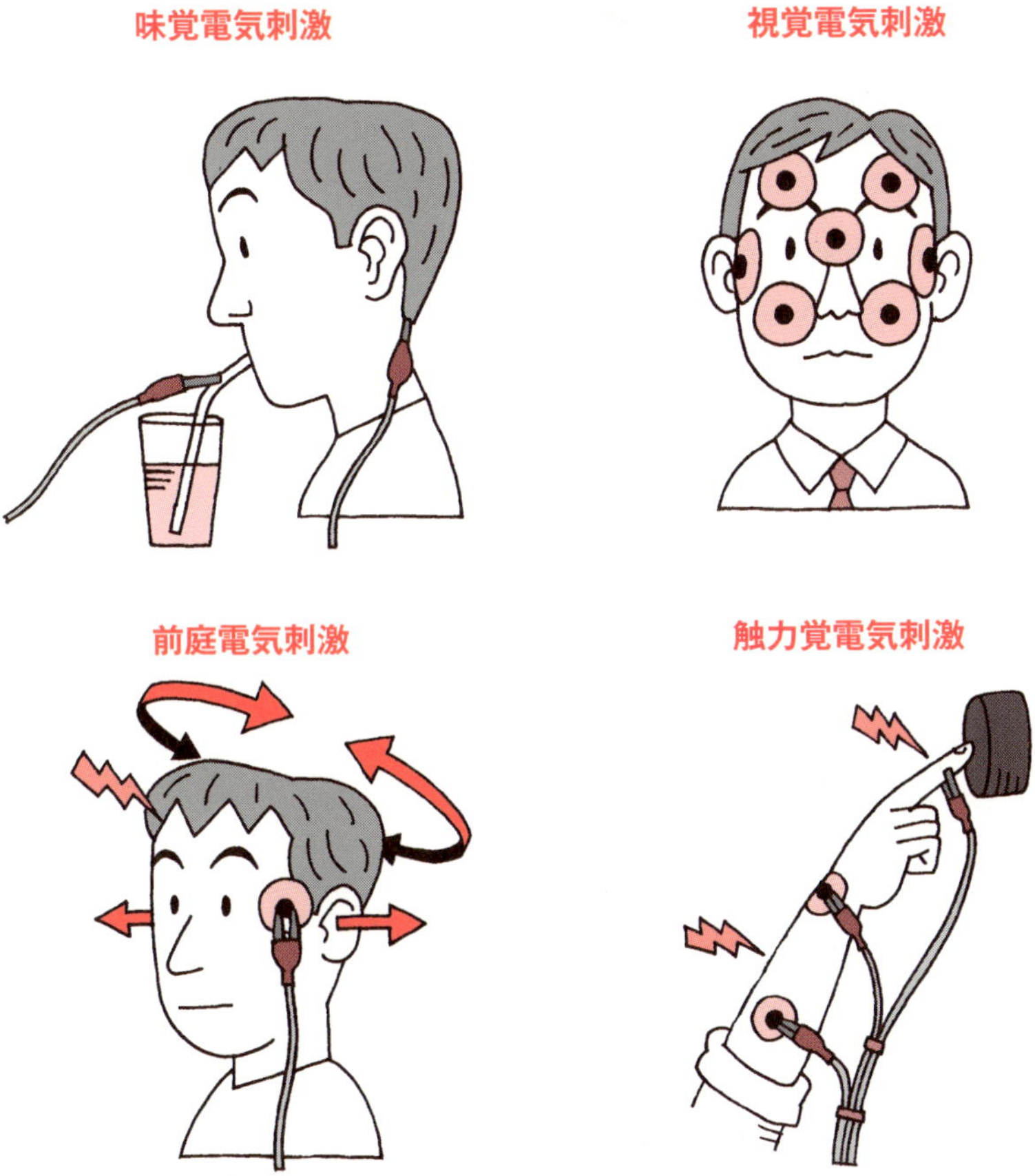

前庭感覚（加速度など）の提示

電気刺激による触覚と力覚の提示

47 教育と訓練とVR

応用分野として有望視

VRの応用分野として最も有望視されているものの1つが教育や訓練です。教育分野でのVRについて考えてみましょう。

①体験型教育

医師やパイロットなどの高度な技術を有する職種において、体験を伴う訓練が不可欠ですが、訓練にはコストがかかります。VRによる疑似体験には、コスト削減が期待されています。近年、VR機器が一般化したことで、VRによる体験型教育の活用先の職種に広がりを見せ、例えばサービス業の窓口対応（55項）や、消防士の訓練などへの活用が検討されています（**図1**）。疑似体験は、時として現実体験より優れている場合があります。ある時点で失敗しても、任意の過去までさかのぼって訓練を再開できます。また、エッセンスを抽出した純粋な教育項目だけを含む「理想的な体験」を準備することも可能です。

②リモート教育

新型コロナの影響でオンライン教育が普及しました。ビデオ会議では得られない臨場感を持ち、身体性を使ったコミュニケーションのできるメタバース空間も教育に利用されています。さらに、32項で解説したテレイグジスタンス・テレプレゼンスによる遠隔教育があります。OJTなどにうってつけで、工場見学やフィールドワークなど、教育と現場を結びます。

③可視化教育

具体化された即物的な知識、例えば目の前のモノのふるまいに関する知識などは、それがイメージしやすいため理解が容易ですが、高等教育で教えるような抽象化された概念的なものになると、そうはいきません。3次元空間とは目の前に広がる世界そのものですが、4次元空間については可視化を通じた教育の支援が効果的です（**図2**）。テレビの普及に伴い、視聴覚教育という概念が広がりました。今後、実用化するVR型教育はどのような進歩を見せるでしょうか。

要点BOX

- コスト削減にもなる体験型教育
- 離れていても教育はできる
- 目で見て理解する教育の支援

図1　VR消防訓練のイメージ

図2　概念の可視化

VRでは光速30㎝毎秒の世界を体験できます。

48 医学とVR

VRがもたらす新しい医療

VRは工学技術で生成した疑似知覚刺激をヒトの感覚器に提示し、バーチャルな世界での体験や訓練を可能とします。宇宙空間での作業など、現実世界では体験しにくい世界での訓練に応用されてきました。

医学分野では、稀な疾患や難しい手術に対して外科医の意思決定を支援する目的でVRやARを用いたナビゲーションシステムに関する研究開発が行われてきました。最近では外科医がCGで作成したシミュレーション画像を見ながら手術計画や術中の判断を支援できるようになりつつあります（**図1**）。CTやMRIなどの医用画像検査装置の画像データの精度が高まったことや、画像処理用計算機の性能が飛躍的に向上したことで、臓器や血管のCGモデルを症例に応じて医師が簡単に作成できるようになりました。

また、VRを用いた疼痛《とうつう》緩和やリラクゼーション、心的外傷後ストレス障害（PTSD）や飛行機搭乗恐怖症、広場恐怖症などの薬剤耐性の精神神経疾患への認知行動療法として欧米では盛んに行われています。

一方、超高齢社会の日本の医療において遠隔医療は益々重要性が増加しています。Society 5.0でもその重要性が唱えられています。今までの遠隔医療は、離島や山村の過疎地への医療サービスの提供や遠隔手術に重点が置かれてきましたが、最近では、都市部でも独居高齢者数が増加しているため在宅医療のニーズが高まっています。現状では、訪問看護師数や医師数などの医療資源には限りがあるため、テレビ会議やクラウドなどの情報通信技術を用いた医療サービスの提供が行われてきています。

このように未来医療では、VRやARはテレビ会議以上に在宅看護師の支援や、患者や家族とのコミュニケーションを向上させ、治療や介護の方針を医療従事者を含めて話し合いながら決定する医療（シェアード・ディシジョン・メーキング）の実現に役立つことが期待されています（**図2**）。

要点BOX

- VRを活用した手術のナビゲーション
- 精神神経疾患への認知行動療法にも有効
- VRによる遠隔医療のさらなる精度向上に期待

図1　手術支援システム

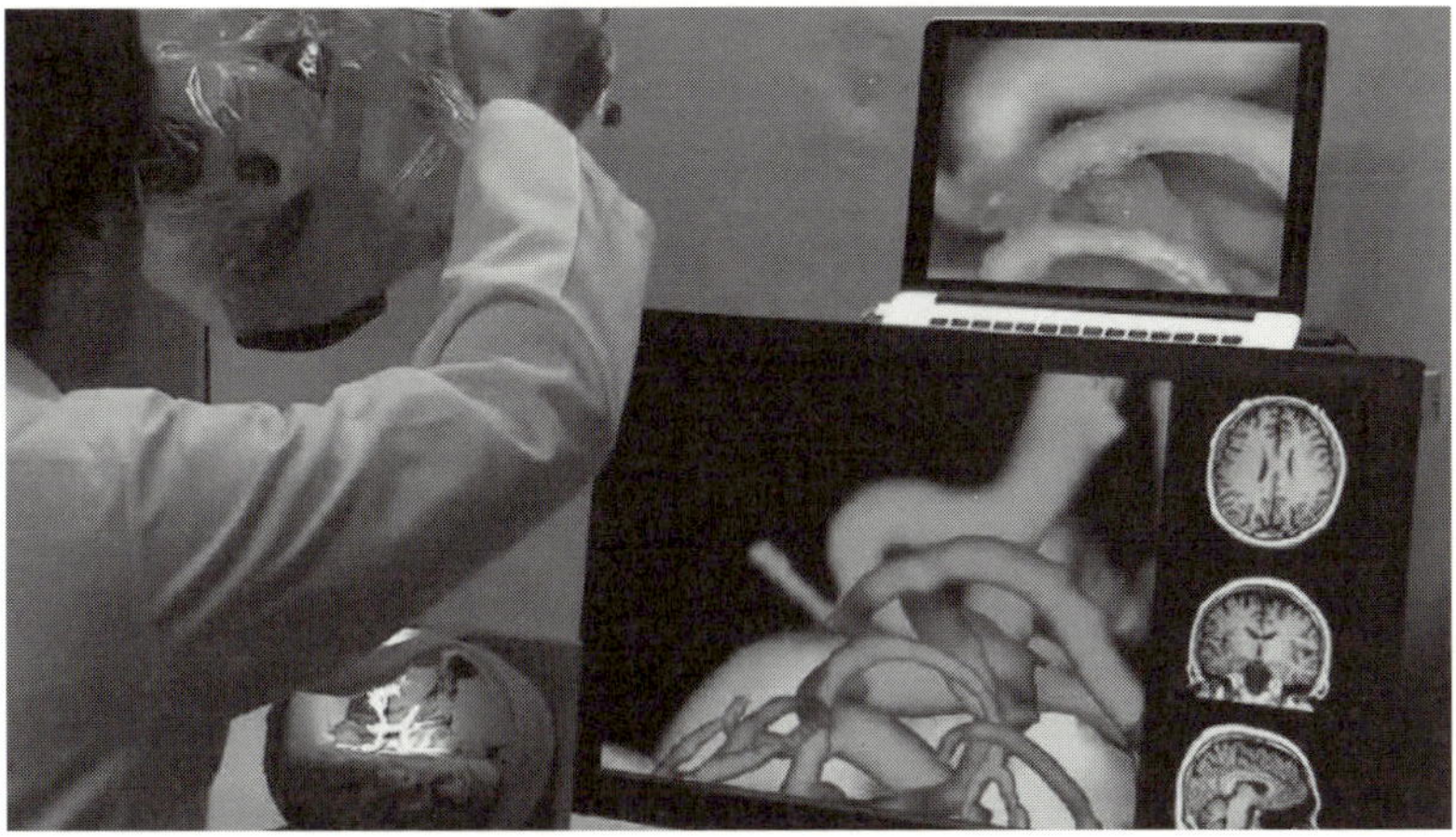

図2　遠隔医療・在宅医療支援

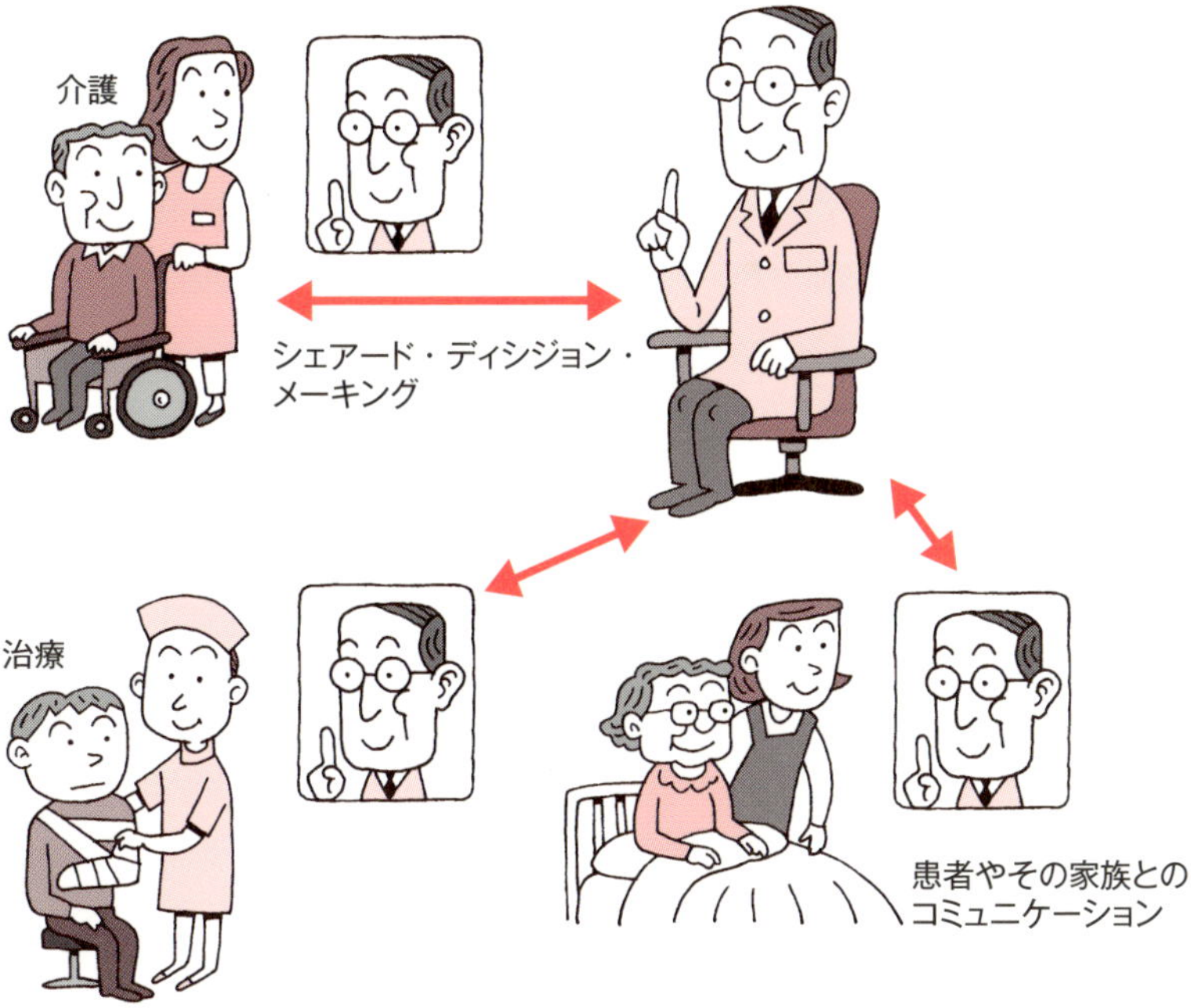

用語解説

Society 5.0：政府が目指す未来の社会の姿。

49 医学教育・看護教育とVR

体験型の講義と実習

科学技術の進展のみならず医療制度改革などによって、医学教育も看護教育も年々学生の習得すべき内容が激増しています。医学だけでも40教科以上になるのではないかと思います。また、近年臨床教育実習に重点が置かれるようになり、朝から夕方までみっちり講義や実習が行われています。

医学教育へのVRの応用は、まず解剖学教育で行われました。最初は骨と筋肉の構造、次に脳や心臓、肝臓などの内臓の理解に用いられるようになっています。当初はVR空間に仮想人体をCGで作成し、それを観察する方法がとられていましたが、現在ではARを用いて、複数の学生がCGで作成した同じ臓器モデルを用いて講義を受けることも可能です。VRは自己体験学習に有用です。また、ARは複数人での共体験学習や現実世界の模型に仮想臓器を投影させてリアルな学習もできます。VRやARによる体験型学習は、座学や動画、デモンストレーションよりも平均学習定着率が高いといわれています（図1）。

最近では、臓器の形状だけでなく心臓の拍動や血液の流れなどのような生理学的な現象をVR空間上に表現として加えることが可能となり、人体生理や病態の直感的な理解を支援できるようになってきています。さらに、診察法や手技教育は体験型教育が必要ですからVR空間に外来診察室や手術室を作成し、その中で手術機具の操作方法を体験することができるようになってきています（図2）。このような体験型学習には、バーチャルな触覚や力覚の感覚情報を提示する装置が必要となり、研究開発されています。

看護教育では最近、患者からの視点体験をVRで行い、患者側から見ることで看護の質を向上させる試みが行われています。VRやARを用いた体験型教育は今後益々医学教育や看護教育に実習の前段階や実習後の評価に利用されるようになるでしょう。

要点BOX

●VRは自己体験学習に、ARは複数人での共体験学習に有用
●生理学的な現象を加えて直感的な理解を支援

図1　平均学習定着率

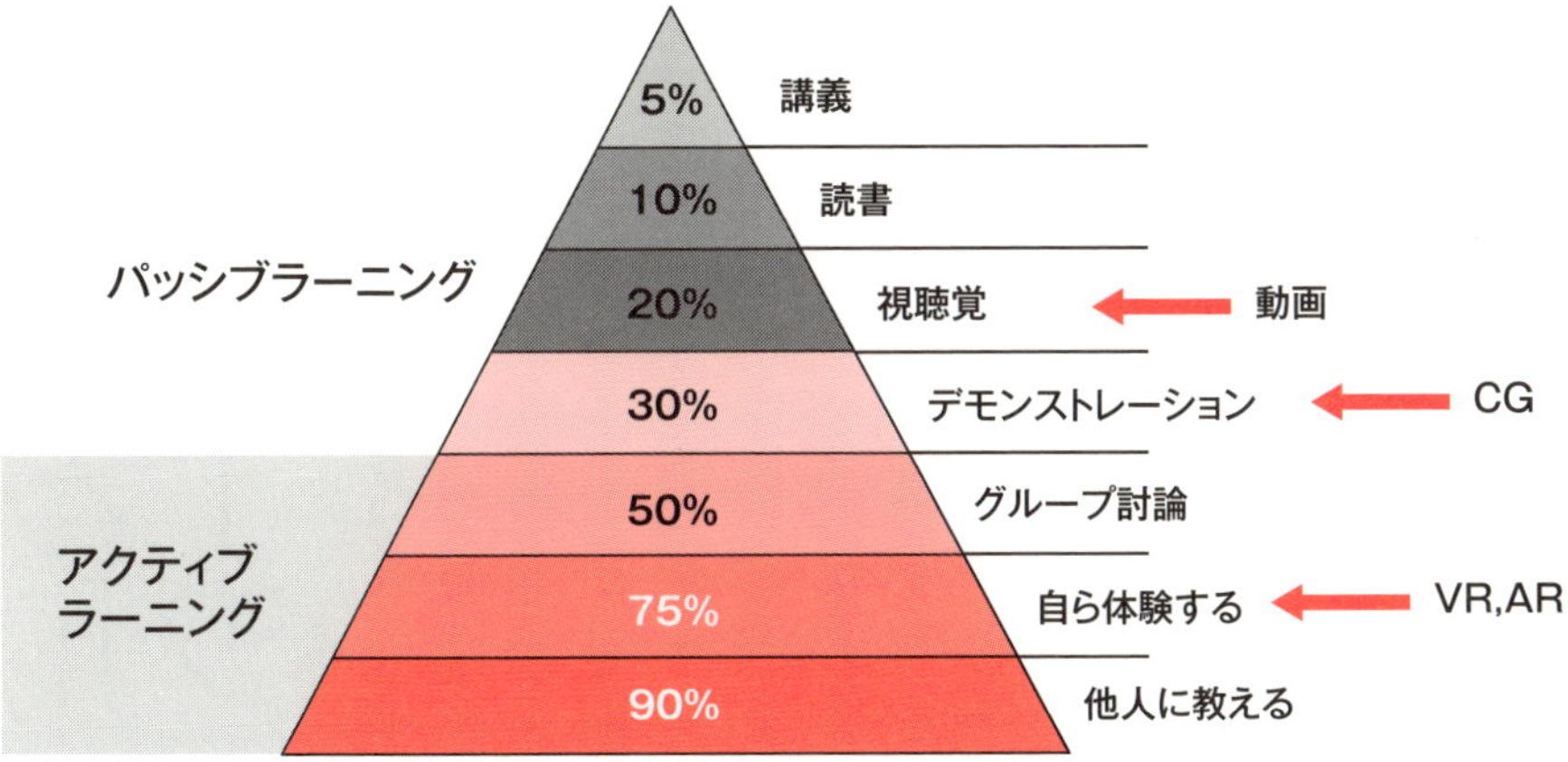

（Leaming Pyramid（Adapted from National Traning Laboratories Bethel,Maine,USA）を基に作成）

図2　VRを用いた手術シミュレーション教育

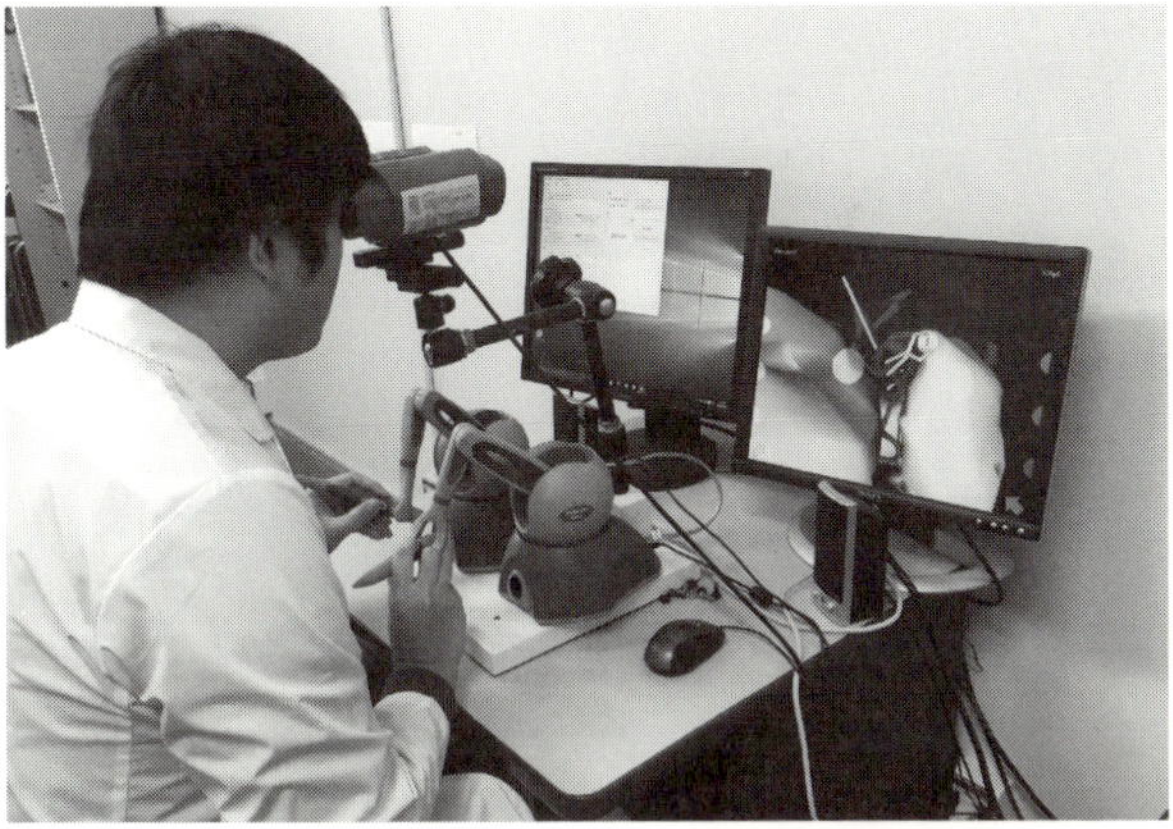

50 デジタル・ミュージアム

収蔵品を見て触って学べる仕組み

博物館や美術館の役目は、世代から世代へと知識や文化などを伝承していくことです。その手段として学術的にも文化的にも価値の高い展示可能な物を収集・保存し、展示しています。博物館や美術館では収蔵品を3次元の情報として保存する、デジタルアーカイブ技術の試みがすでに行われています。

しかし、博物館の重要な機能である展示には、デジタル技術があまり導入されていないのが現状です。展示されている物にどのような歴史的背景があって、どのような使われ方をしていたかなどの情報は、物理的な物の展示だけでは伝えられません。そのため、パネルを使ったり、モニタで映像を流したりしていますが、それらを読んだり見たりしてその場で理解できる人は少ないのではないでしょうか。また、実際に触ったりしないと使い方もよくわからない場合もあります。

一方で、VR技術を使うとデジタルで保存された物や空間を現実同様に体験することができます。実際に本物の展示物に触ると壊れたり劣化してしまいますが、VR技術で展示物や当時使われていた状況を再現し、当時の人と同様に触ったり使う体験展示ができます。また、空間や時間的な変化をも体験させることができるので、発掘された物の歴史的背景や変化を直接体験し理解できる展示も実際に行われています（**図1**）。

遺跡にあった物などは博物館に運んできて展示することはできますが、遺跡そのものを持ってくることはできません。遺跡にどのように置かれていたのか当時の様子を再現すれば、当時の人と同様の体験が可能になり、文章を読む以上に理解できるようになります（**図2**）。VR技術を応用した展示には物理的な物の展示で不可能だった様々な可能性があり、博物館や美術館から非常に期待され、導入も進みつつあります。

要点BOX

- VRを使った収蔵品の3次元情報の保存
- 収蔵品を使う感覚と使う環境の再現
- 理解を促進させる支援

図1　VRによる体験展示

タブレット端末で見る収蔵品が稼働していた当時の環境。

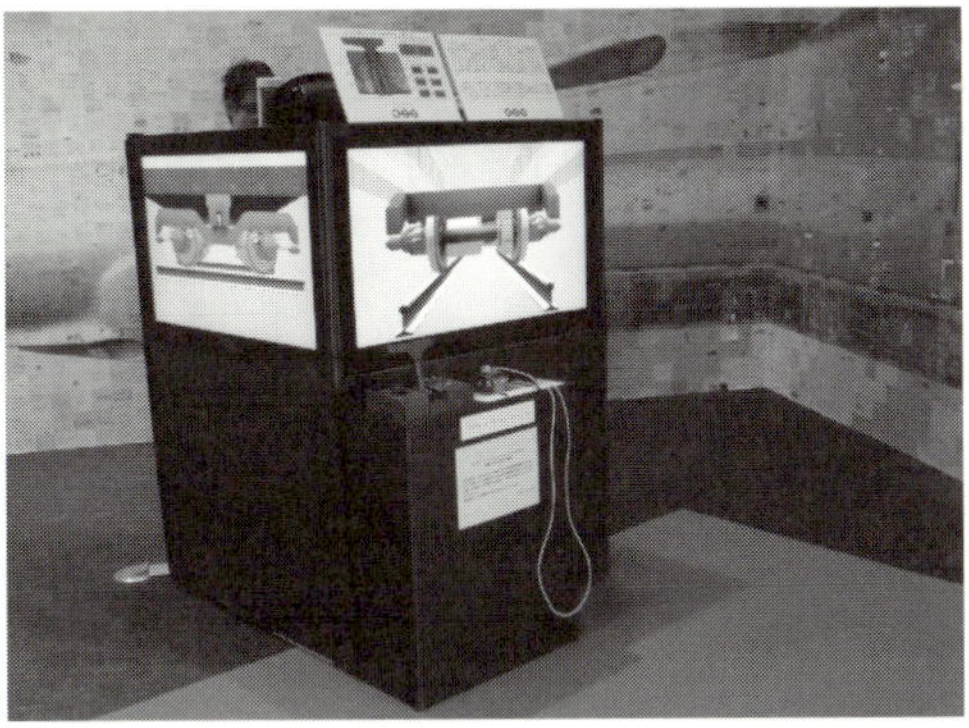

（鉄道博物館提供）

3面のモニタを使い、電車の台車を3DCGで再現。線路上を走行する台車の複雑な動きを、本物の台車を眺めるように様々な方向からの観察が可能です。

図2　VRによる遺跡の展示

（国立研究開発法人情報通信研究機構、凸版印刷株式会社提供）

51 製品設計とVR

デジタルエンジニアリング

工場では、ロボットが人に代わってものづくりをする場面が増えてきました。しかし、自動車のように、何万点もの部品を組み付ける必要がある場合には、まだまだロボットの能力は不十分で、人間も作業をします。例えばエンジンルームの組み立てでは、狭い空間に多数の部品を組み付ける必要があるため、作業者が本当に作業できるのかどうか、効率よくできるのかどうかなどを、自動車の生産を始める前に、設計者がきちんとチェックして設計することが重要です。

現在、このようなチェックは、3次元CADシステムによって行われています。つまり、部品の3次元データを用いて、部品を組み付ける時に他の部品とぶつかったりしないかどうか、十分な隙間があるかどうかなどをチェックします。

3次元CADシステムを使う前は、実際に試作品を作ってチェックしていました。この試作品のことを「モックアップ」と呼びますが、3次元CADシステムを使ったチェックは、この物理的なモックアップをコンピュータで置き換えていることから、「デジタルモックアップ（DMU）」と呼ばれます。

さらにVRによって、組み立て状態の製品や、工場の作業環境までを再現し、HMDを装着した作業者が、あたかも工場で実際の部品を組み立てるようにして、組み立て作業のシミュレーションが行われています（**図1**）。これによって、部品が見やすいかどうか、手が届くかどうか、さらには工具の使いやすさや作業姿勢までを、詳しくチェックすることができるようになりました（**図2**）。

このように3次元データを活用して、製品設計や製造工程をバーチャルにシミュレーションしながら行う技術は「デジタルエンジニアリング」と呼ばれ、VRは組み立てのチェックに限らず様々な場面で利用されています。

要点BOX

- ●試作品は作らないバーチャルな試作を3次元CADシステムで実現
- ●VRで組み立て作業のシミュレーションを実現

図1　VRを用いて、組み立て作業の容易性を評価する

図2　VRを用いて、工具の使いやすさや、作業姿勢を評価する

用語解説

3次元CAD：コンピュータが設計を支援。陰影などをつけてディスプレイに立体的に表示する。

52 エンターテインメントとVR

身近なVRの楽しみ方

エンターテインメントとは人々を楽しませる娯楽全般を意味し、現在のVRブームを牽引する応用の1つになっています（図1）。

まず、VR技術を駆使した鑑賞行為が挙げられます。コンサートやスポーツ観戦において、遠隔地にいながら、まるで現地にいるような臨場感を体験することが可能になってきました。実際の競技場では選手に近付くことはできませんが、VR体験の中では自由な位置から試合を観戦できるかもしれません。パブリックビューイングのように、会場の臨場感を遠隔地で共有することもできるでしょう。

一方、VR技術を駆使して新たなコンテンツを作り出すことも進められています。モーションライド装置を用いたアミューズメントパークのアトラクションや舞台の上に等身大のVRキャラクターが登場するライブエンターテインメントから、個人で発信するVTuberの登場まで、様々な試みが身近になってきています。

鑑賞を主とした例に対して、もっとユーザーが能動的になるエンターテインメントとしては、VRゲームが挙げられます。従来のテレビゲームでも、敵のキャラクターが知的に振る舞うAI技術が加われば、対戦のリアリティが増し、ゲームとしての楽しみが向上します。視覚的・音響的なリアリティの向上はもちろん、身体動作を駆使したゲームが開拓されてきました。その延長上には、自分自身の身体能力を拡張するような超人スポーツの試みまで出てきています（図2）。

エンターテインメントには、他者から強制されずとも自発的に取り組みたくなる魅力があります。スマートフォン向けゲームアプリ「ポケモンGO」は、人々を屋外に導きました。楽しみながら学ぶ「エデュテイメント」にも期待が寄せられています。VRエンターテインメントは、人々に動機を与える有効な手段にもなり得ます。

要点BOX

- ●コンサートなど現地の臨場感を体感
- ●身体動作を駆使したVRゲーム
- ●VRエンタメは自発性を高める手段になる

図1　VRで楽しむエンターテインメント

図2　VR車いすレーサー「CYBER WHEEL」

未来型車いすレーサーに乗って、HMDを装着。最高速度60キロにもなるレースの世界を体験できます。

ⓒ1→10,Inc.

53 芸術とVR

感覚に訴える表現方法

芸術分野には、メディアアートという言葉があります。その時代の新しい表現技術を駆使した芸術活動を意味します（図1）。VRは、人の感覚に訴える表現技術の可能性を大きく切り拓いてきました。

日本では2004年から2011年まで、科学技術振興機構の戦略的創造研究推進事業である「デジタルメディア作品の制作を支援する基盤技術」という研究領域において活発な研究開発が進められました。この中から、デバイスアートやデジタルパブリックアートなどが生まれました。

デバイスアートは、メカトロ技術や素材技術を駆使し、テクノロジーの本質を見せる芸術様式と定義されています。デバイス自体が作品の表現内容となり、積極的に商品化されて日常生活に取り入れられ、道具への美意識といった日本古来の文化と関連性があるものとされています。

デジタルパブリックアートは、ギャラリーなどの限定的な空間から、よりパブリックな公共空間にメディアアート表現の場を移し、それが置かれた空間との関係性や文脈性を共に進化させ得るものとされています（図2）。メディア技術によって、空間性・実体性・自己参加性の3つをより豊かにする芸術表現の可能性が追究されてきました。

このような背景から、技術者とアーティストの協働が盛んになり、技術と芸術の両者に長けた人材も生まれてきました（図3）。1997年より開催されている文化庁メディア芸術祭など、優れた作品に触れる機会も充実しています。メディアアートの世界的な祭典であるArs Electronicaでも、先端的な技術を駆使した日本の作品が高い評価を得ています。

この分野の課題は、作品の保存性です。絵画や彫刻のように悠久の時を経て残る作品に対して、目まぐるしく進化する先端技術をその時代の状態で保存し続ける方法が模索されています。

要点BOX

- ●VRが表現するメディアアート
- ●技術と芸術の両面をもった人材の誕生
- ●作品の保存が課題

図1　空間とプロジェクションマッピングによるアート作品

Exhibition view, MORI Building DIGITAL ART MUSEUM : teamLab Borderless, June 2018 - permanent, Tokyo　©teamLab

図2　羽田空港で行われたデジタルパブリックアートプロジェクト

図3　VR空間でのアート作品制作

54 コンテンツ産業とVR

コンテンツがあって普及する

コンテンツは「内容」という意味です。例えば、テレビはテレビ受信機というハードウェアだけでは意味がありません。テレビ局から配信されてくる番組があってはじめて機能するわけです。

つまり、テレビという映像配信システムは、**図1**のような3つのシステムから成っています。①テレビ受像機という映像を見るためのプラットフォーム②映像を送り届けるためのディストリビューション③情報の内容そのものであるコンテンツです。VRも同じことがいえます。

技術が成熟すると、これら3つのうちコンテンツの役割が非常に大きくなります。これはコンピュータ業界の変化そのものです。

図2に、コンピュータ業界における指導的役割を演じてきた業界の変遷を示します。いくつかの波が描かれており、1980年頃の第1の波はシステムで、大型コンピュータの普及です。第2の波はパーソナルコンピュータの普及、第3の波はネットワークを中心とした波です。2000年以降の主役はコンテンツ産業です。

第1世代のVRブーム時、技術を支えたのがコンピュータメーカーでした。しかし第2世代では、明らかに利用サイドの産業の方が活発です。VRは作る時代から使う時代に入ったといえるのではないでしょうか。

なぜ、コンテンツが重要か考えてみましょう。作られるシステムがどのような性能を持たねばならないかは、何に使うかが決まらないと決まらないのです。性能は高い方がいいですが、どこまでよくすればいいかなど、性能向上にメリハリをつけるのがコンテンツの役割です。例えば、「ワールドカップ」という大きなコンテンツがあることで、バーチャルスタジアムはどのような仕様でなければならないか、ということが決まってくるのです（**図3**）。VR技術が本格的に普及の時期を迎えるには、コンテンツ産業との連携が絶対に必要になるのです。

要点BOX

- 技術の成熟にはコンテンツが必須
- VRは使う時代に入った
- 性能向上のメリハリは大切

図1　コンテンツ・プラットフォーム・ディストリビューション

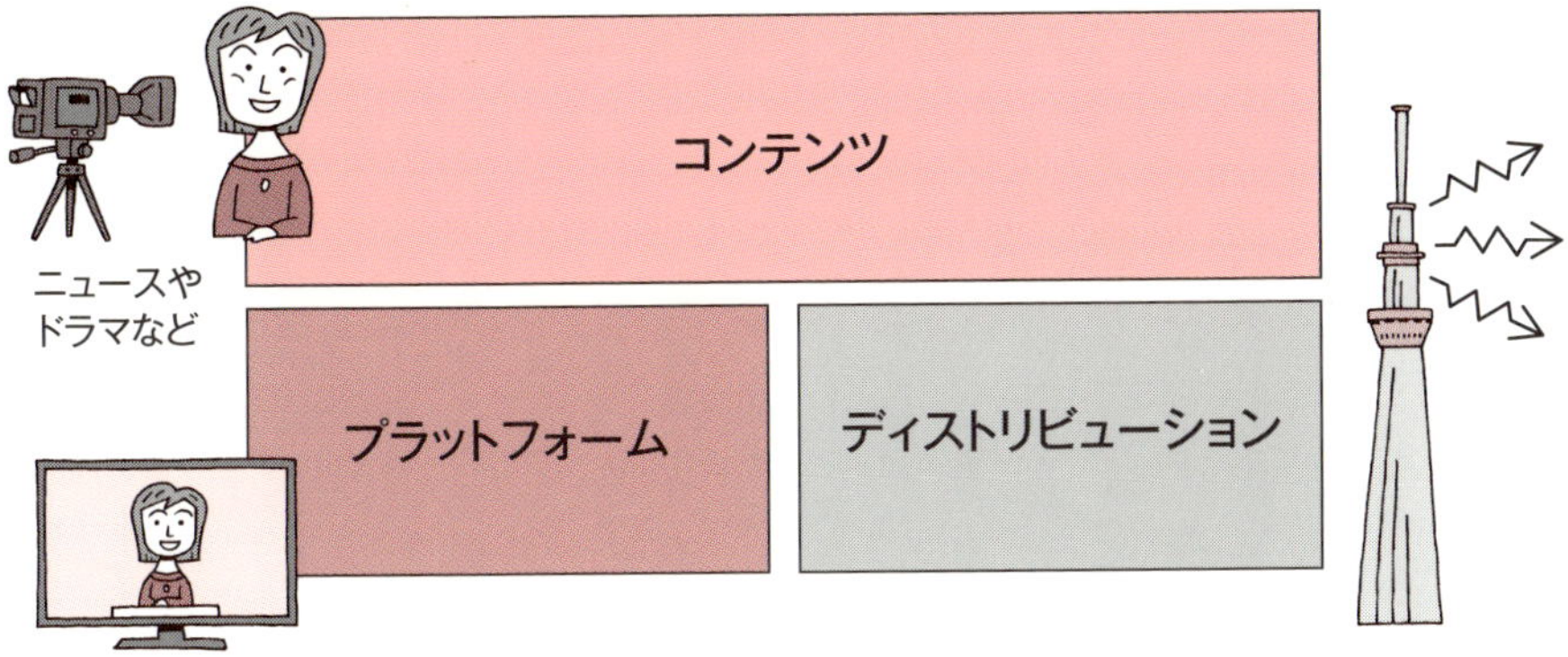

図2　コンピュータを牽引する業界の変遷

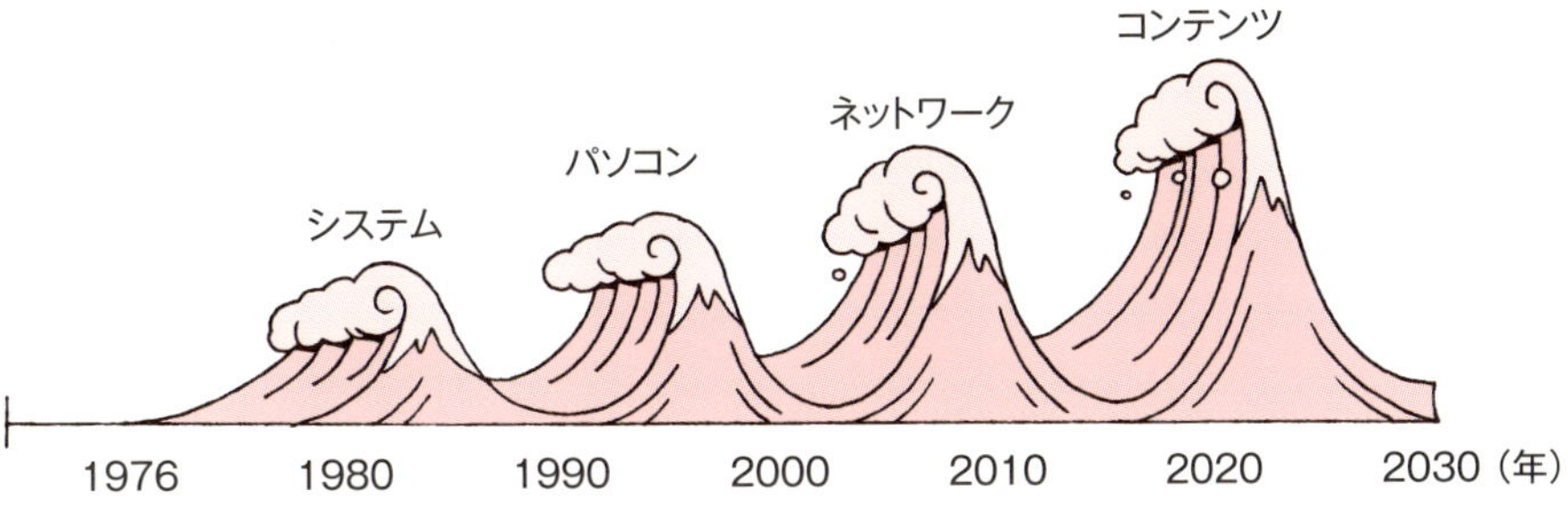

図3　バーチャルスタジアム

2002年のFIFAワールドカップの際に企画されたバーチャルスタジアム・プロジェクト。

55 サービスVR

ヒト的要素がポイント

サービスVRとは、サービス業にとって必要なVR技術のことです。VR技術の登場は1989年で、初期段階のVRを支えたのはコンピュータメーカーなどの製造業でした。VR技術の先祖の1つが、CAD／CAM（コンピュータ利用製造）などものづくり関係のソフトウェアツールだったせいもあるでしょう。何かを作る際に、その試作品を前もって体験するためのシミュレーションツールとしてVRは発展したともいえるのです。

製造業に対して、サービス業があります。この2つの業種は、様々な局面において異なっていますが、最も大きな違いは製造業が「モノ」を対象にするのに対し、サービス業の対象は「ヒト」です。そのため、サービスVRにおいてヒト的要素をどう扱うかが重要です。

一番分かりやすいのがアバタです。アバタについては60項で説明しますが、VR空間内に存在するヒト（あるいは動物）的な存在です。サービスの場面においては必ずといっていいほどヒトが存在します。アバタの背後には人間だけでなく、AIが居ることもあり「自律アバタ」と呼ばれています。

図1はサービスVRトレーナーの例で、航空会社のカウンタにおける接客サービスのトレーニングを行うためのシステムです。男性は客を演じる自律アバタで、カウンタスタッフの応答がきちんとできていればおとなしいのですが、マニュアルから逸脱すると怒り出したりします。

ヒトの特徴の1つは感情をもつことで、接客においては様々な感情に関する技術を集積する必要があり、これもサービスVRの特徴といえるでしょう（図2）。

わが国の地位をここまで押し上げたのは製造業です。それは間違いないのですが、今後発展が期待されるサービス業がどうバトンを受け継ぐのかも大きなテーマというわけです。

要点BOX

- ●サービス業におけるVRにはアバタが必須。AIも応用
- ●自律アバタを使った接客トレーニング

図1　接客用サービスVRトレーナー

図2　サービスVRトレーナーの仕組み

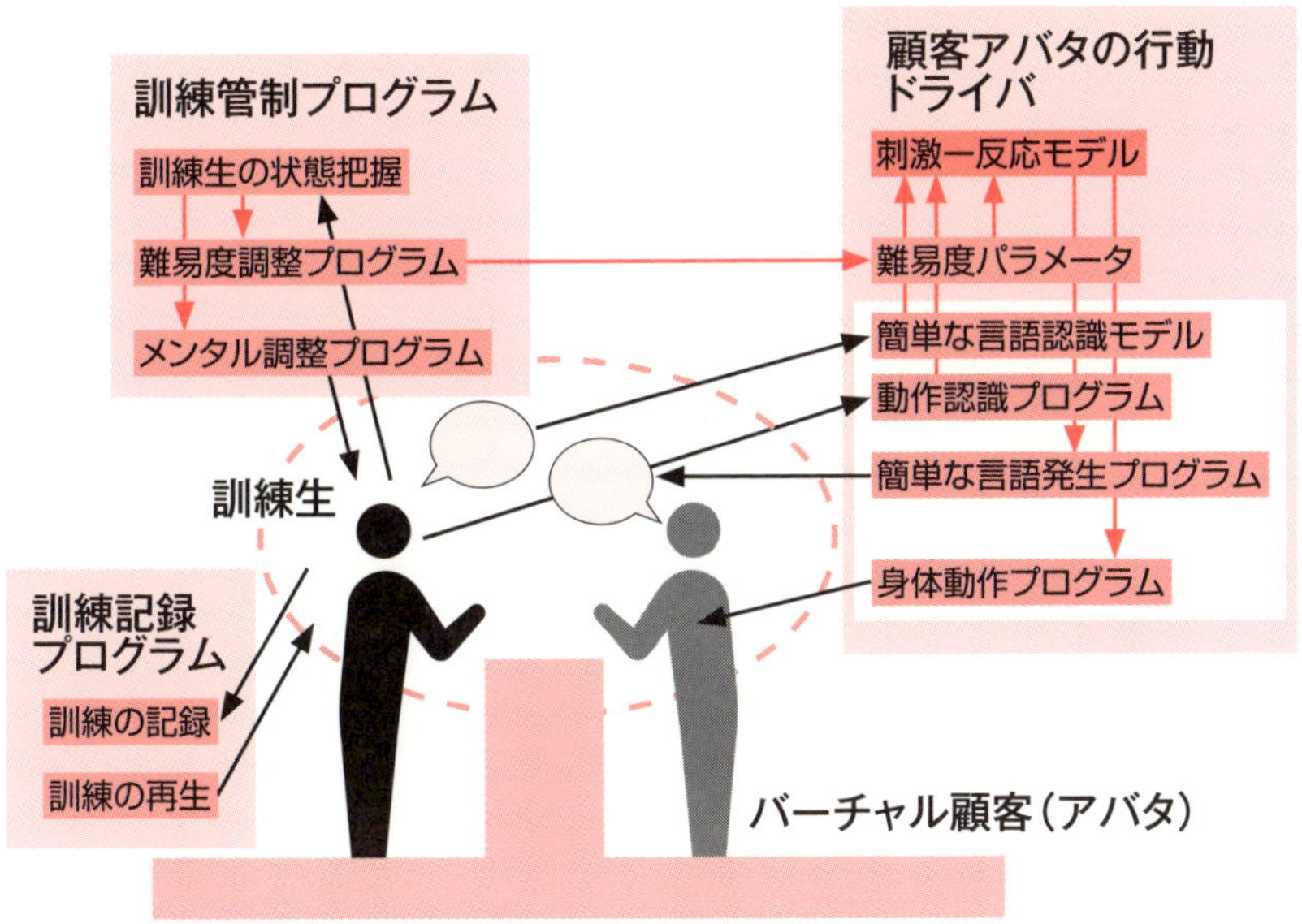

VRに集う学生たち

ＶＲやメタバースという技術は、学生にとっても魅力のある分野のようです。本職の研究者の充実はもちろんのことですが、研究者予備軍として、学生の存在は頼もしい限りです。特に、アマチュアは費用対効果をまったく気にしなくて済むため、思いもよらない素晴らしい仕事をすることがあったりします。

東京大学には、UT-virtualというＶＲサークルがあります。これは学生がＶＲ技術に気軽に触れられることを目的として、２０１７年に設立されたインターカレッジサークルとして活動しており、東京大学に限らず多くの大学から学生が参加しています。

東京大学バーチャルリアリティ教育研究センターには、ＶＲやメタバースに関する数多くの質問が寄せられます。東大ＶＲセンターの訪問を受け付けてもいます。こうした興味を持つ方の半分程度が中学生や高校生です。最近では中高生も授業の一環として研究活動をしていたり、課外活動でＶＲシステムを作ったりしているようです。

ＶＲ学会には、ＩＶＲＣという学生対抗のバーチャルリアリティコンテストがあります。現在、ＶＲ研究の第一線で活躍している研究者の中には、学生時代にＩＶＲＣに参加していたという方も数多くいます。ＶＲ研究者を目指す学生さんの、一種の登竜門となっているのです。これからもＶＲの学会や学術機関の周辺でＶＲを支える若い人材が育っていってくれることを願っています

第7章

メタバースという世界

56 リモート技術とメタバース

ミラーワールドという形態

メタバースというと、アプリ「VR Chat」などのフルCGで描画された世界を想像するのではないでしょうか。「メタバースプラットフォーム」と呼ばれる多くのものはCGベースで描画されていますが、メタバースは必ずしもCGベースとは限りません。2007年に発表された「メタバース・ロードマップ」では、メタバースは4つの世界に分けられるとされています（58項で詳述）。

その1つであるミラーワールドは、現実世界を模したワールドを利用したメタバースワールドです。360度映像やそれを空間的に配置したGoogleマップのストリートビューなども、メタバース空間であるということができます。

近年の全天球カメラは比較的安価に販売されるようになり、それらが単一で簡易にネットワークに接続されることから、全天球映像を遠隔地に短い時間差でもって伝送できるようになってきました。この全天球カメラを用いた空間の伝送はテレプレゼンス技術であると同時に、ミラーワールドとしてのメタバース技術であると捉えることもできます。

メタバースが遠隔地の様子を伝える技術としても利用できるということは、遠隔地の様子を見ながらネットワーク越しに多人数と様々なコミュニケーションをとることができるということです（図1）。これはリモートワークやオンライン学習を促進するための技術として大いに期待されます。遠隔地の映像を多人数に同時に届けるための通信速度や遅延の解決法、遠隔地にいる相手への人の位置や行動の直観的な伝え方といった課題もあります。通信技術の高度化や、ARグラスのようなHMDの装着などによって解決できるかもしれません。今後、働き方や学び方の現場にメタバース技術が入り込んでくるという社会シナリオがあり得るものだとすると、遠隔地の様子をリアルタイムで伝送し合うミラーワールドも、その1つの形態であると考えられます（図2）。

要点BOX

- ●現実世界と近似した世界
- ●全天球カメラによる空間の伝送
- ●社会ニーズの反映には必要不可欠

図１　全天球カメラで撮影した映像の共有

遠隔地の映像の共有は将来のリモートワークやオンライン学習に組み込まれていくものと考えられます。

図２　遠隔地の全天球映像とＶＲ技術

遠隔地の全天球映像を見ながら図面を引いたり、問題点を指摘したりなどの様々なコミュニケーション支援、遠隔ワーク支援が期待されます。

57 メタバースとは

VRの子孫

7項で述べたように、メタバースとはネットワーク上に展開したVR世界のことです。メタバースという言葉が一般社会に登場するのは、1992年に発表された『Snow Crash』(ニール・スティーヴンスン著)という小説でした。バースとはUniversのように「世界」を表わす言葉であり、メタとは「それとは別の」という言葉ですから、「もう1つの世界」という意味になるわけです。

メタバースは私達の生活を覆うぐらい大きな技術になる可能性をはらんでいます。VR技術に、現在すでに社会環境化しつつあるDX(デジタル変革)技術的要素が追加されたものがメタバースの技術ということもできます。実際、アカウント管理やセキュリティ管理、決済管理などの技術は今のところVR技術には組み込まれていません。逆に、現在のDX技術が進出できない領域、例えば身体性や空間性の要素が非常に強い領域はまだあります。より広汎に社会のデジタル化を推進しようとする場合、DX技術はVR的な要素を吸収していかなければならず、「VR+DX=メタバース」ということになるのかもしれません(図1)。

1項で紹介したJaron Lanier氏は、1989年のHMD「EyePhone」のプレスリリースで、「われわれは新大陸を発見した」と述べています。新大陸を活用していくためには様々な視点が必要です。

活動のための空間や、そこに入り込むための身体(アバタ)などはVR領域の話題ですが、人々の活動には価値の交換が伴います。そのため、電子空間における通貨などの話題が含まれるため、メタバースといえば仮想通貨やブロックチェーンなどの新しい技術に対する視点も重要です。特にバーチャルな商品に価値を与えるNFTなどは、現在多くの人々の興味を集めています。当然何らかのルールが必要になり、現実世界と異なった制度設計が必要になるのか否か、この境界領域が注目されています(図2)。

要点BOX

- ●メタバースとは「もう1つの世界」
- ●VRとDXが互いの技術を補い合う
- ●「新世界」での勝ち組が経済を支える

図1　VR+DX=メタバース

図2　メタバース概念の広がりと様々な話題

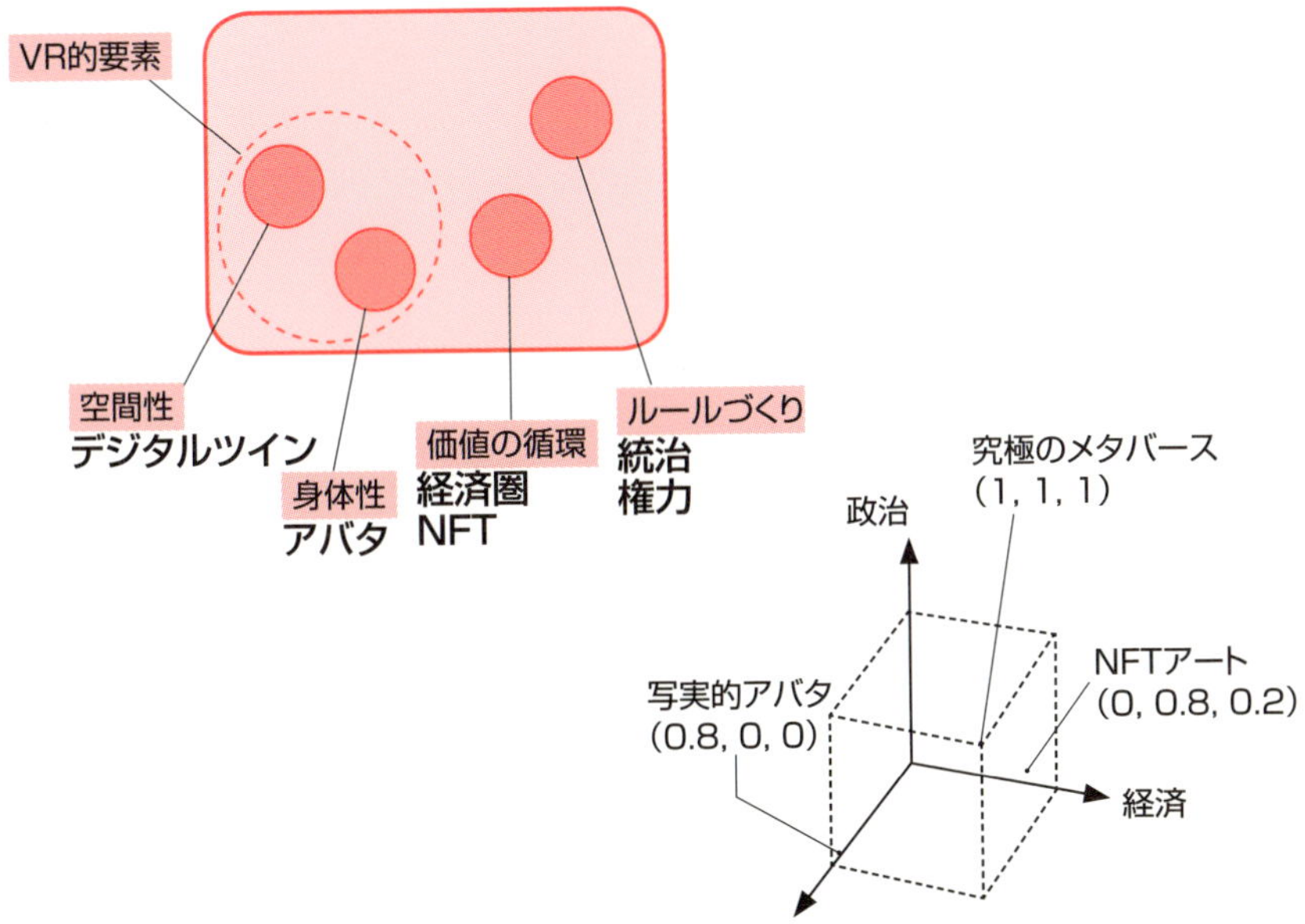

用語解説

NFT：Non-Fungible Token。代替不可能なトークン(しるし、証拠などの意)。

58

メタバースのいろいろ

リアル性の強弱と空間の広狭

メタバースには様々な種類があります。2007年に発表された「メタバース・ロードマップ」によると、図のように縦横2軸の平面で整理すると見通しがよいといわれます。

縦軸はリアルな世界をどれだけ意識するか。リアルが強い時は現実世界の「情報による拡張」が、バーチャルが強い時は「シミュレーション」が中心的な話題になります。横軸は自分を中心に考えるか、空間を中心に考えるか。この2軸で決められる象限（図の①〜④）にいろいろな世界が存在するわけです。

まず④バーチャルワールドから。自分の体験が中心となるシミュレーション世界、狭義のバーチャル世界です。眼の前に存在する世界そのものにはそれほど大きなコンテンツ性が要求されず、ただ楽しみ体験できればいいのです。

③ミラーワールドは、自分の外側に存在する空間そのものに意味がある世界です。例えばGoogleマップのストリートビューなどはコンピュータの中に取り込まれた現実世界で、渋谷区が作った「バーチャル渋谷」などもこのカテゴリでしょう。

③の上方向はシミュレーションではなく、現実の「拡張」です。ここは拡張された現実空間、6項で説明した②拡張現実の世界に他なりません。

そして最後は拡張された自己の世界です。①ライフログは分かりづらい言葉ですが、自己の記憶の拡張とでも考えればよいでしょう。最近注目されている「拡張身体」などもこのカテゴリでしょう。

あくまで活動空間やユーザーの身体などに注目した分類であり、その空間を利用するためのルールやコミュニケーションの仕方などにも分類があるかもしれません。メタバースという新しい活動空間の分類について、読者の皆さんもいろいろ考えてみたらいかがでしょうか。

要点BOX

- メタバースは広がり続ける世界
- 4つの事象が重なる部分が技術領域となる
- ルールやコミュニケーションも分類が可能

メタバース空間の分類

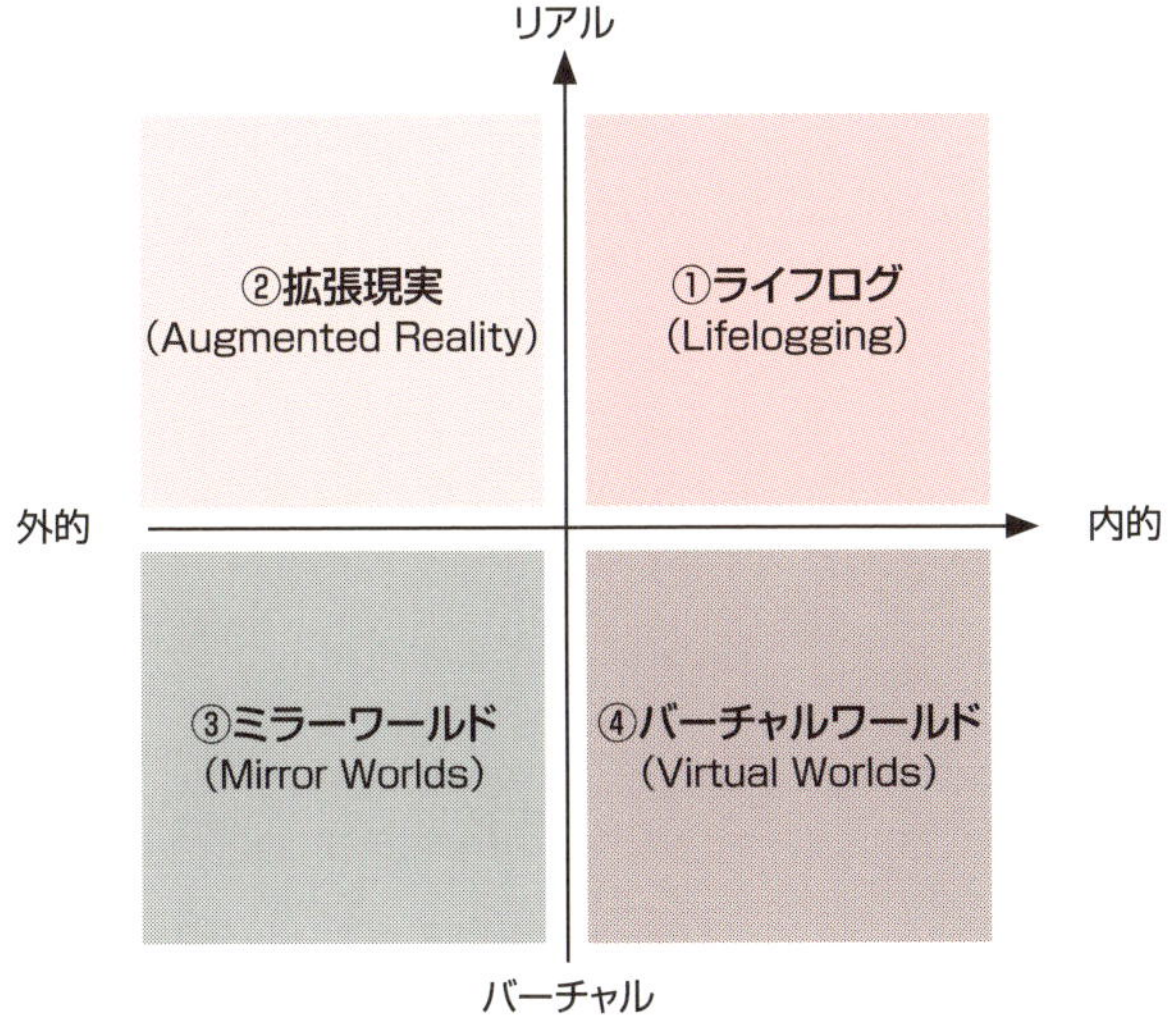

分類軸

- 縦軸：意識の軸足が現実世界(Real)かシミュレーション世界(Virtual)か
- 横軸：意識の軸足が自分(Intimate)か空間(External)か

具体例

① ライフログ(Lifelogging)：

記録した個人世界の共有。Instagramなど
(当時の言葉ではmobile blogging)

② 拡張現実(Augmented Reality)：

いわゆるAR世界。セカイカメラ、QRcodeなど

③ ミラーワールド(Mirror Worlds)：

今でいうDigital Twinの世界。Google Earth、Plateauなど

④ バーチャルワールド(Virtual Worlds)：

いわゆるVR世界。セカンドライフ、VRChatなど

用語解説

メタバース・ロードマップ：Acceleration Studies Foundation。https://www.metaverseroadmap.org/overview/

バーチャル渋谷：渋谷区公認の配信プラットフォーム。デジタル空間上のもう1つの渋谷。https://vcity.au5g.jp/shibuya

59 手軽に使えるメタバース

オープンソースのソーシャルVR

アバタを介して複数のユーザーとコミュニケーションが取れるソーシャルVRサービスは、様々な民間企業や団体によって運営されています。ソーシャルVRサービスには配信に特化したものや、イベントに特化したもの、ユーザーがアバタやVRワールドをカスタマイズできる自由度の高いものなど、それぞれ特徴があります。ほとんどのサービスでは利用料金はかかりませんが、専用のアプリケーションをインストールする必要があります。そのため、OS（基本ソフトウェア）によっては利用できないサービスもあります。

手軽に使えるソーシャルVRサービスの1つとして、オープンソースで開発された「Mozilla Hubs」があります（**図1**）。HubsはMozilla社が提供するWebVRのプラットフォーム。特別なアプリケーションをインストールすることなく、一般的なブラウザで動作します。そのため、URLを共有するだけで、手軽に複数人でVR空間での交流が可能です。スマホ、パソコン、VR端末といったマルチデバイス環境で動作し、ウェブベースであることからVR空間でパソコン画面を共有できるといった特徴があります。HubsにはVR内のワールド（シーン）をブラウザで作成できる「Spoke」というツールが提供されています（**図2**）。さらに「Hubs Cloud」と呼ばれる独自ホスティングサービスのためのリソースが提供されており、AWS（Amazon Web Service）のサーバーで立ち上げることで独自ドメインで運用したり、商用利用ができるようになったりします。

一方で、アバタをアップロードすることはできますが、簡素なアバタしか利用できず、他のメタバースサービスと比べて細かいインタラクションはできないといった制約があります。同時に参加できるユーザー数が他のサービスと比べて少ないなどのデメリットもあります。ただし、オープンソースであるため、ある程度の技術や知識が必要となりますが、自らコードを書くことで機能を追加するなどの拡張は可能です。

要点BOX

- ブラウザだけで動作するウェブベースのソーシャルVRが登場
- ユーザーがカスタマイズできる自由度に差

図1　Mozilla HubsのVR空間

図2　SpokeでVR空間を作成

60 アバタの作り方・使い方

自分の分身として動く3Dキャラクター

ソーシャルVR空間で自分の分身に相当するアバタ。ソーシャルVRサービスでは無料で様々なアバタが用意されています。アバタの見た目を変更できますが、その自由度はサービスごとに異なります。例えば、あらかじめ用意された顔のパーツや輪郭、髪型、体型を組み合わせてアバタを作ることができます。

一部のソーシャルVRサービスでは用意されたものではなく、ハイクオリティーのオリジナル3Dアバタを使うことができます。アバタは販売サイトから購入したり、3Dモデラーに作成を依頼したり、自分で作ることも可能です。さらに、アニメ調やカートゥーン調ではなく、写真からフォトリアルなアバタを作って利用することもできます。フォトリアルなモデルを作る方法として、「フォトグラメトリ」と呼ばれる手法があります（図）。この手法では被写体を様々なアングルから撮影し、その複数の画像を解析して立体的な3DCGモデルを作成します。3Dモデルにボーン（リグ）を入れることで初めてアバタとして動かせるようになり、モーションを再生できるようになります。3Dモデルの頂点の形状を変形させることで、音声に合わせて口を動かしたり、自動で瞬目させたりといった設定もできます。アバタはキーボートやマウスで操作することもできますが、トラッキング技術を使うことでより自然な身体の動きを反映させることができます。

現時点ではソーシャルVR空間ごとに使えるアバタの自由度が異なるため、作成したアバタを異なるプラットフォーム間で使い回すことはできません。しかし、使い回したいという要望を受けてVRM形式が2018年に策定されました。VRM形式はVRアプリケーション向けの人型（Humanoid型）の3Dモデルデータを扱うためのファイルフォーマットです。このフォーマットの特徴は、作ったアバタの肖像権や著作権などの権利について、アバタの作者が利用者や操作者に対してアバタの「人格」の許諾範囲を設定できることです。

要点BOX
- ●自分好みにアバタを選択・編集できる
- ●複数の写真から写実的なアバタの作成もできる
- ●自分の身体の動きに合わせて動せる

フォトグラメトリ

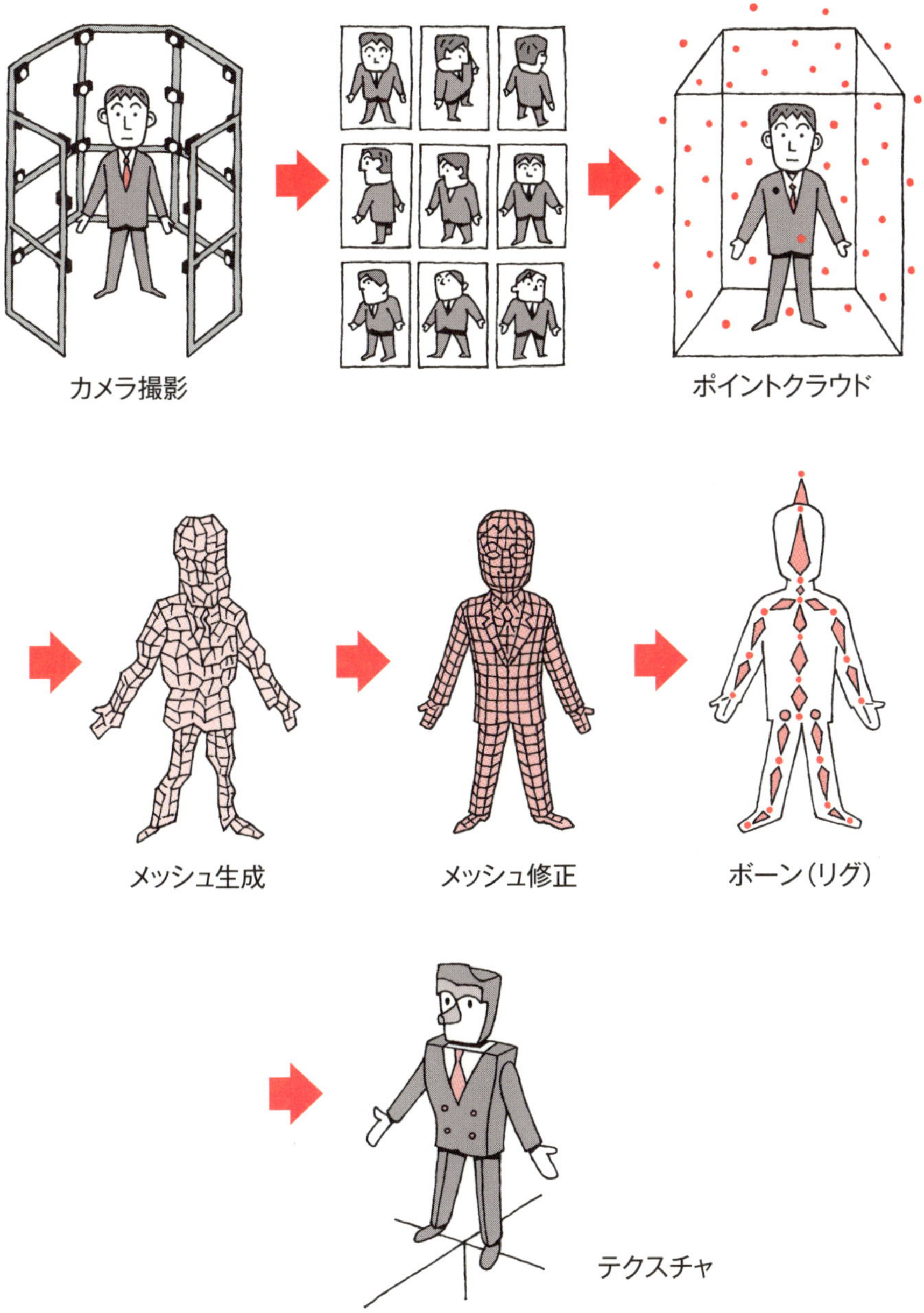

61 WebXRの時代は始まっている

ブラウザはワールドワイドウェブ（WWW）をブラウジングするツールとして知られています。WWWが登場してから30年ほど経過し、ブラウザの役割も大きく変化してきました。2000年頃、Asynchronous JavaScript And XML（A・jax）の基礎技術が登場しました。従来は人がクライアント（ブラウザ）を操作してサーバーにHTTPを要求し、サーバーの応答をクライアントが取得して描画していたのが、この技術によって人の直接操作は必要とせず、ブラウザが自動で再読み込みを柔軟に行えるようになりました。非同期的なリソースの読み込みが可能になったことを契機に、Web2・0として提供可能なサービスの種類が大幅に増えました。

これにより、例えばGmailやGoogleマップのように、ブラウザをリロードすることなく描画情報を更新できる技術が発展しました。そこからWebSocket、WebRTC、WebGL、WebVRに至るまでの技術実装が進み、WebXRへ発展して現在に至ります（図1、図2）。具体的にはHMDなどのXR機器のセンシングデータを使ってXR世界のブラウジングが実現するためのWebXR Device APIの策定が、WWWの標準化団体であるW3Cによって行われています。この技術が本格的に普及するとブラウザベースのメタバースはハードウェアやOSに囚われなくなり、原理的にはFirefoxやChromiumなどのモダンなレンダリングが可能なブラウザで動くようになります。URL1つクリックすればアクセスできる利便性が実現するのです。

一方で、デバイス側のAPIの共通化はKhronos GroupによるOpenXRの本格的な実装が必要となります。こちらも2019年に1・0が策定されたばかりの発展途上の標準ではありますが、今後のVRハードウェアやソフトウェアはこれに対応することが前提になるでしょう。また、現在の課題はユーザーデバイス（スマートフォン、PC、ルータなど）のハードウェア性能です。

要点BOX

- ●ウェブとブラウザは大きく変化している
- ●WebXR Device APIの策定により利便性は高まる

図1　WWWとのインタラクションの進化過程

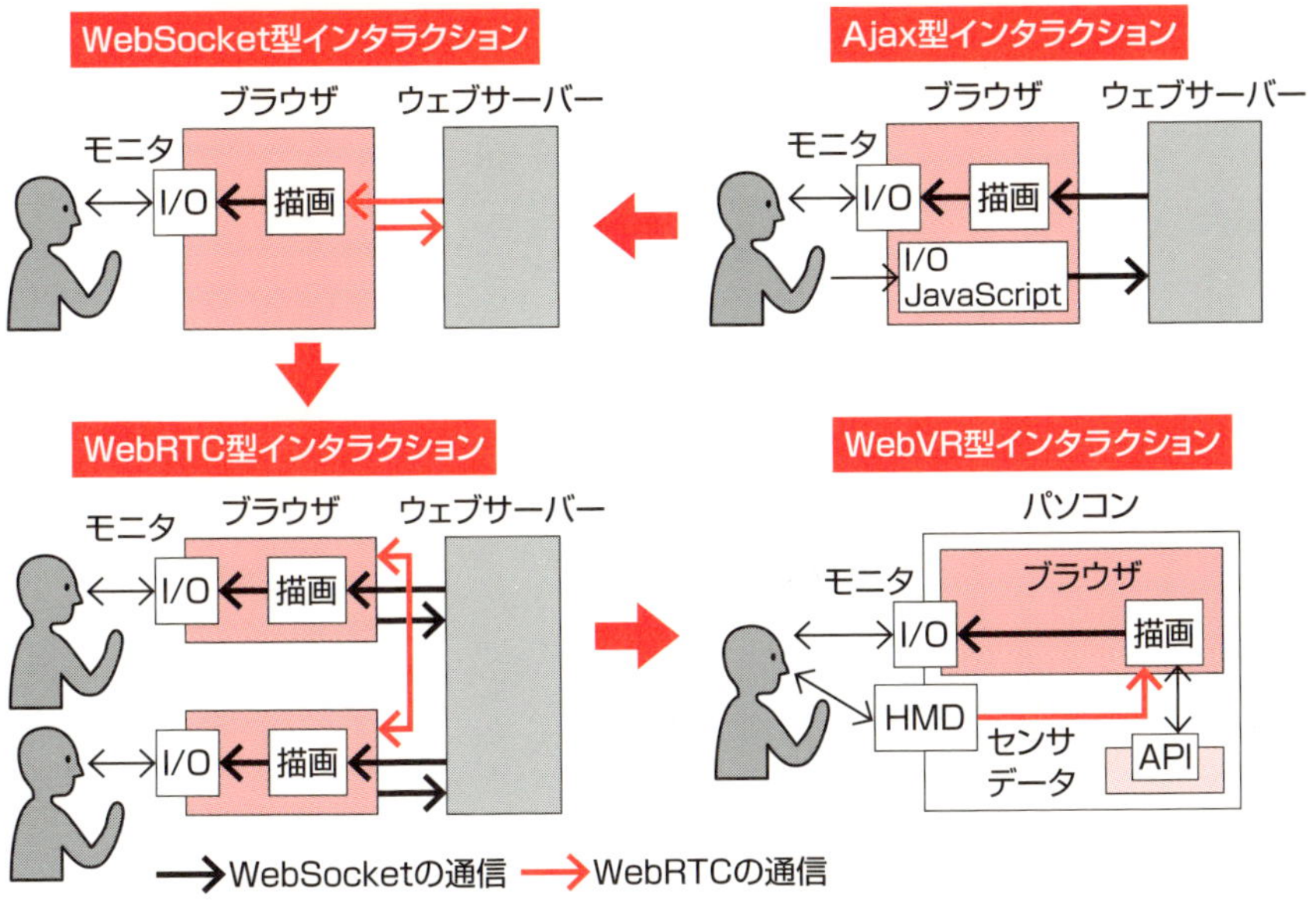

図2　ブラウザ型メタバース　システム稼働例

例)hubs cloud by mozilla + Cloudflare CDN

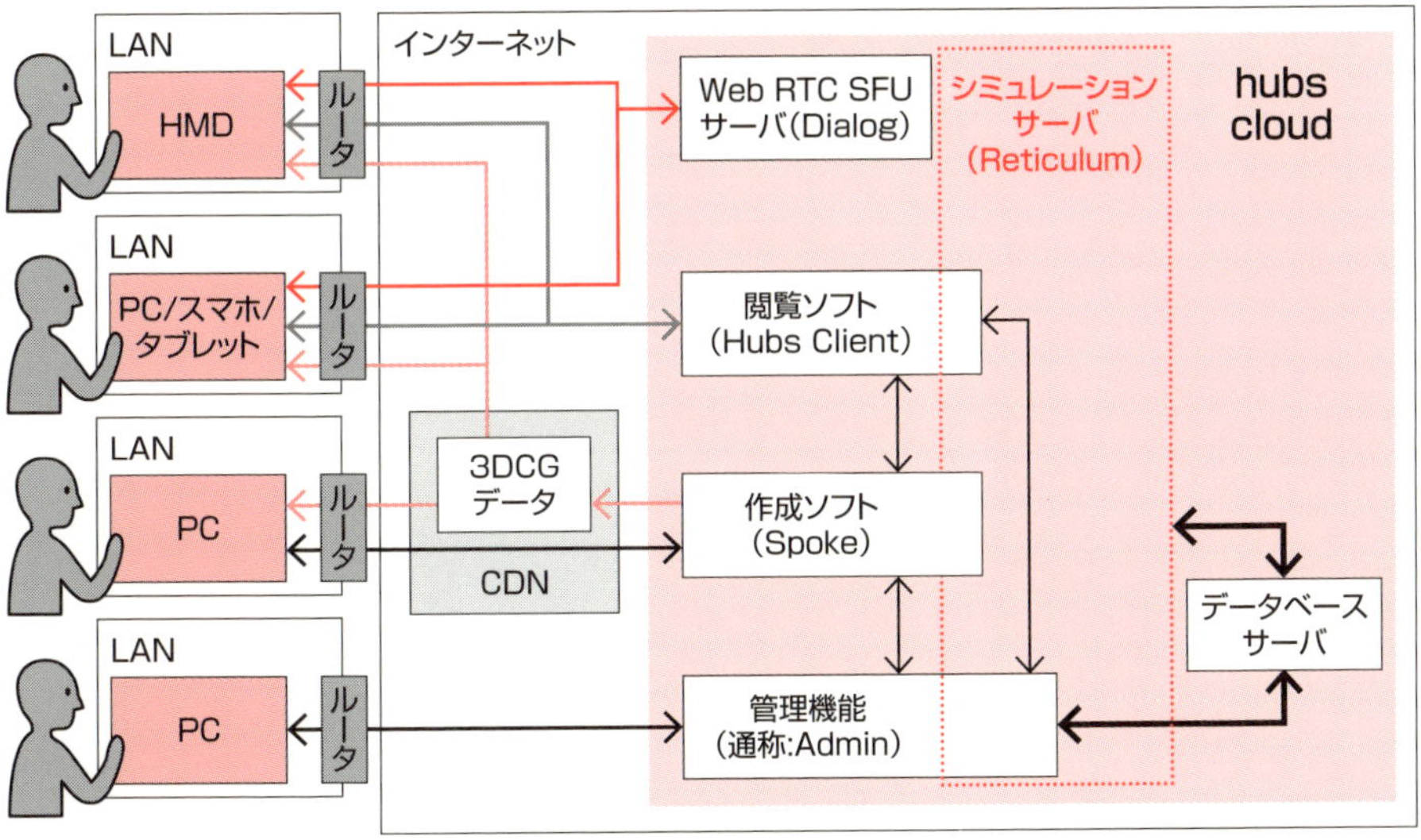

用語解説

Web2.0：2004年頃にいわれ始めたインターネットの新しいスタイル。コンテンツの双方向性により誰もが情報発信者になる。

62 No Motion VR

動かなくても動く？

メタバースやVRは広大な空間を自由に移動し、様々な体験が可能な技術です。VR空間を移動するには、コントローラによって自身のアバタを移動させる方法と、「ルームスケールVR」と呼ばれる現実空間での移動量をそのままVR空間での移動量と対応させる方法があります。ルームスケールVRにおいて、現実世界でVRを利用できる広さ（多くの場合は部屋の広さ）は、VR空間の広さと比較してはるかに狭小です。

この現実世界で使用できる空間の広さとVR空間の広さの違いを補正する手法として、歩いた分だけ元の場所に戻すトレッドミルなどを使った方法や、現実世界とVR空間の移動量や移動方向の対応関係を変化させるリダイレクテッドウォーキング（27項）も有効です。これらを使えば、有限の現実空間の中で無限のVR空間を歩き回ることができるというわけです。

一方で、ベッドや椅子から動くことなくVR空間を移動している感覚を作る技術に関する研究も行われています。このような技術は「No Motion VR」や「Motion-Less VR」と呼ばれます。これらの技術では、例えば身体を拘束した状態で、力センサ付きの把持型装置によって指が実際には動いていなくても指が動いたようにアバタの指を動かす手法を構築しています（図1）。また、モーションチェアや足裏の振動刺激を利用することで、椅子に座りながらあたかも歩行しているような感覚を作り出す研究も行われています（図2）。モーションチェアは全身を揺さぶることで、皮膚が歩行に伴って受ける感覚や加速度などの感覚である前庭感覚を作り出します。足裏の刺激は歩行に伴って地面から受ける衝撃のような触覚を再現します。

No Motion VRは、歩行ができないユーザーも利用できる利点があります。しかしながら、現状ではやはり実際に部屋の中を歩行するルームスケールVRと比較するとその臨場感はまだ劣っているといってよいでしょう。研究のさらなる発展が期待されています。

要点BOX

- 有限なスペースで無限なVR空間を移動できる技術
- 臨場感を高める試行錯誤

図1　把持型デバイスによって手を動かさずに動いている感覚を作り出す研究

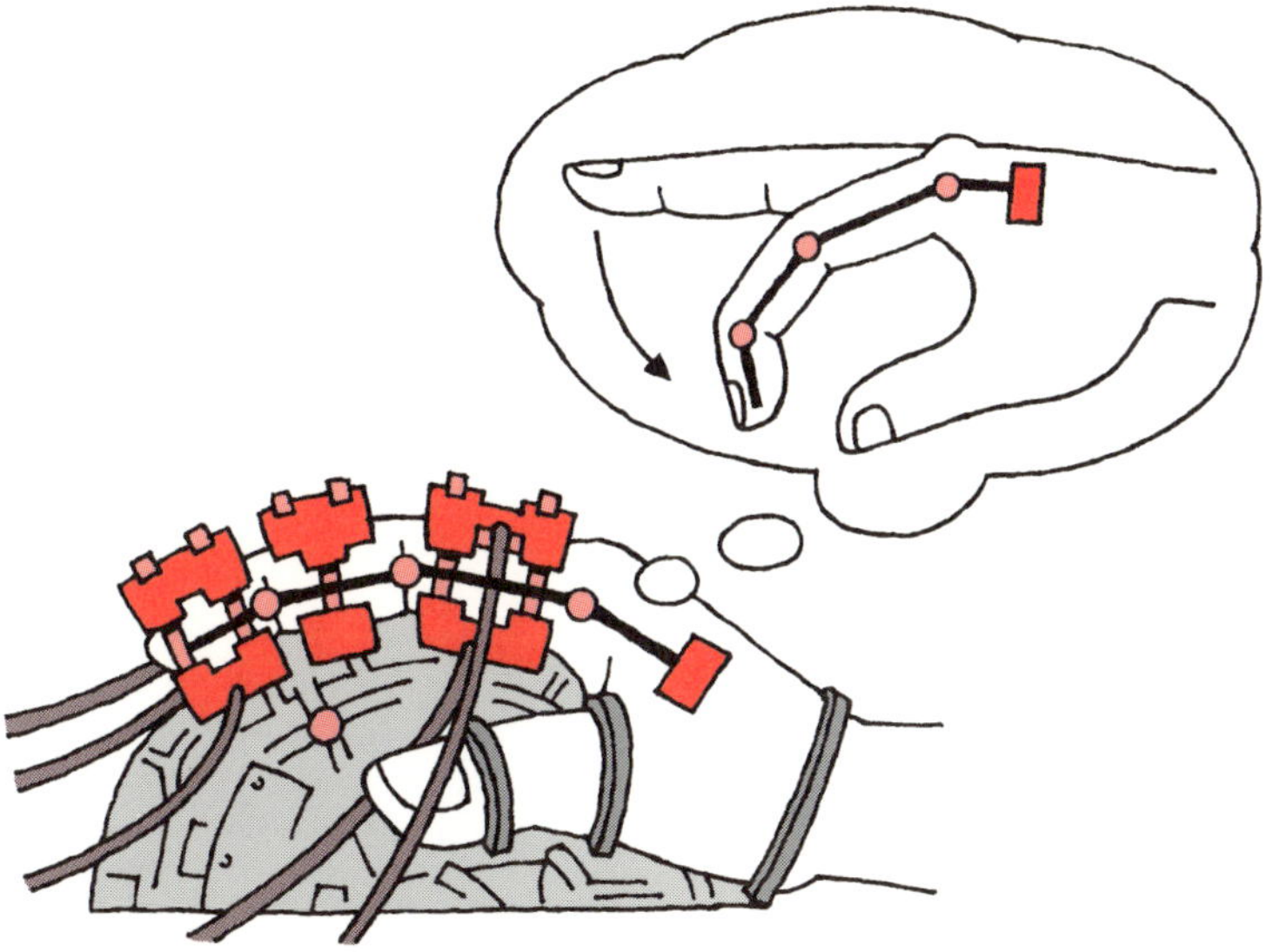

図2　モーションチェアや足裏振動を利用した歩行感覚生成技術

63 持続可能なメタバースのための経済圏

2人いれば現実同様の経済が生まれる

経済学では『ロビンソン漂流記』(ダニエル・デフォー著)の主人公・ロビンソンが漂着した無人島で行う生活を、経済の基礎理論にあてはめて考えることを「ロビンソン・クルーソー経済」といいます。「財(有形)」と「サービス(無形)」には付加価値があり、これらを取引する場として「市場」があります。消費者と生産者が主体で、需要と供給を元に財やサービスの取引が行われると、経済が成立しているといえます。これは消費者・生産者が1人だけであっても、財の生産(食料：ココナッツや魚)に必要な労働時間には制約があり、どの財をどの程度生産するか適切な生産活動配分を考え、休憩時間も確保する必要があるなど、自給自足の閉鎖空間にも経済が発生しているといえるのです(**図1**)。

また、空間に1人でも増えると財と財の交換が可能になり、純粋交換経済が確立します。つまり、VRやメタバースに財・時間・交換を実装できれば経済が発生し、NPCや友達が1人でも空間に訪れることが可能であれば、現実同様の経済が実現します。

一方、様々な人や組織が登場してくると交換経済の成立が難しくなり通貨が必要になります。様々な空間同士の貿易や財の持ち出しに関する問題も生じます。このような現象は、現実世界で行われてきた経済史の反省を活かしつつも、ある程度なぞると予想されます。

現在はVR SNS単位の閉鎖経済、かつユーザーに財の所有権がない世界が多いものの、今後は解消した貿易協定や通貨協定の登場が期待されます。これは個々のVR SNSの持続可能性やユーザーの財の保護を考慮すると、持続可能なメタバースに必須の仕組みです(**図2**)。付随して、現実の経済圏とのつながりや、通貨としての暗号通貨の有用性、NFTの必要性などの議論もありますが、無人島では貨幣が役に立たないように、金融経済を考えるよりまずはVR内の「real economy」市場の確立が必要です。

要点BOX

- ●無人島でも経済は成立する
- ●通貨や経済圏の議論は尽きないがVR内のreal economyが重要

図1　ロビンソン・クルーソー経済

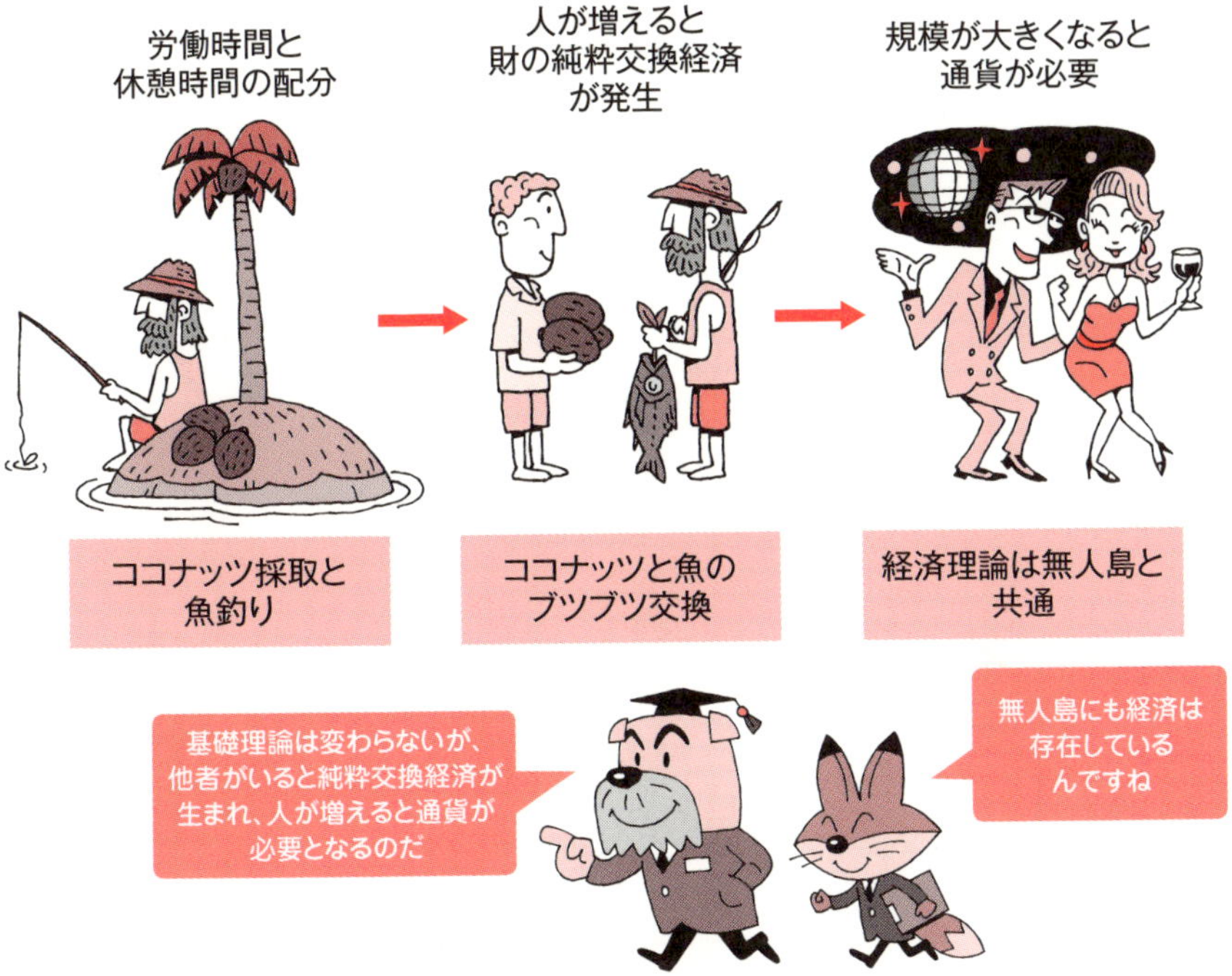

図2　メタバース経済圏

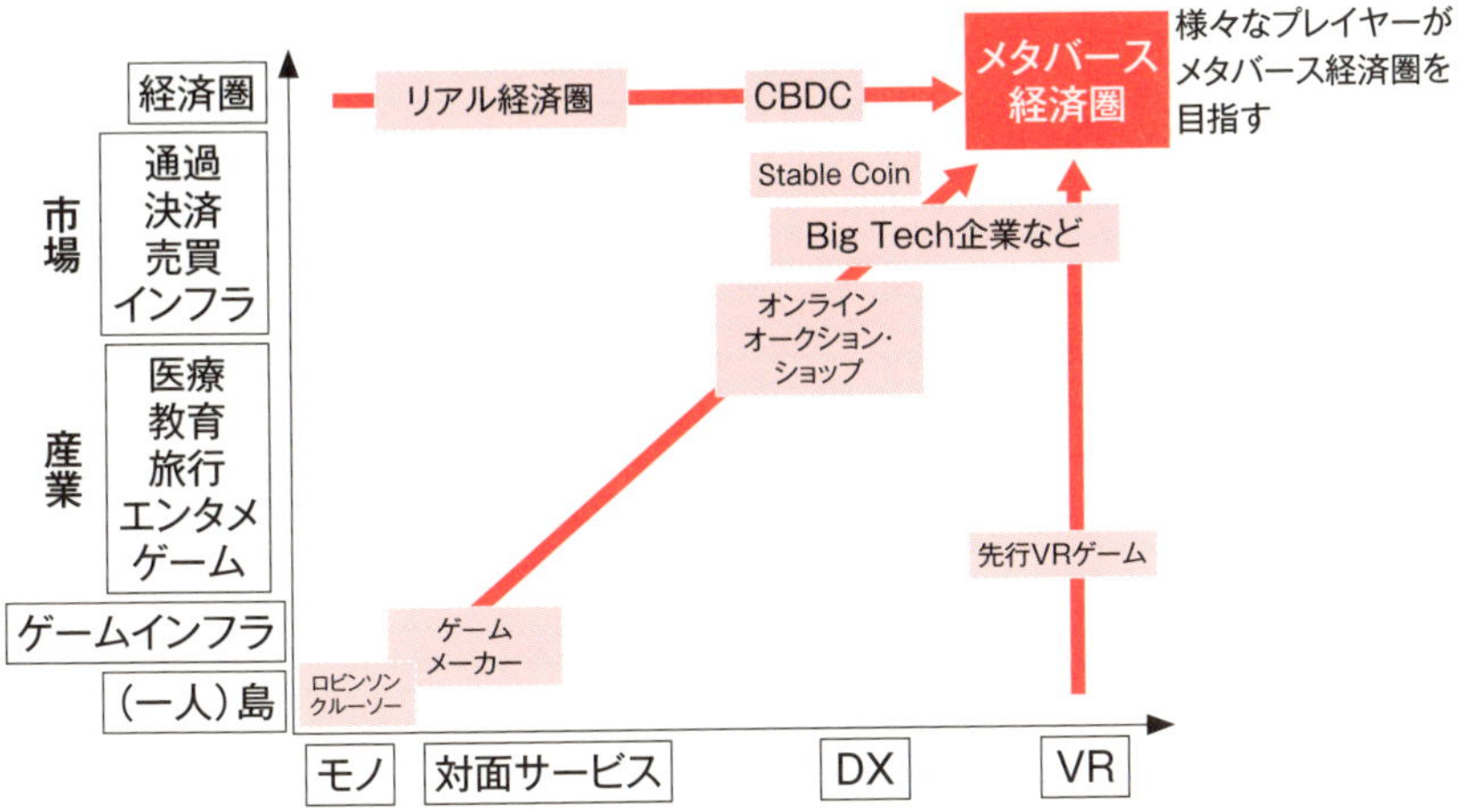

用語解説

NPC：ノンプレイヤーキャラクター。プレイヤーが操作しないキャラクター全般を指す。
CBDC:中央銀行デジタル通貨。デジタル化、円などの法定通貨建て、中央銀行の債務として発行されているもの。

64 メタバース内の"自分"は誰のもの？

アバタのアイデンティティの帰属

　メタバースが、インターネットやWWWのように大規模にネットワーク化された1つの場であるならば、その場で活動する人たちが営む生活や社会は、既存のインターネットが社会に与え続けているインパクトと同等、またはそれ以上のインパクトを与えると考えられます。現在、メタバースを利用する時は、3Dモデルデータをアバタとして利用してメタバース空間に入るのが一般的です。そのアバタは自分で制作または購入して利用することになり、メタバース黎明期《れいめいき》の今では、アバタやその他のユーザー生成コンテンツ（UGC）の権利問題が大きく取り上げられています。

　サービスが終了すると、そのプラットフォーム上で制作したデータは失われることが多いです（**図1**）。例えば、サービスが終了したアバタ制作ツール「Vカツ」では、プラットフォームを用いてユーザーが制作したUGCアバタがエクスポートしたものを含めて今後の利用が禁止となりました。アバタはただの3Dデータではなく、自分自身の分身のような使い方をするため、プラットフォームでの利用禁止措置は自分自身の否定とも捉えることができます。

　このような問題の対策方法はいくつかあります。例えば、3Dモデル制作ソフトウェアやプラットフォームの利用規約を確認すること。ソフトウェアやプラットフォームのサービスが終了するリスクや、サービスが終了せずとも急な規約変更や高額な利用料を求める可能性はあります（**図2**）。現在のWWWでも見られますが、低価格で囲い込み有意な寡占市場下で有料化や値上げをする経営戦略も珍しくありません。これはUGC文化の破壊をも引き起こしかねず、また自分を定義づけるアカウントの保持方法や認証方法の課題にも波及します。ユーザー側でできる対策は多くありません。WWWで培ったソフトウェアのオープンソース文化やオープンIDを用いたアカウント管理がメタバースのエコシステムに早期実装されることを期待します。

要点BOX

- ●サービス終了後のアバタデータの行方
- ●UGCの権利をユーザーが持てない
- ●ユーザーによる対策法は少ない

図1　ユーザーがデータを所有できないという問題

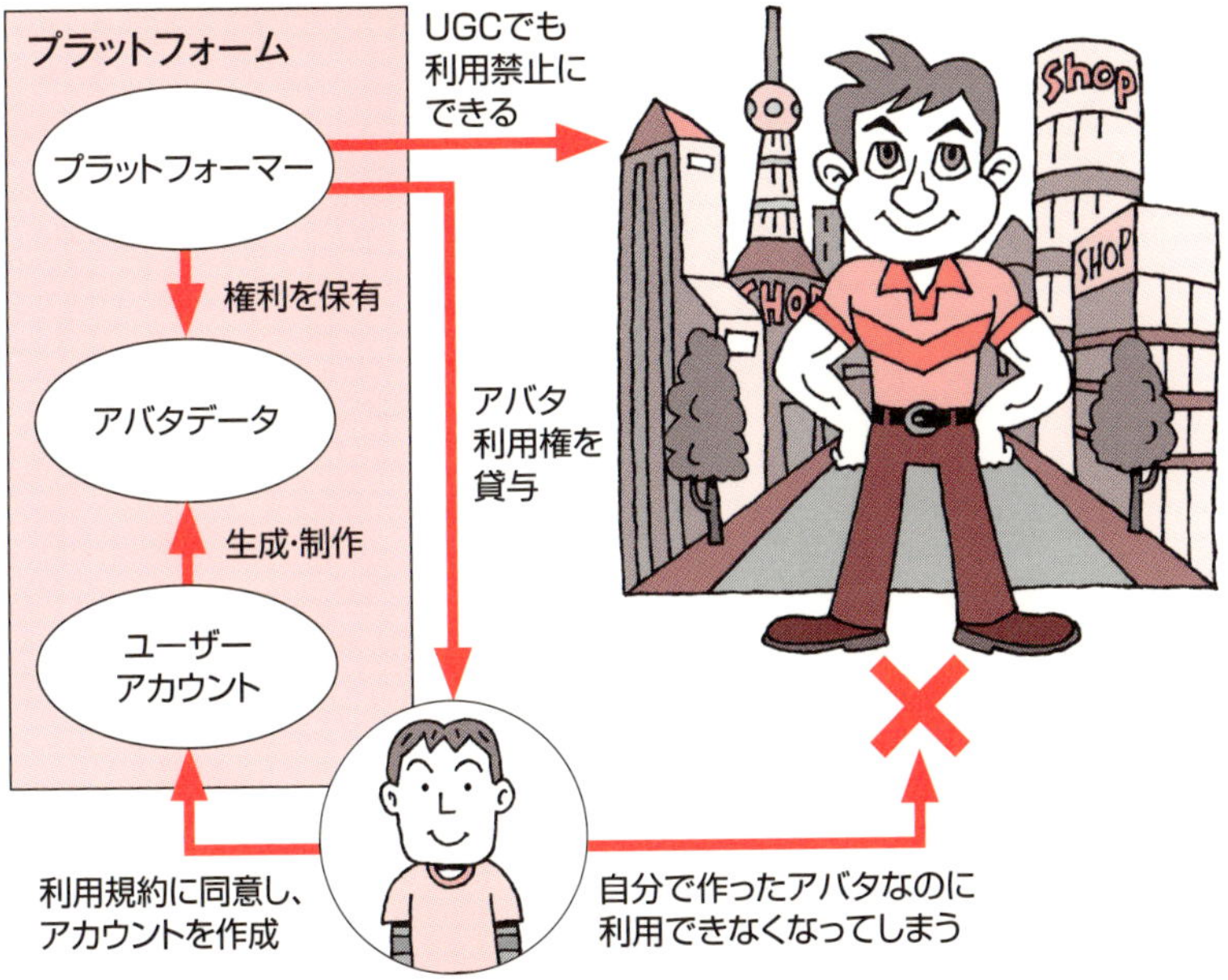

図2　プロプライエタリソフトに依存するリスク

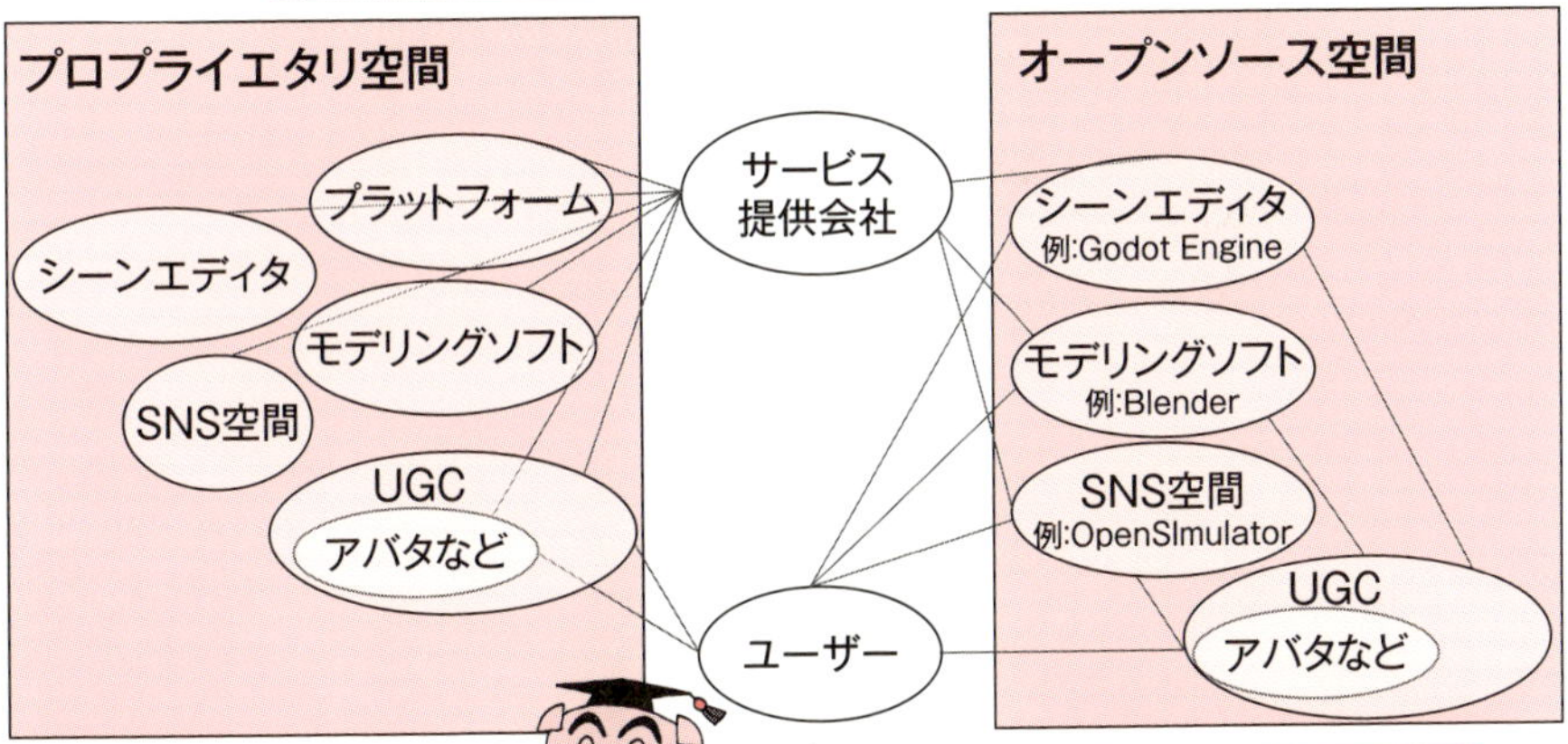

用語解説

プロプライエタリ：「所有者の」「非公開」の意味で「オープン」の対義語。

65 メタバース以前に育まれてきたVR SNS

VRユーザーの集うコミュニティ空間

Facebookが社名をMeta Platformsへと変更しました。これに伴い、投資家たちの間でメタバースがある種のバズワードとなりました。一方で、メタバースという言葉が大々的になる以前から、VR空間上で他のユーザーとコミュニケーションを行う、「VR SNS」と呼ばれる空間やサービスが存在しています（図1）。

VR SNSの人口は、およそ4年ほど前からライブ配信者やSNSの影響で増えており、VR SNSなしにメタバースを語ることはできません。VR SNSの魅力は、ユーザーらが作り出したコンテンツ（VR空間、アバタ、ゲーム）を共有できるUGCです。特に、ユーザーがVRで身にまとうアバタはメインコンテンツの1つとして人気があります。VR SNSでは多くのユーザーが3Dモデリング技術を新たに学び、売買するようになっています。自作アバタ販売の祭典であるバーチャルマーケットは回を増すごとに来場者が増加しており、最新回では10万人を超えています。

VR SNSを使うために高度な技術は必ずしも必要ではなく、イベントに参加して他のユーザーの創作物を体験したり、多くのユーザーと出会うことでコミュニティを形成したりすることも魅力なのです（図2）。

昨今、多くの企業がメタバース事業に取り組むことを検討しています。その事業によってメタバースに参入するユーザーや企業と、現在のVR SNSユーザーとの間には、ニーズの認識や求められるCG・体験のクオリティに対して様々な形でギャップが出てくるものと考えられます。そのため、ある種では既存のメタバースユーザーであるともいえるVR SNSのユーザーや、これまでそのユーザーが作り出してきた文化リサーチは徹底して行われるべきでしょう。むしろ、舌に肥え技術にも長けた彼らのサポートを積極的に受けることは、メタバースの技術や文化全体の隆盛につながっていきます。

要点BOX

- ●VR SNSのユーザー数は増加傾向
- ●ユーザーの作ったコンテンツを楽しむ場
- ●マーケティングにおいて重要コンテンツ

図1　注目のVR SNS

サービス名	特徴
VRChat	人口が多い。シェーダー（陰影処理）が自由に編集できる点はNeosVRの自由度を上回っている
Mozilla Hubs	ウェブVR。オープンソース。アバタ機能やギミック機能は少ない
Cluster	国産プラットフォーム。もともと発表会目的で開発されたのでプレゼン機能が充実している
NeosVR	VR空間上で、他のユーザーと一緒にノードを組んでプログラミングができるので、ペアプログラミングが可能。自由度は突出して高い
RecRoom	人口は圧倒的に多い。アプリ側のアバタ編集機能を使うので、リアルなアバタなどは作れない。デイリーミッションなどのチャレンジ機能がある。自作アイテムをプラットフォーム内で販売することができる(ゲーム内通貨を稼げる)
Spatial	自撮り写真1枚で自分の顔のリアルアバタを作れる。MRデバイスに対応している
Sansar	セカンドライフの開発企業が開発元。有名人のバーチャルライブイベントで注目を集めている

図2　VR SNS

（主催者提供）

66 ブロックチェーンが成す世界

2021年より流行しているWeb3は、ブロックチェーン・プラットフォームであるEthereumの共同設立者の1人、Gavin Wood氏による2014年の用法が最初といわれています。

その時に「ブロックチェーン技術を用いた非中央集権型のオンライン・エコシステム」であると述べ、現在ではこれを発展させ、①Decentralized（分散型）②Permissionless（不特定参加型）③Native payments（ネイティブ決済型）④Trustless（信頼性の不要型）の4つの原則がベースにあります。具体的な応用例としてはDecentralized Finance（DeFi、分散型金融）やNFTです。

2014年当時、Wood氏がこの概念を創出した際には「Web3・0」という単語を用いましたが、それはすぐに「Web3」に改められました。すでに「Web3・0」という概念があり、混乱を避けるためです。Web1・0〜Web2・0は技術的な発展とともにある一方で、Web3は現代になってからインタラクションの変化を抽象的に注目したのが特徴です（図1）。

ブロックチェーン技術を基盤としたDecentralized Application（DApps）の1つとしてメタバースがあります（図2）。ブロックチェーンはイーサリアム（ETH）をベースとしたものが多く、ブロックチェーンゲーム「Decentraland」が1番有名です。アカウントがなくてもブラウザからゲストプレイできるので、気軽に体験できます。

一方、これらのサービスも土地の売り出しはサービス運営管理であることやETHと価値連動する問題点も多く、Web3の原則がメタバース上で実現するにはまだ課題は多いです。ただ、メタバースを基盤として、服飾アイテムなどの一部にNFTなどを活用する検討も進んでいます。

要点BOX

- Web3は2014年の用法が最初
- Web3とWeb3.0は別概念で混同禁止
- Decentralizedに対するメタバースの挑戦

図1　Web3.0とWeb3の比較

■Web1.0
1.0と言い出した人はいないがTim Berners-Lee氏が1989年頃より欧州原子核研究機構（CERN）で開発したものが普及。
技術的にはHTML、URL、HTTPなどの技術群。

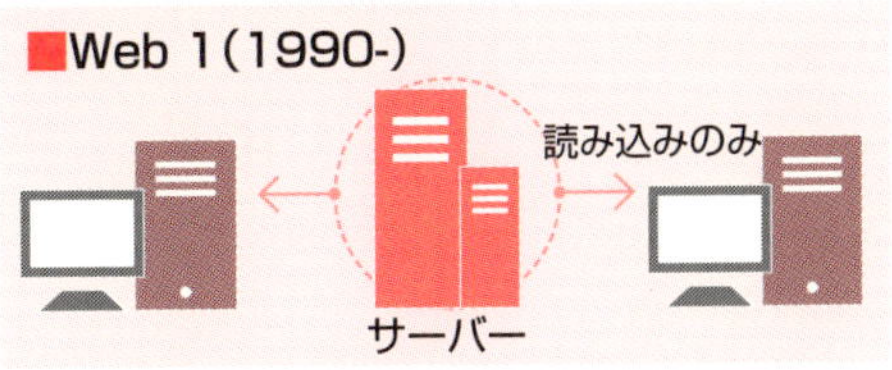

■Web2.0
Darcy DiNucci氏が1999年に使用し、Tim O'Reilly氏などが2004年以降使用して普及。
技術的にはAjaxなど〝Web as platform〟の技術群。

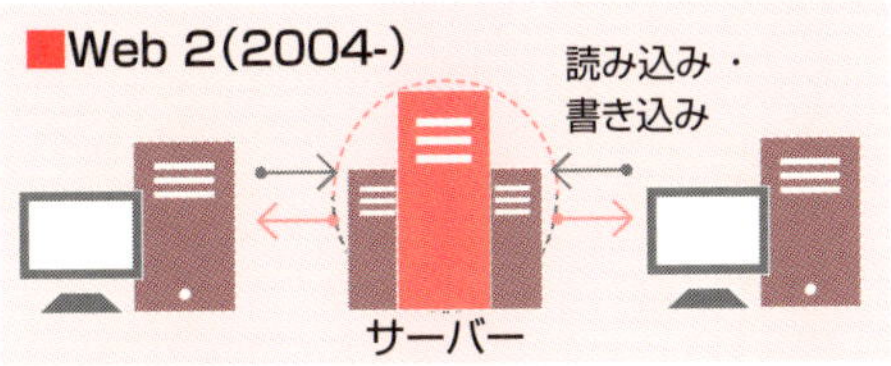

■Web3.0
Tim Berners-Lee氏が1998年頃から提唱したSemantic WebとWeb2.0を包摂する概念として2006年に登場。
技術的にはRDF、SPARQLなどの技術群。

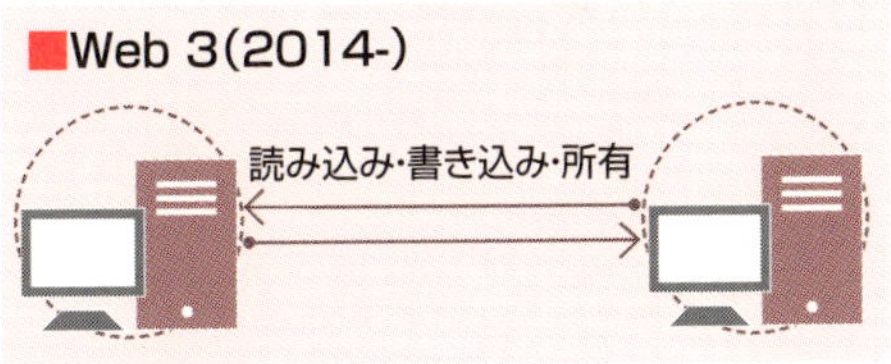

図2　メタバースとWeb3

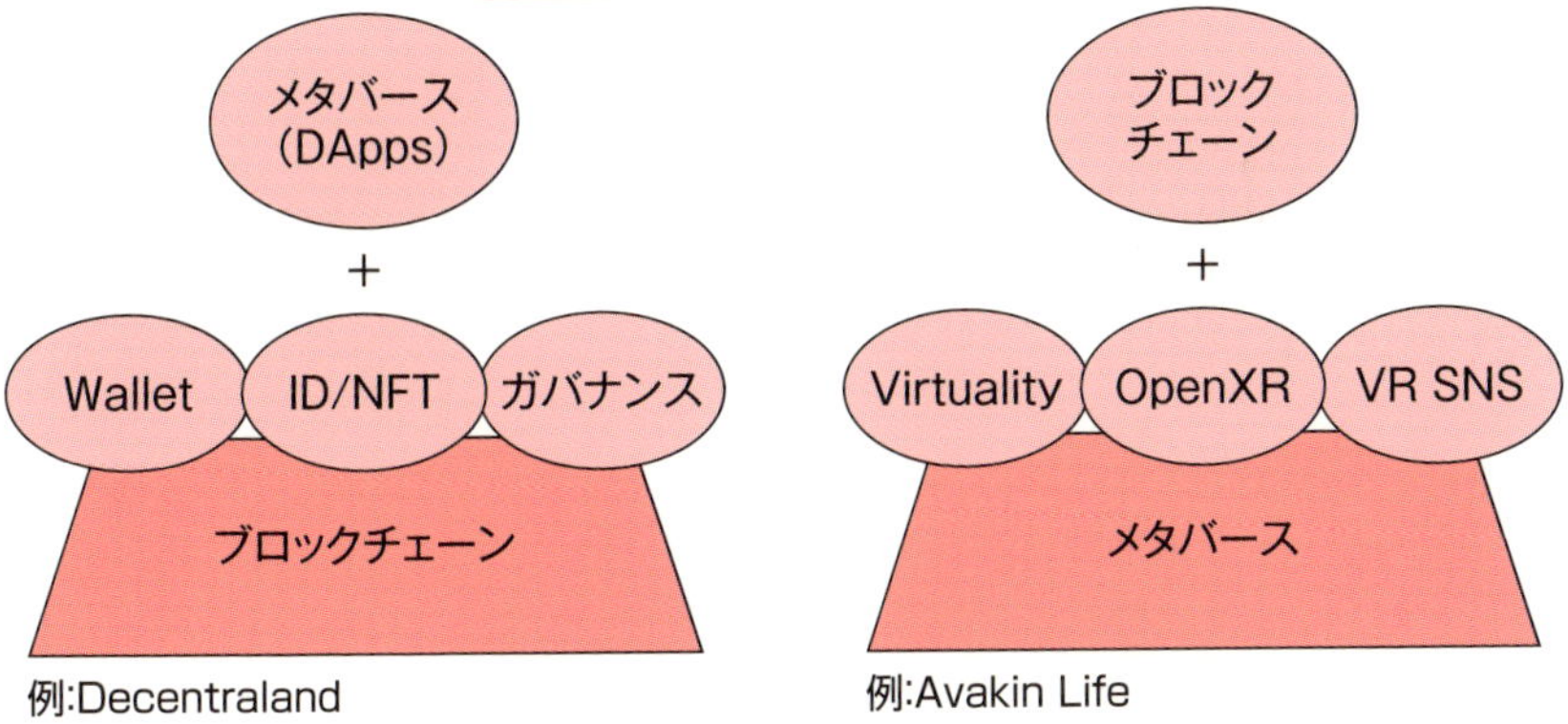

67

社会のバーチャル化からメタバースへの発展

バーチャルだからできること

VRやメタバースが社会で興味を持たれているのは、「本物そっくり」の環境をデジタルに作り出して、その中で様々なコミュニケーションをとることができるからには違いないでしょう。しかし、それならば本物の方がいいではないですか。わざわざお金をかけてバーチャル化する意味は何でしょう。「本物そっくり」だけがVRの究極の目的であるならば、結局は本物に勝つことはできないのではないでしょうか。

著者はVRでなければできない「何か」を発見しないかぎり、VRという技術の本質的意義を見出すことはできないのではないかと考えています。つまり、**図1**に示すように、〝生の〟現実体験にフィルタをかけることがVRやメタバース技術の特色と考えます。

こういうことを考えてみましょう。高齢化はわが国最大の問題といってもよいぐらいに深刻化しています。現実世界では、高齢者がいつまでも外で活躍するのはなかなか難しいことです。ところが、リモートであれば、例え身体が思うようにならなくても社会と関わり続けることができるはずです。

図2は「高齢者クラウド」という一歩進んだアイデアです。現役引退後も働きたい人は多いのですが、そのスキルと社会のニーズが合致しないことは間々あります。スキルをいわば因数分解して、再組み立てすることによって、いろいろなスキルを有する労働力を再構成することができるでしょう。3人で1人のスーパーマンを作ることなども可能かもしれません。アバタの技術と組み合わせると、より効果的でしょう。

地域格差にしても同様です。都市部への人口集中が深刻化しており、地方都市はますますやせ細っていき、何十年か後にはかなりの地方都市が消滅する可能性があると指摘されています。こういう問題にも、本書で述べたようなVR系の技術は期待できましょう。〝リアル〟だとどうしても解決の難しい問題を、〝バーチャル〟で解くことが可能です。

要点BOX

- 「本物そっくり」だけじゃない利点を見出す
- 社会が抱える問題の解決策として大いに期待されるVR

図1　生の現実体験にかけるフィルタ

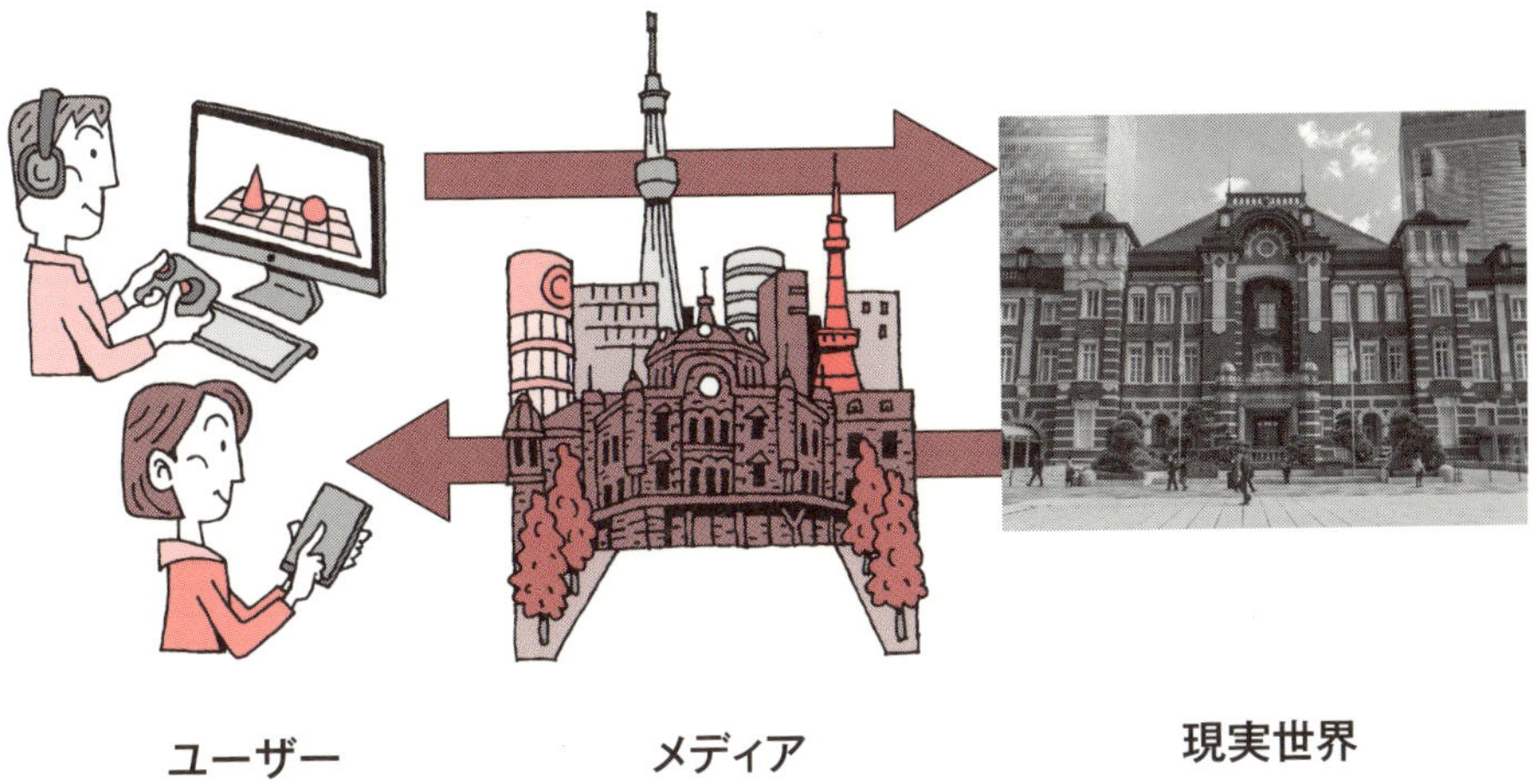

図2　高齢者クラウド「労働力の仮想化」

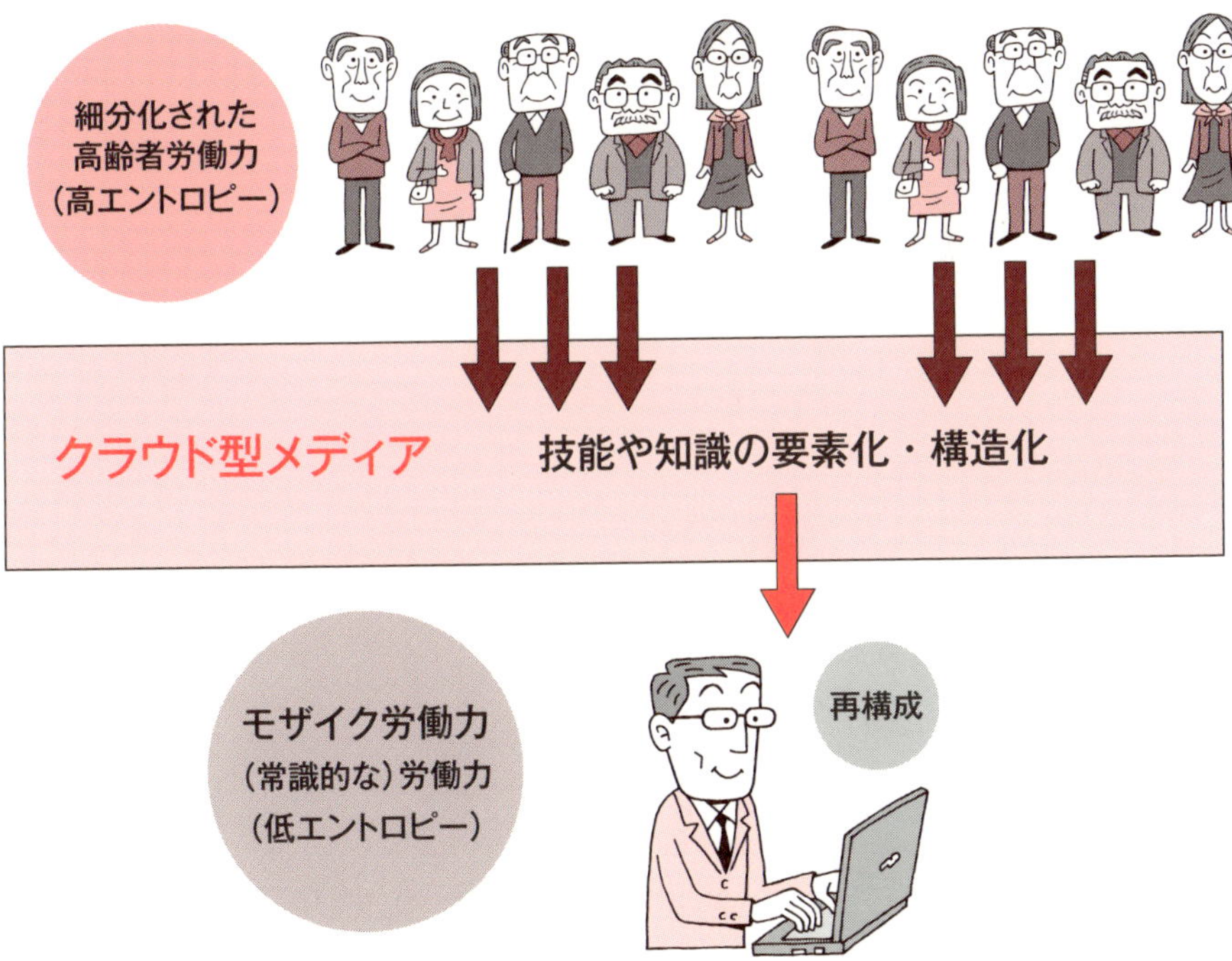

Column

バーチャルへの進化の条件

「メタバースが世界を変えるかも知れない」といわれています。例えば、メタバースは、リアルなオフィスなしに様々な企業活動を可能にします。現在、当たり前と思われている、都心の大規模オフィスに、郊外の自宅から長い時間をかけて通勤するという20世紀型のライフスタイルは崩れてしまうかもしれません。都心に集約された高層ビル群はその存在意義が議論されるようになるかもしれませんし、交通の体系なども大きく変化することが予想されます。

リモートを中心とした新しいライフスタイルが21世紀には当たり前になるかもしれません。自律分散型の社会が実現するわけで、Ｗｅｂ３、ＤＡＯ(Distributed Autonomous Organization、自律分散型組織)などの話題となっているキーワードは、メタバースと軌を一にする革新の波だと思います。これらはセットかもしれません。

生物が進化する時、いろいろな変化が同時に起こる必要があるといわれます。両生類から爬《は》虫類《ちゅうるい》への進化により、動物の陸上征服が本格的に開始されました。爬虫類は、卵にカラを持ち、それがゆえに陸上産卵ができるようになったからです。しかし、単にカラができただけでは、子どもはカラを破れないのでその変化は破滅的です。カラを破るための歯ができる、カラの内側で排泄物を処理する尿膜ができるなど、いくつかの〝協働的変化〟があってこそ、卵のカラという変異が正当化されるのです。

イノベーションもまったく同じです。私達の社会が大きくバーチャルへと頭を向けるためには、いくつかの変化を同時多発的に起こさないといけないのです。単体の変化だけを捉えては、改悪にしか見えないかもしれないのです。

コロナ禍によって、社会が大きく揺らいでいる現在、社会システム全体のリニューアルのタイミングについて考える時期が到来しているともいえるでしょう。

簡単にできる！ VR体験

●メタバース体験

東京大学バーチャルリアリティ教育研究センターが作成したメタバース空間です。入室した部屋を通り抜け、らせん階段の続く、不思議な空間に足を踏み入れてみましょう。メタバースだから創造できた空間を、体感できます。指を2本使って、空間内を移動できます。らせん階段をのぼることも可能です。東大VRセンターのメンバーと交流することもできるかもしれません。

https://vr.u-tokyo.ac.jp/simple-experience/

●御料車VR

「御料車」という皇族専用客車の中をVRで体験できるアプリです。通常は中に入ることができませんが、VRコンテンツとして内部を見ることができます。東京大学と鉄道博物館との共同研究成果です。

https://www.cyber.t.u-tokyo.ac.jp/~digitalmuseum/WebGoryousya/walkthrough.html

●ドア開けVR

自分が指を置いて、その指を使ってドアを動かした時の風景を表示することで、自分が動かしていないのにも関わらず、あたかも自分が動かしたように感じることができるアプリです。

最後まで指を置いて体験する場合と、指を離してただドアが開いているのを見ている体験では、異なった体験に感じませんか。指を離すと自動ドアのように勝手にドアが開いているように見える一方で、指を置くと「ドアを動かしてるのは自分だ」と錯覚してしまいます。

このように、対象を動かしたのが自分であるという感覚を「行為主体感」といいますが、行為主体感を生起することで、インタラクションを拡張することを目指しています。

このアプリでは、自分がどのようにドアを開くか、6種類体験できます。それぞれは動き方が異なります。どんな動きでどう感じるのか、試してください。

https://www.cyber.t.u-tokyo.ac.jp/~digitalmuseum/Push/

●疑似触覚デモ

本文でも紹介した通り、触覚と視覚は互いに作用し合っています。この現象で最も有名なものの1つが「スードハプティクス」と呼ばれる現象です。パソコンのマウスが突然動かなくなると、マウスにはまったく力がかかっていないのですが、まるで力がかかっているかのように感じます。この現象を応用したデモを体験することができます。

マウスをグラフィック上で動かしてみてください。動きとグラフィックに応じてマウスポインタの動きやその大きさが変わります。その時になんだか力を感じませんか？

https://www.cyber.t.u-tokyo.ac.jp/~digitalmuseum/pseudo/

協力：水口直哉（東京大学・廣瀬研究室）

【主な参考文献】

『バイオメディカル融合3次元画像処理』小山博史ほか著、東京大学出版会、２０１５年
『スーパーヒューマン誕生！ 人間はSFを超える』稲見昌彦、NHK出版、２０１６年
『触覚認識メカニズムと応用技術―触覚センサ・触覚ディスプレイ―』下条誠、前野隆司、篠田裕之、佐野明人編、S&T出版、２０１０年
『3次元画像処理』Gabriele Lohmann著、鈴木宏正監訳、ボーンデジタル、２００９年
『つじつまを合わせたがる脳』横澤一彦著、岩波書店、２０１７年
『視覚科学』横澤一彦著、勁草書房、２０１０年
『空気の港 テクノロジー×空気で感じる新しい世界 Digital Public Art in Haneda Airport 』東京大学「デジタルパブリックアートを創出する技術」プロジェクトほか著、美術出版社、２０１０年
『人工現実感の世界』服部桂、工業調査会、１９９１年
『技術はどこまで人間に近づくか―生体化するテクノロジーと21世紀』廣瀬通孝著、PHP研究所、１９９２年
『バーチャルリアリティ学』舘暲、佐藤誠、廣瀬通孝監修、日本バーチャルリアリティ学会編・発行、２０１１年
『VR原論 人とテクノロジーの新しいリアル』服部桂著、翔泳社、２０１９年

●執筆者一覧

相澤 清晴（あいざわ・きよはる）

東京大学大学院情報理工学系研究科　教授
東京大学バーチャルリアリティ教育研究センター
センター長

青山 一真（あおやま・かずま）

東京大学先端科学技術研究センター
東京大学バーチャルリアリティ教育研究センター
特任講師

雨宮 智浩（あめみや・ともひろ）

東京大学大学院情報理工学系研究科
東京大学バーチャルリアリティ教育研究センター
准教授

伊藤 研一郎（いとう・けんいちろう）

東京大学大学院情報理工学系研究科
東京大学バーチャルリアリティ教育研究センター
特任助教

稲見 昌彦（いなみ・まさひこ）

東京大学先端科学技術研究センター　教授

小川 奈美（おがわ・なみ）

CyberAgent AI Lab リサーチサイエンティスト

小柳 陽光（おやなぎ・あきみ）

東京大学バーチャルリアリティ教育研究センター
特任研究員

小山 博史（おやま・ひろし）

東京大学大学院医学系研究科　教授

篠田 裕之（しのだ・ひろゆき）

東京大学学大学院新領域創成科学研究科
教授

末石 智大（すえいし・ともひろ）

東京大学情報基盤センター　特任講師

鈴木 宏正（すずき・ひろまさ）

東京大学大学院工学系研究科　教授

竹内 俊貴（たけうち・としき）

東京大学先端科学技術研究センター　特任研究員

谷川 智洋（たけうち・ともひろ）

東京大学大学院情報理工学系研究科　特任教授

苗村 健（なえむら・たけし）

東京大学大学院情報学環　教授

鳴海 拓志（なるみ・たくじ）

東京大学大学院情報理工学系研究科　准教授

伴 祐樹（ばん・ゆうき）

東京大学大学院新領域創成科学研究科
特任講師

檜山 敦（ひやま・あつし）

東京大学先端科学技術研究センター　特任教授
一橋大学ソーシャル・データサイエンス教育研究
推進センター 教授

廣瀬 通孝（ひろせ・みちたか）

奥付（160ページ）参照。

松本 啓吾（まつもと・けいご）

東京大学大学院情報理工学系研究科　助教

宮下 令央（みやした・れお）

東京大学情報基盤センター　特任講師

山本 晃生（やまもと・あきお）

東京大学大学院新領域創成科学研究科　教授

横澤 一彦（よこさわ・かずひこ）

東京大学　名誉教授
筑波学院大学　教授

吉田 成朗（よしだ・しげお）

東京大学先端科学技術研究センター　特任講師
オムロン サイニックエックス　シニアリサーチャー

暦本 純一（れきもと・じゅんいち）

東京大学大学院情報学環　教授

割澤 伸一（わりさわ・しんいち）

東京大学大学院新領域創成科学研究科　教授

今日からモノ知りシリーズ
トコトンやさしい
VRの本　第2版

NDC 007

2019年　2月28日　初版1刷発行
2019年　6月28日　初版2刷発行
2022年11月30日　第2版1刷発行

©監修者　廣瀬通孝
　編者　東京大学バーチャルリアリティ
　　　　教育研究センター
発行者　井水 治博
発行所　日刊工業新聞社
　　　　東京都中央区日本橋小網町14-1
　　　　（郵便番号103-8548）
　　　　電話　書籍編集部　03（5644）7490
　　　　　　　販売・管理部　03（5644）7410
　　　　FAX　03（5644）7400
　　　　振替口座　00190-2-186076
　　　　URL　https://pub.nikkan.co.jp/
　　　　e-mail　info@media.nikkan.co.jp
印刷・製本　新日本印刷（株）

●DESIGN STAFF
AD――――――――志岐滋行
表紙イラスト――――黒崎　玄
本文イラスト――――榊原唯幸
ブック・デザイン ――奥田陽子・黒田陽子
　　　　　　　　　（志岐デザイン事務所）

●
落丁・乱丁本はお取り替えいたします。
2022 Printed in Japan
ISBN　978-4-526-08240-5　C3034

●定価はカバーに表示してあります。

●監修者紹介

廣瀬通孝（ひろせ・みちたか）

東京大学　名誉教授
東京大学　先端科学技術研究センター　サービスVRプロジェクトリーダー
東京大学　バーチャルリアリティ教育研究センター　サービスVR寄付研究部門　特任研究員
1954年5月7日生まれ、神奈川県鎌倉市出身。1982年3月東京大学大学院工学系研究科博士課程修了（工学博士）。東京大学工学部講師、助教授、同大大学院工学系研究科教授、先端科学技術研究センター教授、大学院情報理工学系研究科教授、東京大学バーチャルリアリティ教育研究センター長（併任）を経て現在に至る。日本バーチャルリアリティ学会会長、日本機械学会フェロー、産業技術総合研究所研究コーディネータ、情報通信研究機構プログラムコーディネータなどを歴任。専門はシステム工学、ヒューマン・インタフェース、バーチャル・リアリティ。

●主な著書
『いずれ老いていく僕たちを100年活躍させるための先端VRガイド』講談社
『バーチャルリアリティ学』監修、コロナ社
『ヒトと機械のあいだ―ヒト化する機械と機械化するヒト』編、岩波書店
『バーチャル・リアリティ』産業図書　など

●主な受賞歴
総務省情報化月間推進会議議長表彰、東京テクノフォーラムゴールドメダル賞、大川出版賞 など

●編者紹介

東京大学バーチャルリアリティ教育研究センター

2018年2月1日に設立。VR研究における国際的なイニシアティブを確立すると共に、先端技術の普及と、VRを活用した先進的教育システムの導入を推進することを目的とし、基盤研究部門、応用展開部門の2部門を置く。情報理工学系、人文社会系、工学系、医学系、新領域創成科学、情報学環、先端科学技術研究センターと、東京大学内で進むVR研究に横串を刺す組織。

運営委員会（2022年度）

[情報理工学系研究科]	相澤清晴、葛岡英明、雨宮智浩
[人文社会系研究科]	村上郁也
[工学系研究科]	小林英津子、染谷隆夫
[医学系研究科]	小山博史、原田香奈子
[新領域創成科学研究科]	篠田裕之、割澤伸一、山本晃生
[情報学環]	苗村健、暦本純一
[先端科学技術研究センター]	稲見昌彦、青山一真